The latest of Meal Management

# 식생활관리

박경숙 · 계인숙 · 최향숙 · 유경혜 · 오윤재 · 김현영 공저

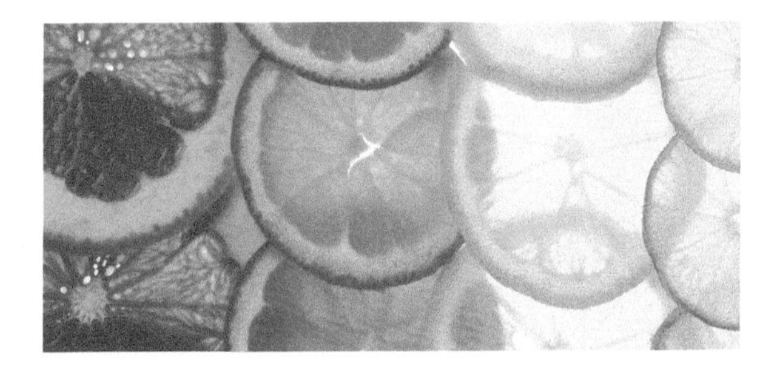

光文閣

www.kwangmoonkag.co.kr

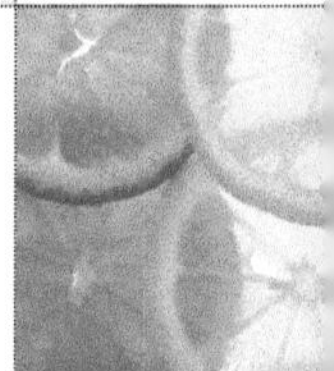

# 머리말

최근 경제성장과 급속한 사회환경의 변화로 인하여 생활환경이 크게 변화되고 식생활 전반에도 급속한 변화가 일어나고 있다. 특히 풍족한 식생활 환경에 각종 대중매체와 스마트폰의 확산으로 인하여 식생활에 대한 정보는 상상을 초월하며, 때와 장소에 구애 없이 정보를 순식간에 검색하는 시대가 되었다. 이러한 환경은 긍정적인 영향을 미칠 수도 있으나 자칫 잘못 활용된다면 엄청난 오류를 동시에 범할 수도 있다.

먹는다는 것은 인간의 생명 유지에 필수적인 요소이며 가장 기본이 되는 것이다. 과거 오랫동안 인간의 식생활은 대부분 기아를 면하기 위한 목적을 달성하기에 급급했으나, 문화가 발달하고 생활이 풍족해지면서 최근에는 합리적인 영양 섭취, 더 나아가 어떻게 하면 좀 더 잘 먹고 잘사는가에 관심이 집중되고 있다. 특히 수명 100세 시대를 눈앞에 두고 그동안 오래 사는 것에 대한 목표로부터 이제부터는 건강하게 오래 사는 삶의 질을 중요시하는 것이 목표가 되고 있다.

식생활관리란 식사와 관계되는 모든 활동, 의사결정, 실천 등을 관리하는 것으로 식사 계획, 식품 구매, 조리, 상차림, 주방 기기 및 설비관리 등을 모두 포함하며, 식사와 관련된 모든 활동과 의사결정을 실천하고 책임지는 사람을 식생활관리자라 한다. 자기 자신은 물론 가족의 건강을 지키기 위한 식생활관리자의 올바른 식생활에 관한 지식과 현명한 노력이 필요하며, 바람직한 식생활관리를 통해 경제적이면서도 기호를 충족시키고 위생적이고 균형 잡힌 식사를 가능하게 하여 건강을 유지하게 할 수 있어야 한다.

사회가 발달하여 감에 따라 식생활의 구조도 매우 복잡해져서 인구 문제, 사회 기구, 경제, 소득 수준, 식품 정책, 산업 기술, 조리 기술 및 문화 등 여러 가지 요소들이 복잡하게 서로 연관되어 형성되고 있다.

본서는 식생활과 건강, 영양소, 식품과 조리 등을 기본으로 이해하여 개정된 한국인 영양섭취 기준에 맞추어 합리적인 식단 작성을 할 수 있도록 하였으며, 식생활과 문화, 미래의 식품과 21세기 식생활의 특징 등을 중점적으로 집필하였다. 특히 새로운 식생활 환경에 적합하고 실제적인 측면에서 식생활관리의 길잡이가 될 수 있도록 집필되었으며, 식품영양 전공자는 물론 미래 식생활관리자가 될 일반 대학생의 교양 과정으로, 또 일반인에게도 도움이 되도록 하였다. 이 책을 통하여 인류의 가장 큰 목표인 건강하고 행복한 삶을 위하여 바른 식생활을 현명하게 관리하기를 바라는 바이다.

끝으로 여러모로 미흡한 부분이 많을 것으로 부족한 점은 앞으로 계속 보완, 수정해 나갈 것을 약속드리며, 이 책이 출판될 수 있도록 많은 도움을 주신 광문각출판사 박정태 회장님을 비롯한 임직원 여러분께 깊은 감사를 드린다.

2017년 저자 일동

# 목차

## 4 | 식생활과 영양



## 5 | 식단 작성 및 평가



## 6 | 식품 구매 및 저장 관리



## 7 | 식생활 문화

# 목차

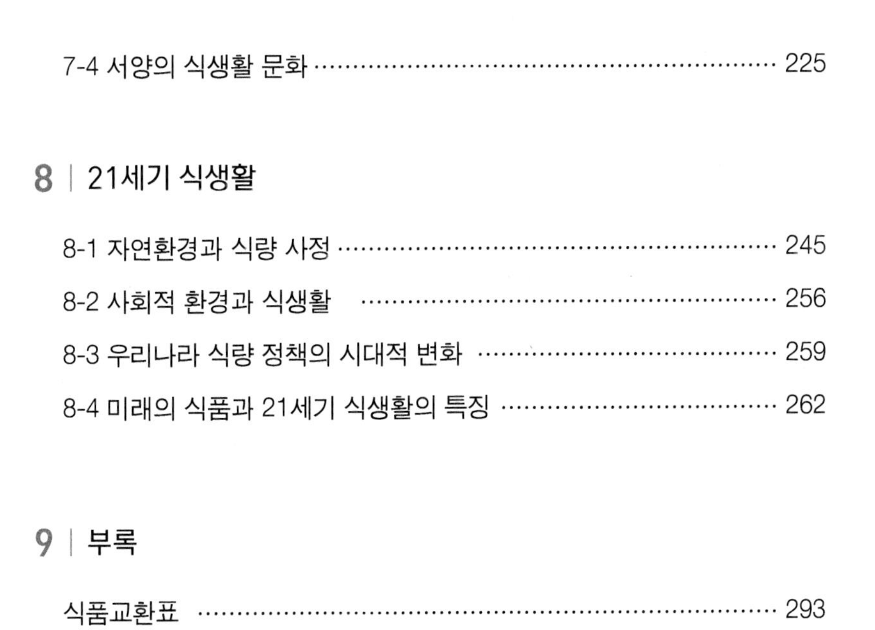

# PART 01 식생활관리의 개요

PART 01

# 식생활관리의 개요

정부는 2009년 식생활에 대한 국민적 인식을 높이기 위하여 필요한 사항을 정함으로써 국민의 식생활 개선, 전통 식생활 문화의 계승·발전, 농어업 및 식품산업 발전을 도모하고 국민의 삶의 질 향상에 기여함을 목적으로 하는 식생활교육지원법 시행령을 공포하였다. 이 법에서 '식생활'이란 식품의 생산, 조리, 가공, 식사 용구, 상차림, 식습관, 식사예절, 식품의 선택과 소비 등 음식물의 섭취와 관련된 유·무형의 활동을 말한다. 선진국은 건전한 식생활을 위한 범국가적 식생활운동을 전개하고 있다. 하지만 우리나라는 서구화된 식생활로 비만·당뇨·고지혈증 등 성인병 유병률이 높아지고, 영양 불균형이 심화되어 가고 있다. 이러한 환경 속에서 건강하고 행복한 삶을 위하여 올바른 식생활을 현명하게 관리하는 것은 무엇보다도 중요한 일이다.

## 1-1 식생활관리의 개념

식생활관리(meal management)란 식사와 관련된 모든 활동을 계획(plan)하고 실행(do)하며 평가(see)하는 것으로 식사 계획에서부터 식품 구매, 조리, 상차림, 뒷정리, 식품의 저장, 위생관리, 주방관리까지 모두 포함된다.

자연 채취를 하던 시절에는 먹을 수 있는 것과 없는 것을 구분하고 남은 식품을 갈무리하는 정도를 식생활관리라 볼 수 있었지만 오늘날은 사회 구조가 복잡해지고 식생활도 훨씬 다양해졌다. 특히 산업과 교통 및 매스컴의 발달로 그 영향력이 확대되면서 식생활관리의 범위가 상당히 확대되었다.

식생활관리자(meal manager)란 식사와 관련된 모든 활동과 의사결정을 실천하고 책임지는 사람을 말한다. 식생활이 이루어지는 모든 가정과 단체는 반드시 식생활관리자가 필요하다. 식생활관리자는 막연히 식생활의 전반적인 책임을 지는 것이 아니라, 가족의 식사를 계획하며 영양을 책임지는 영양사가 되기도 하고, 식품 구매자로서 식생활비를 조정하는 재정관이 되기도 하고, 여러 가지 일을 조직적으로 실천하는 경영인이 되기도 하고, 영양을 지도하는 교육자가 되기도 하고, 주방에서는 조리장·감독자가 되기도 하고, 식당과 주방의 관리인이 되기도 하고, 식사를 대접할 때는 식탁을 꾸미는 예술가가 되기도 한다.

따라서 식생활관리자는 위와 같은 역할을 담당하기 위해서 수많은 결정을 내려야만 한다. 이런 결정들은 시시각각 변할 수도 있으므로 최상의 결정을 위해서는 많은 경험과 다양한 지식을 활용해야 한다.

▌그림 1-1 식생활관리자의 역할

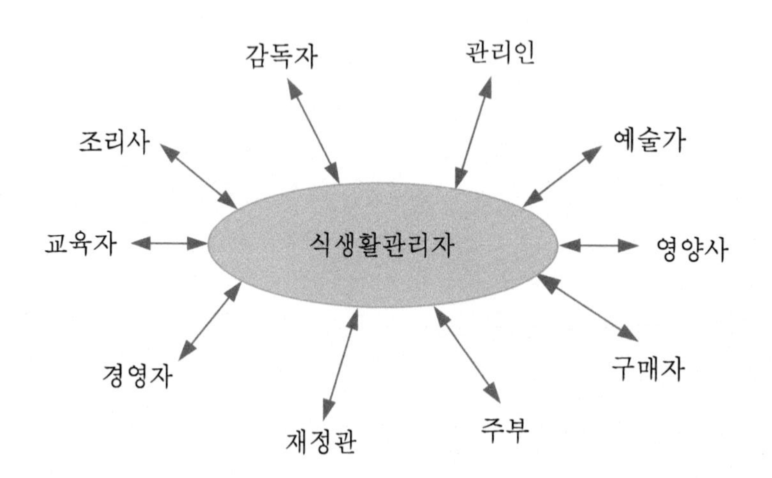

## 1-2 식생활관리의 의의

과거에는 식량 자원의 종류 및 양의 제한으로 식생활의 대상이 단순하여 식생활관리 역시 매우 용이하였다. 하지만 사회가 발달하여 감에 따라 식생활의 구조도 매우 복잡해져서 인구 문제, 사회기구, 경제, 소득수준, 식품정책, 산업기술, 조리기술 및 문화 등 여러 가지 요소들이 복잡하게 서로 연관되어 성인병 · 식품 알레르기 환자 · 아토피 환자가 증가하고 식중독 발생도 증가하는 등 식생활을 둘러싼 여러 가지 문제점이 나타나고 있다. 이제 식생활관리는 더 이상 개인, 가정, 사회가 상호 관련성을 가지고 대처하지 않으면 안 되는 상황이 되었다.

이에 식생활관리의 필요성과 의의를 부여하게 되었으며, 식생활관리가 갖는 의의는 다음과 같다.

첫째, 식생활을 관리한다는 것은 건강 증진과 에너지 및 영양소 공급 같은 신체적 · 생리적 의의가 있다. 즉 사람은 식생활을 통해 섭취한 음식으로 신체의 성장과 건강 유지에 필요한 영양소를 충족하고 가족이 함께 건강하게 생활할 수 있게 된다.

둘째, 손님을 접대하기 위한 식사는 인간관계를 유지하는 매개로서의 역할을 하여 사교적인 의의를 지니며, 특히 외국 손님 접대 시에는 문화를 전달하고 사회적인 의사 표현의 방식이 되기도 하므로 식생활관리는 문화적 · 사회적 의의가 있다.

셋째, 식생활관리는 정서적 · 심리적 의의가 있다. 즉 사람은 식생활을 통해 배고픔을 채우는 것에 그치지 않고 개개인이 정서적 · 심리적 안정을 얻어 그 생활의 폭과 깊이를 풍요롭게 하여 삶의 질을 높일 수 있다.

넷째, 식생활관리를 어떻게 하느냐에 따라 지구 환경에 미치는 영향이 달라지므로 식생활관리는 환경 보전적 의의가 있다. 즉 식생활관리 시 지역 농산물을 이용하거나 노지 재배를 한 저탄소 농산물을 적극 활용하여 기후 변화를 촉발하는 이산화탄소 배출량을 줄이고, 버려지는 식품이나 음식을 줄여 환경오염을 감소시킬 수 있다.

## 1-3 식생활관리의 기본

### 1. 의사결정

식생활관리에 있어서 의사결정이란 식생활관리자가 식생활 제반에 관한 방향을 결정하기 위하여 세부사항을 검토하고 선택하는 모든 과정을 계획을 세워서 실천하는 것이다. 의사결정의 과정은 무엇을 선택할 것인가를 인식하고, 선택 방법은 어떻게 해야 할 것인가를 생각하며, 가능한 선택 방법을 평가한 후 최종적으로 하나를 선택하여야 한다.

식생활관리자는 합리적인 식생활이라는 목표를 달성하기 위하여 한정된 수단과 자원 내에서 우리가 원하는 것이 무엇이며, 무엇을 얻어야 할지를 조정하면서 끊임없이 현명한 의사결정을 해나가야 한다.

의사결정은 식생활관리자의 목표에 따라 달라질 수 있으며, 모든 의사결정은 목표 달성을 위해 가장 합리적인 방법으로 되어야 한다. 합리적인 의사결정은 깊이 생각하고 충분한 경험과 지식을 이용해야 한다.

### 2. 자원

자원이란 식생활을 영위하는 데 필요한 모든 것을 포괄한다. 일반적인 의미에서 자원이란 인적 자원과 물적 자원 및 기능적 자원 세 가지로 크게 나눌 수 있다. 인적 자원이란 시간, 에너지, 지식, 기술과 능력 등을 의미한다. 반면에 물적 자원은 여러 가지 물품을 구매할 수 있고 관리할 수 있는 돈을 의미한다. 합리적인 식생활관리를 위해서는 식품과 영양에 관한 지식과 기술을 기본으로 하여 한정된 자원(재료, 시설, 설비, 능력, 시간, 돈, 정보 등)을 적절히 활용하여 사람들의 식생활 관련 요구를 만족시킬 수 있어야 한다.

식생활관리의 자원들은 상호 대체할 수 있는 관계를 가지고 있다. 따라서 바람직한 식사를 위해서는 주어진 자원 내에서 식생활관리자의 가치와 목표가 만족되도록 자원을 적절하게 활용하여야 한다.

### 1) 물적 자원

물적 자원은 식생활에서 사용되는 물질적인 자원들이며 식품의 주·부재료, 조리기구, 주방설비, 연료와 전기, 물 등이 있다. 이들은 모두 돈으로 구매할 수 있으므로 쉽게 환산이 가능하다. 물적 자원은 식생활관리자의 인적 자원을 개발함으로써 어느 정도 절약을 할 수 있다.

#### (1) 조리기구

조리기구란 식생활을 하는 데 필요한 모든 기구들을 말하며 프라이팬, 냄비류, 식기류, 거품기, 수저류, 칼, 도마, 주걱, 국자, 믹서 등 그 종류와 수량이 헤아릴 수 없이 다양하며 저울이나 계량컵, 계량스푼 등의 계량기구 등도 이에 속한다.

#### (2) 식품(재료)

음식의 재료가 되는 식품에는 동물성 식품과 식물성 식품, 그리고 각종 조미료들이 있다. 또한, 조리 시 사용되는 연료와 식품을 씻거나 조리할 때 필요한 물도 포함된다.

동물성 재료에는 육류와 어패류, 달걀류 및 가금류 등이 있는데 이러한 재료들은 인종적, 관습적, 종교적, 지리적, 문화적인 이유로 차이가 있으나 식품의 재료가 될 수 있다. 식물성 재료에는 채소류와 곡류, 감자류 및 콩류 등이 있다. 또한, 식품에 단맛, 신맛, 짠맛, 매운맛, 감칠맛 등을 더하거나 원래의 맛을 두드러지게 하고, 식품의 맛과 어울려 새로운 맛을 내게 하는 목적으로 사용하는 조미료가 있다.

#### (3) 시설설비

식생활에 필요하거나 관련된 설비와 기구들을 말하며 식당의 설비(급·배수설비, 환기설비, 열원설비, 조명설비, 냉·난방설비 등), 냉장고, 김치냉장고, 냉동고, 가스레인지, 전자레인지, 식기세척기, 식탁, 의자 등이 이에 속한다.

### 2) 인적 자원

인적 자원은 식생활관리자의 중요한 자원으로 식품에 관한 지식, 조리기술, 식생활에 대한 평가 능력, 노력 등이 있다. 지식, 기술, 능력이 많은 사람일수록 목표 달성을 위한 시간, 돈 및 에너지를 절약할 수 있다.

#### (1) 지식·기술·능력

식품의 영양이나 독성에 관한 지식, 조리에 관한 기술과 일솜씨, 식사에 관한 계획, 식품 구매, 식품 보관, 평가 등의 능력, 위생이나 질병 예방에 관한 지식, 맛이나 빛깔, 냄새, 기타 식품에 관한 모든 지식 등이 있다.

#### (2) 노력(에너지)

노력 또한 인적 자원의 중요한 구성 요소이다. 식품을 구매해서 운반하고 보관하는 데는 많은 에너지가 소요되며, 식단을 계획하거나 재료를 전처리하거나 조리를 하거나 식사를 차리거나 설거지를 하거나 조리기구와 설비들을 관리하는 데도 사람의 신체적 활동과 노력이 필요하다.

### 3) 기능적 자원

기능적 자원은 식생활의 중요한 자원으로 시간이나 돈, 정보 등이 있다. 식생활관리자가 습득하고 숙지한 정보를 이용하여 적절한 시간에 적당한 비용으로 식생활을 영위하는 일도 다른 자원들 못지않게 중요하다.

#### (1) 시간

식사를 제공함에 있어 식단을 계획해서 식품을 구입하고 전처리하고 조리하는 데에는 노력뿐만 아니라 많은 시간도 소요되며, 식사의 뒷정리에도 많은 시간을 투입하여야 한다. 이러한 식생활관리에 소요되는 모든 시간도 하나의 기능적 자원이 된다.

#### (2) 돈

돈은 조리기구, 주방설비, 연료와 전기, 물, 식품의 주·부재료 등을 구매하는 물적 자원이면서도 식품의 운반이나 보관 등 운용의 비용으로도 사용되며, 가사도우미의 인건비, 외식비, 간식비 등으로도 사용된다.

어떤 의미에서는 모든 자원은 돈으로 환산이 가능하며, 심지어는 시간이나 정보까지도 돈으로의 환산이 가능하다고 생각할 수 있으므로 모든 자원 중에서 돈 자원이 가장 중요한 자원이라고 보는 견해도 있다.

#### (3) 정보

식생활관리에 있어서 정보도 중요한 자원이다. 현대는 정보화 사회인 만큼 갖가지 매체에 의해 시시각각으로 전달되는 정보의 홍수 속에서 올바른 정보를 얻기 위해서는 노력이 필요하고, 또한 과학적이고 확실한 정보의 중요성은 점점 더 높아가고 있다. 특히 건강식품에 관한 정보 및 식사에 관한 정보 중에는 과학적인 근거도 없이 쉽게 받아들여져 무심코 따르는 위험한 사례를 흔히 볼 수 있다.

식생활관리에 있어 중요한 역할을 하는 정보들로는 식품을 원산지에서 값싸게 구입할 수 있는 정보나 다양한 식품들 중에서 양질의 식품을 선택할 수 있는 정보, 가격이 싸고 좋은 품질의 기구나 설비를 구입할 수 있는 정보, 식품의 지식에 관한 새로운 정보, 새로운 조리법에 관한 정보, 기타 식품에 관련된 모든 정보 등이 있다.

### 4) 식생활관리 목표와 자원 이용과의 상호관계

물적 · 인적 · 기능적 자원이 가정마다 비슷하게 주어져도 다르게 사용되는 것은 자원들을 어떻게 사용할 것인가 하는 그들의 목표가 무엇인가에 따라 자원의 이용에 차이가 날 수 있기 때문이다. 예를 들면 가정의 식생활관리 목표가 가족의 건강이나 영양이 최우선이라면 식품 구입에 큰 비용을 지급하게 되고, 돈을 절약하고자 할 때는 전반적인 영양가가 낮아질 수 있고 대신 시간이 많이 소요될 수 있다. 그러므로 이를 잘 절충하도록 해야 한다.

# PART 02 식생활관리의 목표

PART 02

# 식생활관리의 목표

바람직한 식생활관리의 목표는 크게 6가지로 나눌 수 있다. 첫째는 우수한 영양을 공급하여 구성원의 건강을 유지하는 것이고, 둘째는 경제를 고려하여 식품비를 적절히 배분하여 지출을 합리적으로 계획하는 것이다. 셋째는 대상자의 기호를 고려하여 식사를 계획하는 것이고, 넷째는 제공하는 식사의 안전성과 위생을 고려하여 식사 계획을 하는 것이다. 다섯째는 식사를 계획함에 있어서 시간과 에너지 등 능률도 고려해야 한다. 여섯째는 식품의 생산, 유통 등 식생활 전반에 걸쳐서 환경보존면과 밀접하게 연관되어 있으므로 식사를 계획할 때 환경보존면을 고려해야 한다. 따라서 식생활관리자는 5가지 목표를 모두 충족시켜 구성원이 즐겁게 식사를 해야 한다.

## 2-1 영양면

### 1. 영양소 섭취 실태

각각의 영양소 섭취량을 영양권장량에 대한 섭취비율을 비교한 결과(그림 2-1) 대부분이 영양소의 권장섭취기준을 충족하나 칼슘이 권장량의 68.7%로 가장 낮게 섭취하였고, 그다음이 칼륨으로 87.4%를 섭취하고 있었다. 칼슘은 청소년기까지는 골격 성장을 위하여, 35세까지는 골격 형성을 위하여, 35세 이후는 골격 유지를 위하여 섭취가 매우 중요하다. 폐경기 여성의 경우 만성질환 및 골다공증 예방을 위하여 더욱 강조된

**▌그림 2-1 영양섭취기준에 대한 섭취비율** (단위 %)

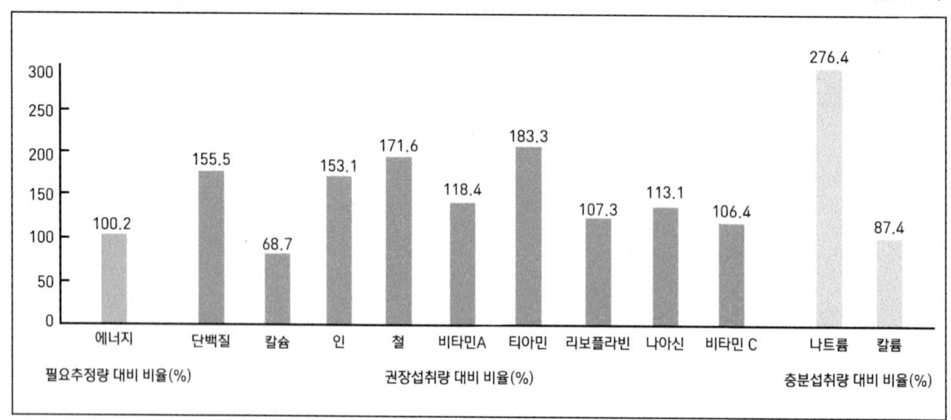


※ 영양소섭취기준 대비 개인별 영양, 만 1세 이상 섭취비율 (자료 : 보건복지부, 국민건강영양조사, 2016)

다. 칼슘의 식품급원은 생체 이용률이 가장 중요한데 우유가 가장 좋은 급원이라 할 수 있다. 우유의 칼슘 흡수는 콩의 2배, 시금치의 10배 정도 높다. 그러므로 남녀노소가 우유나 유제품의 섭취를 늘리고 칼슘 강화 오렌지 주스를 선택하거나 잔 생선 등의 섭취를 늘려가야 할 것이다. 칼륨은 혈압을 낮추며 뇌졸중과 심근경색을 예방한다. 평소 고혈압이 있다면 칼륨을 충분하게 섭취를 하여야 한다. 특히 칼륨은 감자, 고구마, 바나나, 배, 오렌지, 아몬드, 시금치, 미역 등에 많이 들어 있다.

이에 반하여 나트륨은 276%를 섭취하고 있어 심각성을 보여주고 있다. 나트륨의 과잉 섭취는 혈압 상승, 뇌졸중, 심근경색, 심부전, 위암 발생률을 증가시킨다. 최근에는 외식이 늘어나고 국, 찌개, 탕류, 김치류, 양념류, 젓갈 등에 많아서 식사할 때는 싱겁게 먹는 습관을 들여야 할 것이다. 우리나라 전통 음식인 된장찌개를 끓일 때도 나트륨과 칼륨의 관계를 생각하면서 감자, 호박, 부추 등을 많이 넣는 습관이 중요하다.

다음은 남녀별 영양소의 섭취비율(그림 2-2)을 살펴보면 에너지 섭취는 여성의 경우는 95%, 남성은 105%로 여성의 에너지 섭취가 부족하다. 칼슘과 비타민 C도 여성에 비하여 남성이 더 섭취하고 있었으며, 반면 나트륨의 경우 남성(323%)이 여성(231%)보다 훨씬 많은 섭취를 하고 있어 될 수 있는 한 외식보다는 가정에서 식사를 하며, 식생활관리자는 가족이나 고객에게 저나트륨 식사의 필요성과 중요성을 지속적으로 알려

▌그림 2-2 남녀의 영양소별 평균섭취비율 (단위 %)

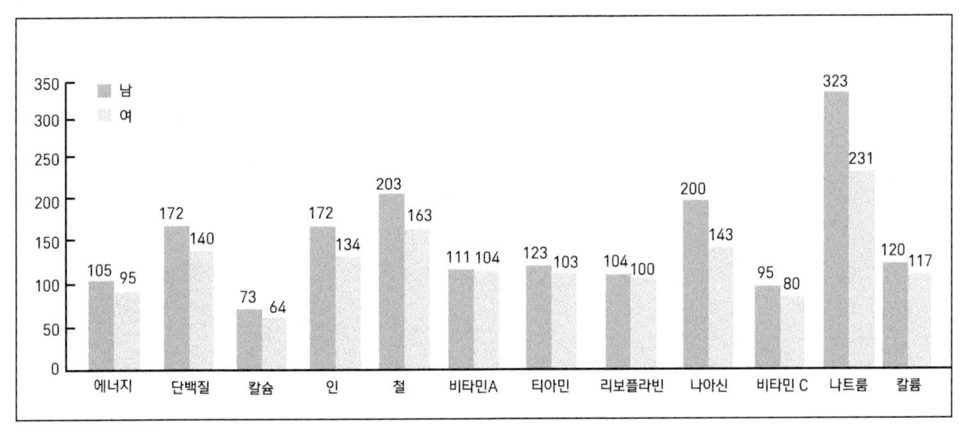


※ 영양소섭취기준 대비 개인별 영양, 만 1세 이상 섭취비율 (자료 : 보건복지부, 국민건강영양조사, 2016)

야 한다.

## 2. 식품 섭취 현황

우리나라 국민이 섭취하는 식품의 총량은 1인 1일 평균 1,582.3g(2014년 국민건강영양조사)이고 식물성 식품이 1,261.1g(79.7%), 동물성 식품이 337.0g(21.3%)이었다. 식품군별 섭취량 40년 동안의 변화(그림 2-3~그림 2-4)를 보면 음료 및 주류가 가장 많이 증가하였다. 곡류 섭취량은 계속 감소 추세를 보이다가 2014년 1일 293.7g을 나타내었다. 채소류는 큰 변화가 없다가 1990년대 후반부터 섭취량이 증가하는 것으로 나타났다. 동물성 식품군은 육류, 난류, 우유류의 섭취량이 1980년대 이후 증가를 하였다. 육류는 2014년 섭취량이 108.1g으로 크게 증가하였고 1992년도에 비해 거의 2배 가까운 양이다. 우유류도 2014년 102.3g으로 1992년도와 비교하면 2배의 양으로 증가하였다.

▌그림 2-3 식물성 식품군 섭취량의 변화 추이

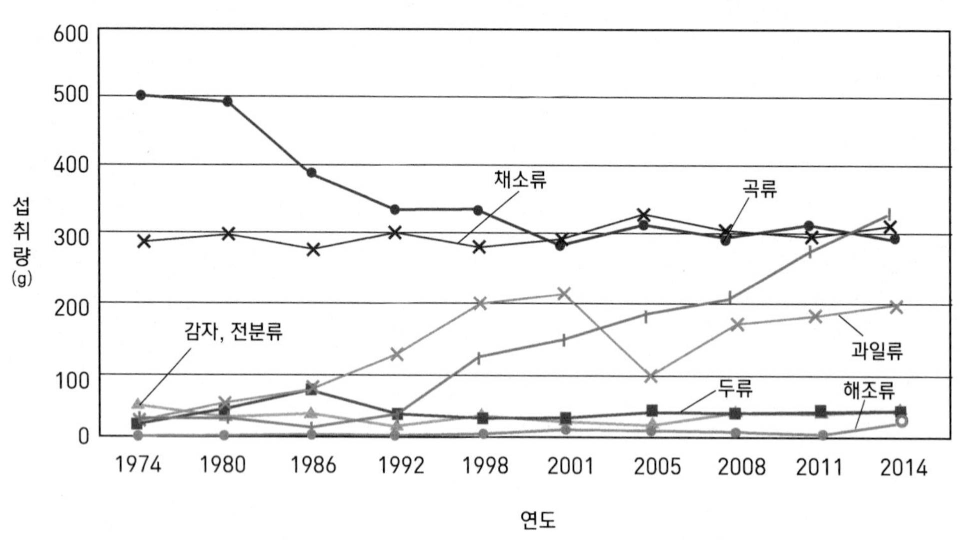


(자료 : 보건복지부, 국민건강영양조사, 2016)

▌그림 2-4 동물성 식품군 섭취량의 변화 추이

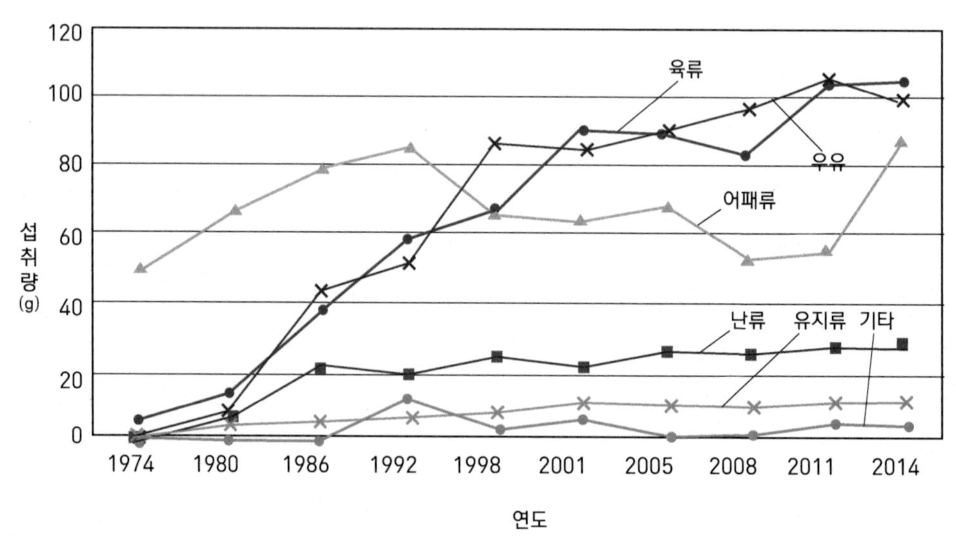


(자료 : 보건복지부, 국민건강영양조사, 2016)

## 2-2 경제면

아무리 영양이 우수하고 균형 잡힌 식단이라도 그 비용이 많이 든다면 계획된 식단대로 실천할 수 없다. 각 가정에서 들어오는 식생활비는 한계가 있으며 수입에 따라 식생활비의 규모가 정해지므로 식단 작성과 식생활비는 밀접한 관계가 있다. 그러므로 균형 잡힌 식단을 작성하여 실천에 옮길 때는 식생활비에 대한 계획을 철저히 세워야 한다. 그러므로 값싸고 구하기 쉬운 종류를 알아두어 소득에 맞는 식품을 선택하도록 하고 물가에 따라 식품의 종류에는 차이가 많으므로 물가 변동을 고려해서 다른 대체식품이 있는 지와 제철식품도 싸니까 이용하는 것도 좋을 것이다.

### 1. 식생활비의 지출 현황

식품비 지출은 소득 수준, 식생활에 대한 가치관 등에 영향을 미친다. 가족의 구성이 비슷하면 식품에 소비하는 비용은 다를지라도 영양필요량은 같다. 가족 구성원의 크기는 식품필요량을 결정하는 요소이다. 일반적으로 가족 수가 많으면 적은 가족보다 총 식품비가 많이 필요하지만 1인당 식생활비는 적어진다. 가구원 수별, 가구원 월평균, 식품비 지출을 살펴보면(표 2-1) 2인 가족을 기준일 때 식료품비는 3인 가족 1.32배, 4인 가족 1.5배, 5인 이상 가족은 1.65배였고, 1인당 식료품비 지출은 5인 이상 가족의 30% 정도를 사용하고 있는 것으로 나타났다.

표 2-1 가구원별 가구당 월평균 식품비 지출표

| 구 분 | 1인 | 2인 | 3인 | 4인 | 5인 이상 |
|---|---|---|---|---|---|
| 소득 | 1,966.4 | 2,998.6 | 3,822.7 | 4,330.8 | 4,695.2 |
| 가계지출 | 1,546.3 | 2,295.4 | 2,981.5 | 3,528.2 | 3,875.6 |
| 소비지출 | 1,140.5 | 1,670.8 | 2,274.2 | 2,381.2 | 3,017.0 |
| 식료품 · 비주류 음료 | 124.1 | 242.3 | 291.7 | 331.1 | 407.7 |

지료: 통계청(2009), 연간 가계 동향

계획적이고 영양이 풍부한 식생활을 하기 위해서는 먼저 식생활비를 정하고 그 내용을 충분히 검토한 후 식단을 작성해야 한다. 가족의 수입에 따른 식생활비가 결정되며 주식비, 부식비(간식 및 후식 포함), 외식비로 나누어 계획한다. 주식비는 가족 수에 따라 결정되며 부식비는 소득에 영향을 많이 받는다.

소비지출 중 식비가 차지하는 비중인 엥겔지수는 1980년 42.9%에서 2000년 27.4%로 20년간 16% 감소하였다. 이는 그동안 소득이 향상되었기 때문인 것으로 풀이된다. 현재는 26%대를 유지하고 있다(표 2-2).

표 2-2 월평균 총 소비지출 중 식료품 구성비(전 가구)

(단위 : 천 원)

| 연 도 | 소비지출 | 식료품 | 엥겔지수 |
|---|---|---|---|
| 1980 | 180.5 | 77.5 | 42.9 |
| 1990 | 685.7 | 220.8 | 32.2 |
| 1995 | 1,265.9 | 363.1 | 29.0 |
| 2000 | 1,632.3 | 447.0 | 27.4 |
| 2005 | 1,871.9 | 527.0 | 28.2 |
| 2010 | 2,286.9 | 602.6 | 26.4 |
| 2014 | 2,551.1 | 676.5 | 26.5 |

자료 : 통계청, 2015

식생활관리자가 식품비 예산을 세우는데 영향을 미치는 요소는 가족의 영양소 필요량, 식품 구입에 영향을 주는 요인, 식단 계획, 식품비 예산 세우기, 계획적인 식생활 실천 등을 들 수 있다. 따라서 이러한 요소들을 각 가정의 상황에 알맞게 조절하여 합리적인 식품비 지출을 할 필요가 있다.

국민건강·영양조사 결과보고서(표 2-3)에 의하면 소득 수준이 증가함에 따라 영양소 섭취가 증가하는 것으로 나타났다. 소득 수준이 증가할수록 전반적인 영양소 섭취량은 증가되었으며, 소득 수준이 가장 낮은 그룹에 속하는 가구의 영양소 섭취량이 다른 그룹에 비해 크게 낮은 것으로 나타났다.

▌표 2-3 가구 소득 수준에 따른 영양소별 영양섭취기준에 대한 섭취비율(전국)

(만 1세 이상, 사회경제적 위치 지표별)

| 영양소 \ 연도 · 소득 | 2008년 | | | |
|---|---|---|---|---|
| | 1사분위 | 2사분위 | 3사분위 | 4사분위 |
| 에너지 | 86.4 | 89.7 | 88.6 | 91.7 |
| 단백질 | 136.2 | 143.2 | 144.6 | 152.2 |
| 칼슘 | 59.5 | 65.3 | 65.9 | 71.2 |
| 인 | 144.8 | 151.9 | 154.0 | 161.4 |
| 철 | 111.8 | 116.4 | 121.7 | 129.3 |
| 나트륨 | 314.0 | 316.9 | 328.2 | 338.9 |
| 칼륨 | 56.9 | 59.7 | 61.4 | 64.9 |
| 비타민 A | 107.0 | 104.9 | 112.9 | 121.3 |
| 티아민 | 108.7 | 113.9 | 114.99 | 115.5 |
| 리보플라빈 | 80.7 | 86.9 | 87.7 | 93.3 |
| 나이아신 | 97.4 | 103.6 | 105.5 | 110.6 |
| 비타민 C | 93.0 | 103.7 | 103.8 | 112.3 |

1) 영양섭취기준 : 한국영양섭취기준(한국영양학회 2005) : 에너지, 필요추정량, 나트륨, 칼륨, 충분섭취량 기타, 권장 섭취량
2) 소득 수준 : 필기구 균등화소득(월가구소득/√ 가구원 수)을 성별, 연령별(5세 단위) 사분위로 분류
3) 2005년 추계 인구로 연령 표준화

자료 : 보건복지가족부「질병관리본부, 2009

경제면을 고려하여 식생활비가 결정되면 주식비, 부식비, 간식비, 외식비 등을 계획한다. 주식비는 소득 수준에 의한 영향을 가장 적게 받지만 부식비, 간식비, 외식비는 소득 수준에 따라 많은 격차가 생길 수 있다. 그러나 식품에 따라 주된 영양소의 함량과 특성이 다르고 가격 차이도 많으므로 식품에 대한 정확한 지식과 정보를 가지고 경제에 알맞은 식품을 선택하도록 한다. 가격이 비싸 경제적으로 어려울 때에는 유사한 영양소 함량을 포함하면서도 값이 저렴한 적정한 대체식품(표 2-4)을 선택할 수도 있어야 한다.

▌표 2-4 경제면을 고려한 대체식품

| 식품군 | 식품명 | 대체식품 |
|---|---|---|
| 어육류군 | 소고기 | 닭고기, 돼지고기 |
| 어육류군 | 대구, 갈치 | 고등어, 꽁치 |
| 과일군 | 멜론 | 참외 |

## 2. 식품계획

식품계획은 미국의 농무성(USDA)에서 가족의 소득 수준에 따라 합리적으로 가족에게 필요한 영양섭취기준을 만족시킬 수 있는 지침서로 제공한 것이 식품계획(food plan)이다. 식품계획은 소득 수준 및 소비 수준에 따라 절약계획(thrifty plan), 저가격계획(low cost plan), 적정가격계획(moderate cost plan), 여유가격계획(liberal cost plan)으로 나누어지고 있다.

### 1) 절약계획

영양소섭취기준을 만족시키고 저가격계획보다 25~33% 낮게 계획하며, 주로 저소득층 가족에게 영양분을 보충해 줄 수 있도록 곡류를 많이 사용한다. 대부분 집에서 음식을 만들어 먹으며 육류, 어류, 채소, 과일의 사용은 적다.

### 2) 저가격계획

식품계획의 기준가격으로 이용된다. 현재 물가와 비교하여 저렴한 가격으로 계획한다.

### 3) 적정가격계획

저가격계획보다 25% 높게 식품비를 책정한다. 대부분의 사람들의 식사를 만족시켜준다.

### 4) 여유가격계획

저가격계획보다 50% 높고 적정가격계획보다 20% 높게 계획하며 식품 선택을 다양하고 자유롭게 하여 식사 만족도를 높일 수 있다. 예를 들면 소고기를 구입할 때 여유가격계획은 값비싼 부위와 등급을 사용할 수 있지만 저가격계획은 값싼 부위를 사용해야 한다.

## 2-3 기호면

영양적인 면이나 경제적인 면이 충족되더라도 음식물을 섭취하는 개인의 기호를 무시할 수 없다. 식생활관리 목표 중의 하나는 기호에 맞는 맛있는 식사를 할 수 있도록 하는 것이다.

아무리 영양이 풍부한 음식이라도 맛이 없으면 가치가 떨어진다. 식품을 섭취하는 목표는 영양에 있으나 먹고 싶다는 동기를 유발시키는 것이 기호도이다. 기호도는 인간이 태어난 후에 음식에 대한 경험에 의해서 형성되며 18~20세에는 거의 고정된다고 한다. 특히 어릴 때 가정에서 경험한 맛의 인상은 일생을 통해서 유지되기 쉽다. 그러므로 어린이들은 특정 식품에 대한 편식이 증가하고 있는데 이 시기에 올바른 식습관을 형성하도록 해야 하겠다.

그러나 너무 기호에만 치우쳐 영양이 부실하거나 너무 자극적으로 건강에 유해해서도 안 될 것이므로 적절한 식생활관리를 통하여 어느 정도 조절함이 바람직하다.

영양적으로 양호한 식사를 할 수 있으면서도 개인의 기호를 만족시킬 수 있는 식생활관리 목표를 달성하는 것이 중요하다.

식품 기호에 영향을 미치는 요인에는 음식의 색, 질감, 향미 등을 고려하여 식사 구성을 함으로써 기호를 증진시킬 수 있다.

### 1) 색

음식과 용기, 식탁 및 실내 분위기와 색깔은 음식의 맛과 특성이 살아나기도 하고 감소되기도 하여 기호에 많은 영향을 미친다. 일반적으로 밝고 따뜻한 빨강, 주황, 노랑 등은 부드럽고 달콤한 것을 연상시켜 음식이 더 맛있어 보이게 하고, 탁하고 차가운 파랑, 보라, 검정 등은 쓰고 떫은맛을 연상시켜 음식의 맛을 감소시키는 역할을 한다.

### 2) 질감

식품의 물성, 구조적 특성과 생리적으로 느끼는 결과라고 할 수 있는 식품의 질감은 기호도에 많은 영향을 미칠 수 있다.

물컹함, 끈적임, 미끈함, 딱딱함 등의 질감은 보통 사람들이 싫어하는 질감이다. 요리의 방법에 따라 다양하게 변화를 시켜 맛있고 호감을 가질 수 있는 질감을 만들 수 있도록 한다.

### 3) 향

향미를 느끼는 것은 개인에 따라 다르나 코와 입으로부터 느껴지는 복합적인 느낌이다. 향은 식욕을 돋우고 식사의 만족도를 완성하는 데 큰 도움을 준다. 식품 자체가 가진 독특한 향미를 적절히 배합하고 향신료, 조미료와 같은 강한 향을 가진 식품을 잘 활용하여 식사의 만족도를 높일 수 있어야 한다.

### 4) 맛

맛은 미뢰에서 맛을 느끼며 단맛, 짠맛, 신맛, 쓴맛, 감칠맛의 5가지 기본 맛과 매운맛, 떫은맛이 느껴지는 감각이다. 음식의 온도는 맛에 영향을 미치는데 신맛은 25℃, 단맛은 35℃, 짠맛은 37℃에서 가장 강하게 느껴진다. 그리고 뜨거운 음식은 뜨겁게, 찬 음식은 차게 먹을 때 음식의 제맛을 느낀다. 또한, 먹을 때 나는 소리도 맛에 영향을 주어 아삭아삭한 채소의 씹는 소리, 찌개 끓는 소리 등은 음식에 대한 기호도를 높여준다.

### 5) 모양과 용도

써는 모양이나 크기를 다양하게 함으로써 시각적으로 만족할 수 있는 식단을 구성할 수 있다. 또한, 음식을 담는 식기와 조리된 요리가 서로 잘 어울리도록 담는 것도 시각적인 만족 향상에 도움을 준다.

## 2-4 위생면

식품은 인간이 일생을 통하여 매일 섭취하는 음식물로써 생명과 건강을 유지하는 데 있어서 필수불가결한 요소이다. 따라서 안전한 식사를 제공하기 위해서는 식품을 시장에서부터 주방까지 운반할 때나 주방에서 식탁에 오르기까지 식품을 위생적으로 취급하고 안전하게 관리해야 할 것이다.

최근 과학 기술의 발달에 따른 환경오염 문제가 날로 심화되고 있고 병원성 미생물, 잔류농약, 항생물질, 환경호르몬 등에 의한 위해 발생도 증가되고 있다. 식품은 박테리아가 성장하는 데 몇 시간 만에도 놀랍도록 증폭되어 문제를 일으킬 수 있기에 철저한 위생관리가 중요하다. 그러므로 식중독을 예방하기 위해서는 식품의 취급 시간 및 온도 관리와 함께 조리인의 위생 상태, 주방기기와 저장 상태도 안전하게 관리해야 한다.

### 1. 식중독 발생 현황

최근 소득 증대와 핵가족화, 외식 선호 등 생활양식의 변화로 외식이나 집단급식이 급증하여 식중독 발생이 지속적으로 증가하고 있는 추세이다.

식중독이란 음식물을 통해서 병원균이나 유해한 화학물질 등이 인체에 들어와 발생하는 질병 중 하나이다. 식중독은 어떤 음식을 섭취할 때, 특히 몸 상태가 안 좋을 때 나타날 수 있으며 2인 이상이라도 걸린다면 식중독이 될 수 있다. 우리나라의 식중독 발생 건수는 2005년에는 109건 5,711명에서 2006년에는 259건 10,833명으로 건수와 환자수가 크게 증가하였다. 2009년에는 228건 5,999명으로 감소하다가 2011년 이후 다시 증가하는 경향을 보였다(그림 2-5).

2006년도에 크게 증가한 원인은 수도권 학교 식중독 사고와 겨울철 식중독 사고의 주요 원인이 노로바이러스에 오염된 불량 식재료 등이 원인으로 기인한 것으로 추정되고 있다.

▌그림 2-5 식중독 발생 현황

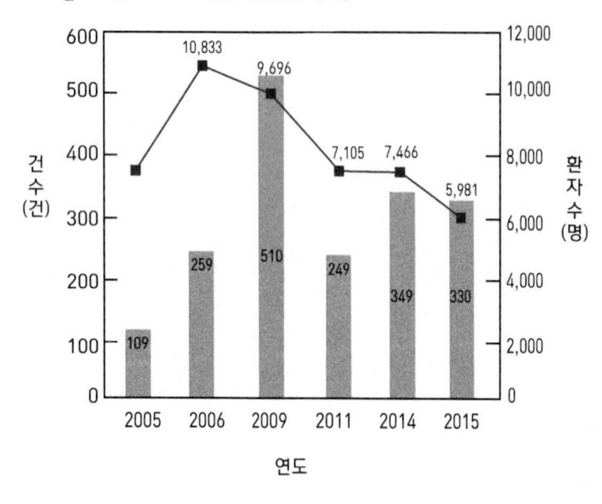


(자료 : 식품의약품안전처, 2015)

▌표 2-5 식중독 원인 물질 현황 (2015년)

| 항목 | | 건수(건) | 환자수(명) |
|---|---|---|---|
| 세균 | 살모넬라 | 13 | 202 |
| | 황색포도상구균 | 11 | 191 |
| | 장염비브리오균 | 5 | 25 |
| | 병원성대장균 | 39 | 2138 |
| | 캠필로박터 제주니 | 22 | 805 |
| | 기 타 | 21 | 416 |
| 바이러스 | 노로바이러스 | 58 | 996 |
| | 기타 | 2 | 9 |
| 원충 | | 15 | 114 |
| 불명 | | 144 | 1,085 |
| 총계 | | 330 | 5,981 |

## 2. 식중독 원인 물질의 현황

2015년도에 발생한 식중독의 원인을 보면(표 2-5) 전체의 발생 중 60%가 세균성 식중독이었고, 세균성 식중독 중 병원성 대장균, 캠필로박터 제주니, 살모넬라 순으로 많이 발생하였다. 전체 식중독 중 노로바이러스가 58건 996명으로 발생 수가 가장 많아 계절에 관계없이 식중독 예방대책이 더욱 시급하다. 특히 노로바이러스의 경우 오염된 물 등으로 처리된 음식 재료나 어패류에 의한 식중독으로 원인을 추정할 수 있고, 병원성 대장균이 많이 검출된 것은 조리실에서 육류 등에 있는 대장균 등이 칼, 도마 등을 통해 오염이 되어 육류 등을 썰고 다지는 과정에서 육류의 중심부에 교차오염 되고 조리 가열 과정에서 육류 등의 중심부에 오염된 병원성 대장균 등이 충분히 사멸되지 않아 발생했을 가능성이 높은 것으로 판단된다.

또한 독소를 생성하는 황색포도상구균은 위생 수준을 나타내는 지표로써 조리하는 사람의 화농성 질환 등으로 인한 황색포도상구균 오염이 많이 발생하고 있는 것으로 볼 때 위생관리에 더욱 주력할 필요가 있다. 독소가 생성된 경우는 가열 조리 과정에서 독소가 잘 파괴되지 않으므로 각별한 주의가 요망된다.

## 3. 식중독지수

식중독지수란 온도와 미생물 증식 기간의 관계를 고려하여 식중독 발생 가능성을 백분율로 나타낸 값으로 식중독 예방과 국민의 위생을 위하여 개발된 정량적이고 수치적인 개념으로 그날 온도에 따라 미생물에 의한 식중독 위험도를 나타낸 지수(표 2-6)이다.

예를 들어, 식중독지수가 86이상이면 3~4시간 내 부패하므로 식중독 위험을 예보하고, 식중독지수가 51~85이면 4~6시간 내 부패하므로 식중독 경고를 예보한다. 특히 조리한 식품은 실온에 방치하면 위해 미생물이 증식될 수 있으므로 조리한 음식은 가능한 신속히 섭취한다(그림 2-6).

표 2-6 식중독지수

| 기온 | 지수 범위 | 주의 사항 |
|---|---|---|
| 35℃ 이상 | 86 이상 | 3~4시간 내 부패, 음식물 취급 극히 주의, 식중독 위험, 조리 즉시 섭취 |
| 30~34℃ | 51~85 | 4~6시간 내 부패, 조리시설 취급 주의, 식중독 경고, 4시간 내 섭취 |
| 25~29℃ | 35~50 | 6~11시간 내 식중독 발생 우려, 식중독 주의(Ⅰ), 6시간 내 섭취 |
| 19~24℃ | 10~34 | 식중독 발생 우려, 음식물 취급 주의, 식중독 주의(Ⅱ) |

자료: 농식품안전정보서비스

▌그림 2-6 세균의 증식 속도

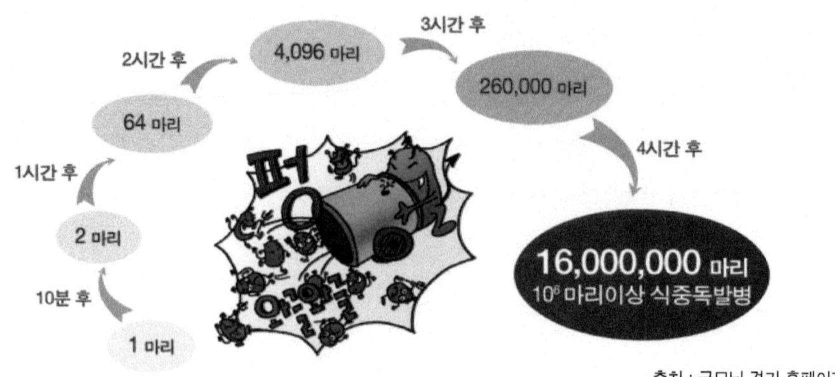


출처 : 굿모닝 경기 홈페이지

■ **식품을 밖에서 4~5 시간 이상 방치하지 말아야 되는 이유**

세균은 증식 속도가 매우 빠르다. 더운 여름 날 영양분이 충분한 식품을 밖에 방치하였을 경우 4시간만 지나도 식중독이나 부패를 일으킬 만큼의 균 수에 도달한다. 따라서 식품을 4~5시간 방치할 것 같으면 식품에 따라 60℃ 이상이나 10℃ 이하에서 저장하여야 한다.

세계보건기구(WHO)에서도 식중독을 예방하는 안전한 식품의 섭취를 위한 10계명을 발표하였다(표 2-7).

▌표 2-7 WHO의 안전한 식품의 섭취를 위한 10계명

1. 안전하게 처리된 식품을 선택하십시오.

신선 식품의 섭취가 좋으나, 생·과채류는 위해 미생물 등에 의한 오염도 있을 수 있기 때문에 적절한 방법으로 살균되거나 청결히 세척된 제품을 선택하십시오.

2. 적절한 방법으로 가열, 조리하십시오.

식중독 등을 유발하는 위해 미생물을 사멸시키기 위해서는 철저히 가열하여야 합니다. 고기

는 식품의 중심 온도 75℃ 이상에서 익혀야 하고 뼈에 붙은 고기도 잘 익도록 해야 하며, 냉동한 고기는 해동한 직후에 즉시 조리하여야 합니다.

3. 조리한 식품은 신속히 섭취하십시오.

조리한 식품을 실온에 방치하면 위해 미생물이 증식할 수 있으므로 조리한 음식은 가능한 신속히 섭취하십시오.

4. 조리 식품을 저장 · 보관할 때에는 주의를 기울이십시오.

조리 식품을 4~5시간 이상 보관할 경우에는 반드시 60℃ 이상이나 10℃ 이하에서 저장하여야 합니다. 특히 먹다 남은 유아식은 보관하지 말고 버리십시오. 조리 식품의 내부 온도는 냉각 속도가 느리기 때문에 위해 미생물이 증식될 수 있습니다. 또한, 많은 양의 조리 식품을 한꺼번에 냉장고에 보관하지는 마십시오.

5. 저장하였던 조리 식품을 섭취할 경우 재가열하십시오.

냉장 보관 중에도 위해 미생물의 증식이 가능하므로 이를 섭취할 경우 75℃ 이상의 온도에서 1분 이상 재가열하여 드십시오.

6. 조리한 식품과 조리하지 않은 식품이 서로 접촉되어 오염되지 않도록 하십시오.

가열 조리한 식품과 날 식품이 접촉하면 조리한 식품이 오염될 수 있으므로 서로 섞이지 않도록 하십시오.

7. 손은 철저히 씻으십시오.

손을 통한 위해 생물의 오염이 빈번하므로 조리 전과 다른 용무를 본 후에는 반드시 손을 씻어야 합니다.

8. 조리대는 항상 청결을 유지하십시오.

부엌의 조리대를 항상 청결하게 유지하여 위해 미생물이 음식에 오염되지 않도록 하여야 하며, 행주 · 도마 등 조리기구는 매일 살균 · 소독 · 건조하여 주십시오.

9. 쥐 및 곤충 등이 접근하지 못하도록 음식 보관에 유의하십시오.

곤충, 쥐, 기타 동물 등을 통해 위해 미생물이 식품에 오염될 수도 있으므로 동물의 접근을 막을 수 있도록 주의하여 보관하여야 합니다.

10. 깨끗한 물로 조리하십시오

깨끗한 물로 세척하거나 조리를 하여야 하며 의심이 날 경우 물을 끓여 사용하여야 하고, 유아식을 만들 때에는 특히 주의하여야 합니다.

## 4. 식중독과 식품과의 관계

▌표 2-8 식품독균과 원인 식품

| 원인균 | 주요 원인 식품 |
|---|---|
| 살모넬라 식중독 | □ 돼지고기, 닭고기, 달걀, 우유 등 |
| 장염비브리오 식중독 | □ 어패류, 생선회, 생선 초밥 등<br>□ 어패류를 취급한 칼이나 도마에 의한 교차 오염 |
| 황색포도상구균 식중독 | □ 김밥, 도시락, 떡, 과자류 등 전분질을 주성분으로 하는 곡류와 그 가공품, 두부 등<br>□ 상처에 염증이 있는 환자나 동물에 의해 오염된 식품 |
| 클로스트리디움 식중독 | □ 식육이나 가공품, 어류 및 가공품 등 동물성 고단백질 함유 식품 조리 후 장시간 실온에 방치하였을 때 발생 |

[표 2-8]은 식중독균과 원인 식품을 나타내었고, [그림 2-7]은 식중독의 전파 경로를 나타내었다. 식중독 예방 3대 요령(그림 2-8)은 첫째는 '손씻기'로 손은 비누로 손가락 사이사이, 손등까지 흐르는 물로 20초 이상 씻는다(그림 2-9). 둘째는 '익혀 먹기'로 음식물은 중심부 온도가 74℃, 1분 이상 조리하여 속까지 충분히 익혀 먹는다. 셋째는 '끓여 먹기'로 물은 끓여 마신다.

▌그림 2-7 식중독의 전파 경로

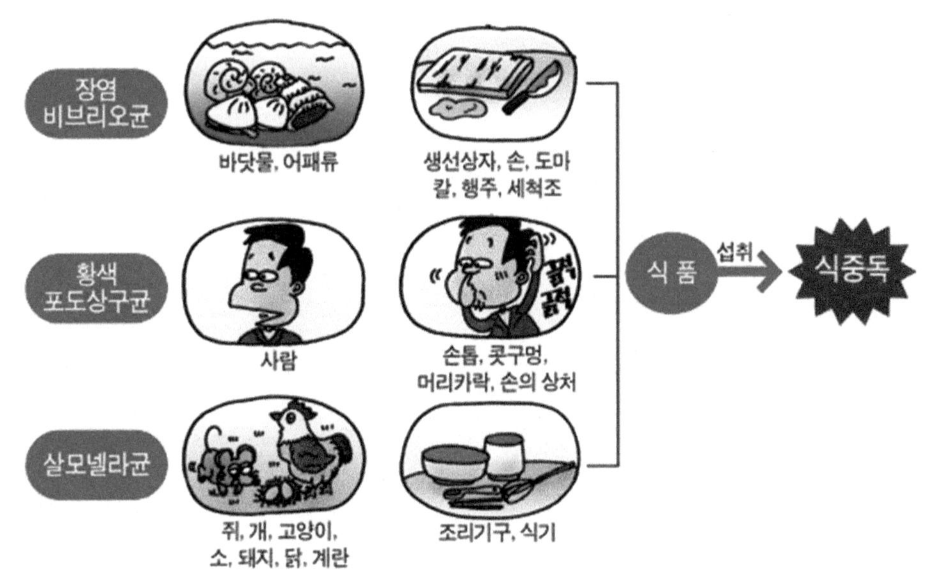


출처 : 굿모닝 경기 홈페이지

▌그림 2-8 식중독 예방 3대 요령

출처 : 식품의약품안전처. www.mfds.go.kr

▌그림 2-9 손씻기 6단계

**손 씻기 6단계 (WHO 권장 사항)**

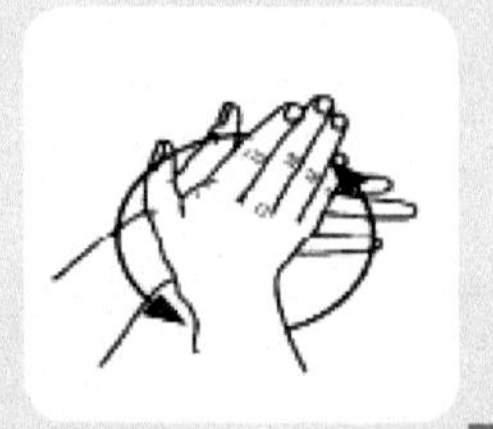

1단계 : 손과 손목을 물로 적시고 비누를 칠한다.

2단계 : 오른손바닥으로 왼손등을 닦고, 왼손바닥으로 오른손등을 씻는다.

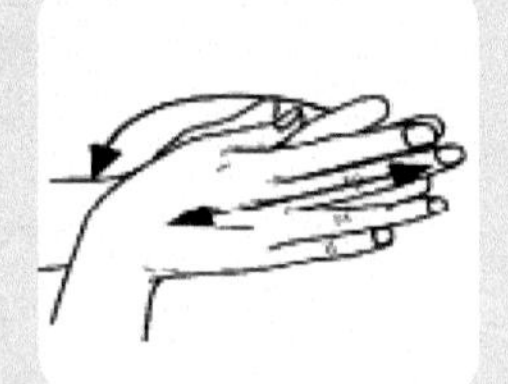

3단계 : 깍지를 끼고 양 손바닥을 마주 대고 문지른다.

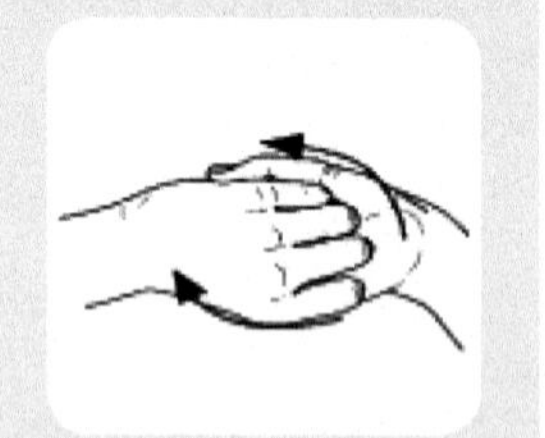

4단계 : 반대편 손가락과 깍지를 끼고 문지른다.

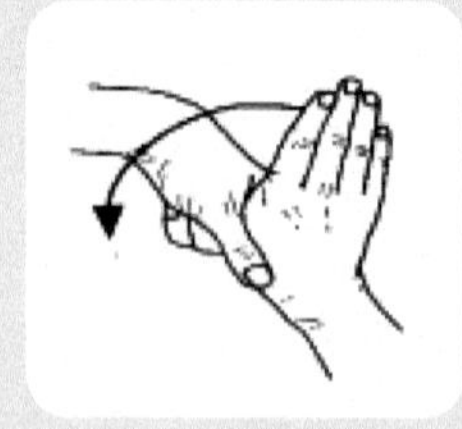

5단계 : 엄지손가락을 다른 편 손바닥으로 돌려주면서 문지른다.

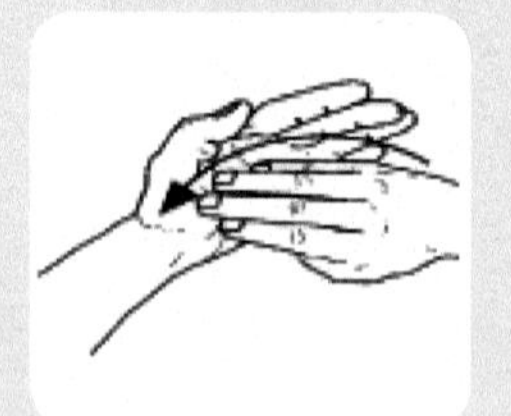

6단계 : 손가락 끝으로 다른 편 손에 앞뒤로 돌려주며 문지른다.

출처 : 식품의약품안전처, www.mfds.go.kr

## 2-5 능률면

식생활관리의 목표에서 또 한 가지 고려해야 할 점은 능률면이다. 식생활관리 시 식단의 계획, 식품 구입, 식사 준비, 식사 뒷처리 등 전 단계에서 시간과 노력이 소요된다.

영양면과 경제면, 기호면이 모두 만족할 만하다고 하더라도 음식물을 조리하는 것이 너무 복잡하고 어렵다거나, 재료를 쉽게 구하기 어렵다거나, 조리하는데 특수한 기술이 필요하다거나, 너무 많은 시간과 노력이 소요된다면 곤란할 것이다. 식사 준비의 계획을 세우고 시간 계획표를 작성하여 짜임새 있는 관리를 할 필요가 있다.

음식물을 준비하거나 섭취하는 때와 장소 등의 여건도 감안되어야 하며, 음식물을 준비하는 사람의 기술이나 능력도 식생활관리자로서 고려해야 한다.

최근 여성의 사회활동이 증가되면서 가정에서의 식생활관리에 소요되는 시간과 노력을 절약하기 위해서는 식생활관리 계획을 세우고, 계획표에 맞추어 효과적으로 실천하는 것을 생활화 해야 한다.

### 1. 가사노동 시간의 현황

주부의 가사노동 시간을 보면 1970년도에는 집집마다 가정부가 있었고, 1990년도에는 맞벌이부부가 많아지고 편의 식품과 외식이 늘어나 실질적으로 가사노동 시간이 줄게 되었다. 2009년에는 여성의 가사노동 평균시간이 2004년, 1999년보다 줄게 되었다. 맞벌이 가구의 주부는 가사노동 시간이 3시간 20분, 비맞벌이 가구 6시간 18분보다 2시간 58분을 적게 사용하였다(표 2-9). 전업주부는 평일에 가사노동 시간(6시간 18분)이 많고 주말에(5시간 40분) 감소한 반면 취업 주부는 주말(3시간 56분)에 평일(3시간 20분)보다 많음을 알 수 있다.

▌표 2-9 한국 여성의 가사노동 시간

| 가사노동 \ 연도 | | 1999년 | 2004년 | 2009년 |
|---|---|---|---|---|
| 맞벌이 가구1) | | 3시간 42분 | 3시간 28분 | 3시간 20분 |
| 비맞벌이 가구1) | | 6시간 42분 | 6시간 25분 | 6시간 18분 |
| 주말 | 전업주부2) | —4) | 5시간 50분 | 5시간 40분 |
| | 취업 주부3) | — | 4시간 00분 | 3시간 56분 |

1) 맞벌이 · 비맞벌이 가구 : 주부의 평균 가사노동 시간
2) 전업주부는 20세 이상 기혼 여자 중 취업하지 않은 주부
3) 취업 주부는 20세 이상 기혼 여자 중 취업한 주부
4) — 1999년도는 통계자료 없음

자료 : 2009 가계동향조사, 통계청, 2010

## 2. 식생활관리에 사용되는 시간과 에너지

식사관리에 소요되는 시간과 노력은 식사의 계획, 식품의 구입, 식사의 준비 및 뒤처리에 따라 달라진다. 식사 준비에 사용되는 시간은 가족 수, 식사의 수준, 식품의 기호, 주방의 설비와 기기, 식생활관리자의 지식, 기술, 능력 등에 의하여 결정된다.

① 식단 작성 : 책이나 잡지를 통해 아이디어를 찾는데 소요되는 시간도 포함한다. 시장 보기 전부터 시작하여 시장을 보는 중이나 본 후에도 계속된다.
② 시장보기 계획 : 어느 곳에서 어떤 품목을 구입할 것인가에 대한 정보, 특별할인, 쿠폰, 아이디어를 찾기 위해 광고를 보는 데 소요되는 시간이 포함된다.
③ 시장 보기
④ 식품관리와 저장
⑤ 조리 : 조리법을 찾는데 소요된 시간도 포함된다.
⑥ 상 차리기
⑦ 식사 중 시중들기
⑧ 식사 후 뒤처리

⑨ 부엌 또는 식당의 설비에 대한 관리

위에 식생활관리에 필요한 활동을 정리하였다. 식생활관리자가 어느 곳에 시간을 많이 사용하느냐를 알게 될 것이다. 한 가지 일에 너무 많은 시간이 소비되고 있는 것을 발견했을 때는 그 원인을 찾아 새로운 방법을 모색하여 시간을 절약할 수 있는 방법을 강구해야 하겠다.

## 2-6 환경보존면

20세기 후반부터 시작된 오존층 파괴, 지구의 온난화, 산성비 등 다양한 환경 문제가 심각하게 대두되었다. 식품의 생산, 유통 등 식생활 분야에도 환경오염 문제가 직결되어 있어 우리의 식생활도 환경보존을 고려해서 이루어져야 한다.

① 식생활 전반에서 환경보존을 고려하여 농약과 화학비료를 적게 사용하는 친환경 농산물, 향토 산물 등을 적극적으로 이용한다.
② 근거리에서 생산한 지역 농산물을 소비하면 운송거리도 짧고 방부제 처리가 없거나 적어 신선하고 안전한 식품을 섭취할 수 있다. 또한 근거리 유통으로 온실가스 배출을 줄일 수 있어 환경오염을 경감시킬 수 있다.
③ 식사를 할 때는 필요한 양만큼 구입하여 조리하고 외식을 할 때는 알맞게 주문하고 남은 음식은 집에 가져가면 음식물 쓰레기를 줄여서 환경오염을 경감시킬 수 있다.
④ 과대포장된 식품과 일회용품의 구입을 줄이면 환경오염을 경감시킬 수 있다.

# PART 03 식생활과 건강

PART 03

# 식생활과 건강

## 3-1 식생활

음식을 먹는다는 것은 생존을 위해 누구에게나 가장 중요한 요소이며, 삶을 위한 기본적인 생리적 욕구를 충족시켜 주기 때문에 인간에게 있어서 사회적, 생리적으로 중요성을 갖게 되었다. 또한, 먹는 것과 관련한 삶의 질 향상과 발전 속에서 음식은 단순히 먹는 것 이상의 의미를 갖게 되었다. 식생활은 인간의 주요 생활의 한 부분이고 문화적, 사회적 소산으로 건강 상태와 생활의 질을 결정하는 주요한 원인이 된다.

과거 한국 사회는 경제, 사회적 상황으로 볼 때, 입으로만 먹는 시대라는 것을 실감하였다. 이제는 눈으로 먹고, 귀로 먹고, 마음으로 먹는 시대에 이르렀다는 현실에 경제, 사회적 요소들의 초점이 맞추어 지고 있다. 이미 초기 단계를 지나 한국이 국제사회의 일원으로서 자리매김하는 과정 속에 먹고 마시는 활동에 대한 의미를 국가적, 정서적 의미로까지 확대하여 주시하고 있다.

현재 우리나라의 식품 소비 패턴은 사회가 도시화, 산업화, 핵가족화됨에 따라 고급화, 다양화, 간편화로 진행되고 있으며, 식생활에서 외식 부문이 빠르게 성장하고 있다. 수입 개방화와 국제화는 외래 식품이나 음식의 선택 폭을 확대시켜 점차 서구화된 식품의 사용이 증가되었다. 또한, 환경오염 등의 문제와 관련한 식품 소비 동향이 나타나고 있으며, 그와 동반한 건강 지향적인 소비 성향을 뒷받침하기 위해 자연 친화적 소비 방향이 나타나고 있다. 이러한 식생활 변화는 인간의 건강과 밀접한 관련이 있다.

## 1. 식생활의 정의

식생활이란 사전적으로 인간의 생활 중에서 생명의 유지 및 생체의 활동에 필요한 영양분을 섭취하기 위해 여러 가지 음식을 먹는 일을 의미한다. 그러나 넓은 뜻에서는 음식물과 이것을 가공하는 조리 및 조리에 필요한 기구와 식기 및 식사 예법 등이 포함된다. 이것들은 풍토와 생활습관 등 지역적, 시대적으로 다른 양식을 낳았고, 기호나 재료 입수의 난이에 따라 여러 가지 형태로 발달하였다.

## 2. 식생활의 중요성

만성질환의 주요 원인으로는 유전적 요인, 환경적 요인(흡연, 음주), 식생활 요인 등이 있는데, 이 중 식생활 요인이 가장 중요하다고 할 수 있다.

- 식생활은 우리의 일상생활에서 차지하는 비중이 매우 크다. 즉 사람이 잠자고 일하는 것 외에 가장 많이 하는 활동이 하루 세 끼를 먹는 것이므로, 이 식생활을 잘하기만 하면 질병과 건강의 갈림길에서 건강의 길로 갈 수 있는 것이다.
- Doll과 Peto 등(1981)의 연구에서도 볼 수 있듯이 암 발생에 가장 큰 원인은 식이(diet)이며, 식생활은 암 이외에도 비만, 심혈관질환, 고혈압, 당뇨 등과 같은 만성질환의 예방과 예후에 중요한 역할을 담당한다.
- 식생활이 중요한 이유는 유전적 요인과는 달리 충분히 교정 가능한 요인이기 때문이다.
- 식이는 다른 위험 요인의 중재 요인(modifier)의 역할을 하는 것으로 알려져 있다. 즉 식생활관리를 통해 흡연이나 바이러스가 원인이 되는 질병, 방사선 조사 및 화학약품에 대한 노출 등에서 발생하는 질병을 중재할 수 있다.

세계보건기구(WHO)도 질병 부담에서 식생활이 차지하는 중요성을 인지하면서, 공중보건 향상을 위한 전략 개발의 우선순위를 신체 활동과 더불어 식이에 두고 있다.

## 3. 식생활에 영향을 미치는 요인

### 1) 생리적 필요

체내 기능을 수행하는 데 영양소가 필요하면 나타나는 생리적인 현상으로 혈당이 감소되면 뇌의 시상하부에 신호를 보내 배고픔을 나타내고, 짠 음식을 먹었거나 땀을 많이 흘렸을 때는 갈증을 느끼며 물을 찾는다.

### 2) 심리적 요구

음식은 심리적 보상 수단, 스트레스 등을 해결하는 데 이용되기도 한다. 불안, 초조, 화가 났을 때, 스트레스를 받을 때 먹는 것으로 해결하거나 음식을 거부하는 경우 영양소 섭취의 과다나 불균형을 가져올 수 있다.

### 3) 사회적 요구

사회생활, 공동체 생활에서 먹는 것이 관례가 되어 기쁨을 나누거나 슬픔을 함께하면서 음식을 먹는다.

## 3-2 식생활과 건강

건강한 식생활을 위해서는 다음과 같은 FEED가 필요하다.

- F : Food, 연령에 맞는 적절한 식사
- E : Energy and Weight Control, 연령과 성별에 맞는 체중관리와 에너지 섭취 조절
- E : Exercise, 개개인에게 적합한 운동
- D : Diversity of Diet, 다양한 식품과 음식 선택

## 1. 건강의 정의

건강은 생명 유지를 위한 기본 요건인 동시에 즐겁고 행복한 삶을 살아가기 위한 필수조건이다. 우리는 흔히 건강을 '질병이 없는 상태'라고 생각하는 경향이 있지만, 세계보건기구(WHO)에서는 "건강이란 단순히 질병이 없는 상태가 아니라 신체적·정신적·사회적으로 안정을 누릴 수 있는 상태에 있음"이라고 정의한다. 즉 균형 있는 식생활을 통해 육체적으로 건강하고, 사회생활을 무리 없이 하며, 스트레스를 잘 극복하여 사회적·정신적으로 건강하여 소외되지 않고 인정받는 상태가 되어야 함을 의미한다.

## 2. 건강을 유지하기 위해 필요한 요소

개인의 건강 상태는 병원·보건소 등의 진료시설, 의료보험을 포함한 그 사회의 의료체계, 위생시설, 응급치료 체계 및 보건복지 정책, 그리고 개인의 운동·생활습관 및 스트레스 관리 등의 요소와 밀접한 상관관계가 있다. 이 중 일부는 사회적 요인으로서 국가의 정책적·제도적 뒷받침이 필요한 반면 운동·생활 습관·스트레스 관리 등의 개인적 요인은 자신의 노력 여하에 의해 얼마든지 향상이 가능하다.

## 3. 건강을 위한 식생활 진단

**표 3-1** 일주일간 자신의 식생활은 대체로 어떤지 다음 문항에 각각 체크해 보고 평가하기

| 문항 | 2일 이하(1점) | 3~5일(3점) | 6~7일(5점) |
|---|---|---|---|
| 규칙적인 시간에 3끼 식사를 한다. | 1점 | 3점 | 5점 |
| 매끼 골고루 식사를 하며 편식하지 않는다. | 1점 | 3점 | 5점 |
| 아침 식사는 꼭 먹는다. | 1점 | 3점 | 5점 |
| 식사량은 언제나 적당히 한다. | 1점 | 3점 | 5점 |
| 즐거운 마음으로 여유 있게 식사를 한다. | 1점 | 3점 | 5점 |

| | | | |
|---|---|---|---|
| 1일 2끼 이상 고기, 생선, 달걀, 콩, 두부 중 하나라도 섭취한다. | 1점 | 3점 | 5점 |
| 녹황색 채소(당근, 시금치 등)를 섭취한다. | 1점 | 3점 | 5점 |
| 과일이나 과일주스(무가당)를 섭취한다. | 1점 | 3점 | 5점 |
| 해조류(미역, 김, 다시마 등)를 섭취한다. | 1점 | 3점 | 5점 |

| 문항 | 예(1점) | 가끔(3점) | 아니오(5점) |
|---|---|---|---|
| 거의 매일 외식을 한다. | 1점 | 3점 | 5점 |
| 매일 가공식품(라면, 과자 등)을 먹는다. | 1점 | 3점 | 5점 |
| 매일 동물성 기름이나 콜레스테롤이 많은 음식을 먹는다. | 1점 | 3점 | 5점 |
| 매일 짠 음식(젓갈, 장아찌 등)이나 화학조미료를 섭취한다. | 1점 | 3점 | 5점 |
| 매일 단 음식(설탕, 꿀, 엿, 콜라, 단빵 등)을 섭취한다. | 1점 | 3점 | 5점 |
| 매일 카페인(커피, 차류 등)이 든 음식을 하루 3잔 이상 마신다. | 1점 | 3점 | 5점 |
| 매일 과음 및 잦은 음주를 한다. | 1점 | 3점 | 5점 |
| 매일 담배를 피운다. | 1점 | 3점 | 5점 |
| 규칙적인 운동을 거의 하지 않는다. | 1점 | 3점 | 5점 |
| 총점 | 점 | | |

당신의 식습관은 (　　　　점) 입니다.

| | |
|---|---|
| 20~49점 | □ 당신은 식습관이 나쁜 편입니다.<br>□ 나쁜 식습관은 만성질병을 일으킬 수 있습니다. 식생활 전문가와 상담을 하시기 바랍니다. |
| 50~79점 | □ 당신은 식습관이 보통입니다. 좋은 식습관도 있지만 그렇지 않은 부분도 있습니다.<br>□ 더 좋은 식생활을 위해 노력이 필요합니다. |
| 80~100점 | □ 당신은 식습관이 좋은 편입니다.<br>□ 현재와 같은 식습관을 유지하시고 잘못된 항목에 대해서 습관을 교정하시기 바랍니다. |

## 4. 건강식품

대부분의 현대인은 자신의 건강지수를 준건강 상태에서 건강 상태로 상향 조절하고 싶어한다. 이를 위해 운동 및 식사 조절을 포함한 다양한 노력을 기울이고 있으며, 그 가운데 많은 사람이 '건강식'에 대한 환상을 가지고 있다. 그렇다면 건강식이란 과연 어떠한 식사인가? 한마디로 건강식은 곧 '균형식(balanced diet)'을 뜻한다. 매일의 식생활에서 신체가 필요로 하는 다양한 영양소의 균형이 양적인 면과 질적인 면에서 모두 잘 갖추어진 건강식을 실천하는 것은 오직 여러 가지 식품을 골고루 섭취함으로써만 가능하다. 단일 식품에 대한 과신 또는 특정 식품의 초능력을 믿는 데서 오히려 영양 불균형이 초래되고, 건강을 해치는 일이 종종 발생하기도 한다.

건강식품이란 비타민, 무기질 및 특수 영양 성분 등이 함유된 영양보조식품을 뜻하며, 광의의 건강식품은 최소한의 가공만으로 만들어지거나 농약이나 살충제의 오염이 없는 자연식품이나 유기식품, 비만자를 위한 특수 영양식품인 다이어트 식품까지도 포함된다. 사회가 급격히 산업화되어 가면서 국민소득이 증가되고 이에 따라 육류, 유지류, 편의 식품, 케이크류 등의 소비가 늘어나 과잉과 불균형에 의한 생활습관병의 발생 빈도가 많아졌다. 한편, 사람들의 건강에 대한 관심도가 커지고 생활습관병의 예방 및 치료에 적극적이 되면서 건강식품을 선호하는 경향이 증가되었다.

## 3-3 식생활과 질병

누구나 건강하게 장수하기 위해서는 생활습관병의 예방이 필요하다. 이를 위해서는 생활습관병의 발병 원인에 대한 이해가 요구된다. 무엇이 잘못되어 있는지 알아야 올바르게 고칠 수 있고 왜 개선해야 하는지 확신할 수 있기 때문이다. 우리나라 생활습관병의 원인은 우리 사회만큼이나 복잡하다. 1980년대 이후 발병률과 사망률의 수위를 차지하는 암, 중풍, 심혈관계질환, 간질환 등 생활습관병은 건강하지 못한 환경과 밀접한 연관이 있다. 건강하지 않은 환경에서 받은 스트레스의 누적과 더불어 1960년대 이후 들어오기 시작한 외국 농수산물 및 가공식품이 전통 식생활을 밀어내고 주된 식생활로 대치되면서 생활습관병은 폭발적으로 증가한 것이다.

우리의 건강 유지는 우리가 섭취하는 식품과 음식의 선택에 따라 좌우된다고 할 수 있다. 최근 식생활 양식의 변화로 비만, 당뇨병, 이상지질혈증 등 생활습관병이 지속적으로 증가하고 있다.

질병은 개인 삶의 질을 떨어뜨리는 것은 물론 가족, 나아가 사회 · 국가적으로도 손실을 초래한다. 서구화된 식생활습관과 바이러스의 출몰 등으로 많은 질환에 노출된 지금 질병에 걸리지 않고 살아가는 지혜가 더욱 절실하다.

2015년 기준 한국인의 사망 원인을 살펴보면, 암이 1위를 차지하고 있으며, 2위는 심장질환, 3위는 뇌혈관질환, 5위는 당뇨병으로 사망하게 된다는 것이다. 자살을 제외하면 우리 국민 대부분이 만성질환으로 인해 사망하는 것으로 보이며, 이들 질환의 예방과 관리를 위해 필요한 여러 요인 중 하나가 식생활이며, 다른 요인에 비해 인간의 힘으로 조절할 수 있다는 점에서 주목할 만하다.

▌그림 3-1 주요 사망 원인별 사망률 변화

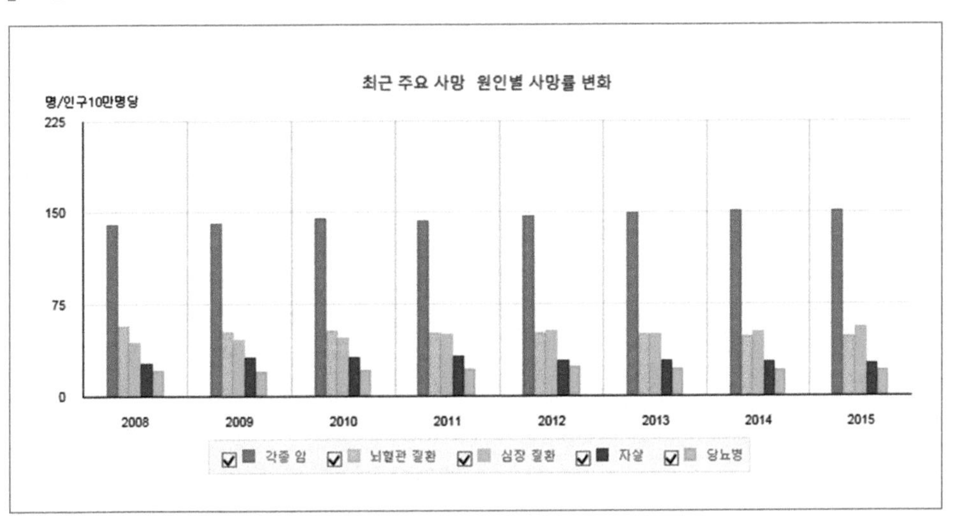


출처 : 통계청 〈2015년 사망원인통계〉

**▌표 3-2 통계표명 : 주요 사망 원인별 사망률 추이**

단위 : 인구 10만 명당(명)

| | 2006 | 2007 | 2008 | 2009 | 2010 | 2011 | 2012 | 2013 | 2014 | 2015 |
|---|---|---|---|---|---|---|---|---|---|---|
| 전체 | 495.6 | 498.4 | 498.2 | 497.3 | 512 | 513.6 | 530.8 | 526.6 | 527.3 | 541.5 |
| 신생물 | 135.8 | 139.1 | 141.4 | 142.5 | 146.6 | 145 | 149 | 151.5 | 153.5 | 153.6 |
| - 각종 암 | 134 | 137.5 | 139.5 | 140.5 | 144.4 | 142.8 | 146.5 | 149 | 150.9 | 150.8 |
| * 위암 | 21.9 | 21.5 | 20.9 | 20.4 | 20.1 | 19.4 | 18.6 | 18.2 | 17.6 | 16.7 |
| * 간암 | 22.3 | 22.7 | 22.9 | 22.6 | 22.5 | 21.8 | 22.5 | 22.6 | 22.8 | 22.2 |
| * 폐암 | 28.7 | 29.1 | 29.9 | 30 | 31.3 | 31.7 | 33.1 | 34 | 34.4 | 34.1 |
| 내분비 및 대사성 질환 | 25 | 24.3 | 22.4 | 21.3 | 22.3 | 23.4 | 24.9 | 23.4 | 22.9 | 22.9 |
| - 당뇨병 | 23.7 | 22.9 | 20.7 | 19.6 | 20.7 | 21.5 | 23 | 21.5 | 20.7 | 20.7 |
| 순환기 계통의 질환 | 114.7 | 117.2 | 112.3 | 109.2 | 112.5 | 113.5 | 117.1 | 113.1 | 113.9 | 116.9 |
| - 고혈압성 질환 | 9.4 | 11 | 9.6 | 9.6 | 9.6 | 10.1 | 10.4 | 9.4 | 10 | 9.9 |
| - 심장질환 | 41.1 | 43.7 | 43.4 | 45 | 46.9 | 49.8 | 52.5 | 50.2 | 52.4 | 55.6 |
| - 뇌혈관질환 | 61.3 | 59.6 | 56.5 | 52 | 53.2 | 50.7 | 51.1 | 50.3 | 48.2 | 48 |
| 호흡기 계통의 질환 | 29.1 | 30.3 | 32.4 | 34.3 | 37.1 | 39.8 | 45.2 | 44.5 | 47.6 | 54.6 |
| - 폐렴 | 9.3 | 9.3 | 11.1 | 12.7 | 14.9 | 17.2 | 20.5 | 21.4 | 23.7 | 28.9 |
| - 만성하기도 질환 | 14.4 | 15.3 | 14.9 | 13.9 | 14.2 | 13.9 | 15.6 | 14 | 14.1 | 14.8 |
| 소화기 계통의 질환 | 21.8 | 21.9 | 21.8 | 21.5 | 22.2 | 22.2 | 22.4 | 22.1 | 22.4 | 23 |
| - 간질환 | 15.5 | 14.9 | 14.5 | 13.8 | 13.8 | 13.5 | 13.5 | 13.2 | 13.1 | 13.4 |
| 사망의 외부 요인 | 60.4 | 61.3 | 61.7 | 65.8 | 65.4 | 64.7 | 61.9 | 61.3 | 57.8 | 56.5 |
| - 운수사고 | 15.9 | 15.5 | 14.7 | 14.4 | 13.7 | 12.6 | 12.9 | 11.9 | 11.2 | 10.9 |
| - 자살 | 21.8 | 24.8 | 26 | 31 | 31.2 | 31.7 | 28.1 | 28.5 | 27.3 | 26.5 |

출처 : 통계청 <2015년 사망원인통계>

※사망의 외부요인에는 운수사고, 추락사고, 익수사고, 화재사고, 중독사고, 자살, 타살 등이 있음

## [지표 해석]

### ■ 2015년 사망자 수

- 총 사망자 수는 275,895명으로 전년 대비 8,203명(3.1%) 증가함. (1일 평균 756명)
- 조사망률(인구 10만 명당)은 541.5명으로 전년 대비 14.1명(2.7%) 증가함
  - 조사망률은 해당 연도의 인구 1,000명당 사망자 수임
- 인구 고령화로 인하여 사망자 수 사망원인통계 작성(1983년) 이래 최대임

### ■ 주요 사망 원인별 사망률 추이

- 3대 사망 원인(암, 심장질환, 뇌혈관질환)은 전체의 47.0%로 전년보다 0.7%p 증가함
  - 폐렴의 순위는 한 단계 상승한 4위, 고의적 자해는 한 단계 순위 하락하여 5위를 기록함
  - 남녀 모두 주요 만성 질환과 노인성 질환이 10대 사인에 다수 포함됨
- 전년 대비 폐렴 사망률은 22%, 심장질환은 6.1%, 만성하기도 질환은 4.7% 증가함
- 전체 사망자의 27.9%는 암으로 사망, 암사망률(인구 10만 명당)은 150.8명으로 전년과 유사함
- 자살률은 26.5명으로 전년 대비 0.7명(-2.7%) 감소, 운수사고 사망률은 10.9명으로 전년 대비 0.4명(-3.2%) 감소함
- 영아사망률은 2.7명으로 2000년 이후 최저로 전년 대비 0.3명(-9.4%) 감소함

▌그림 3-2 성별 사망 원인 순위

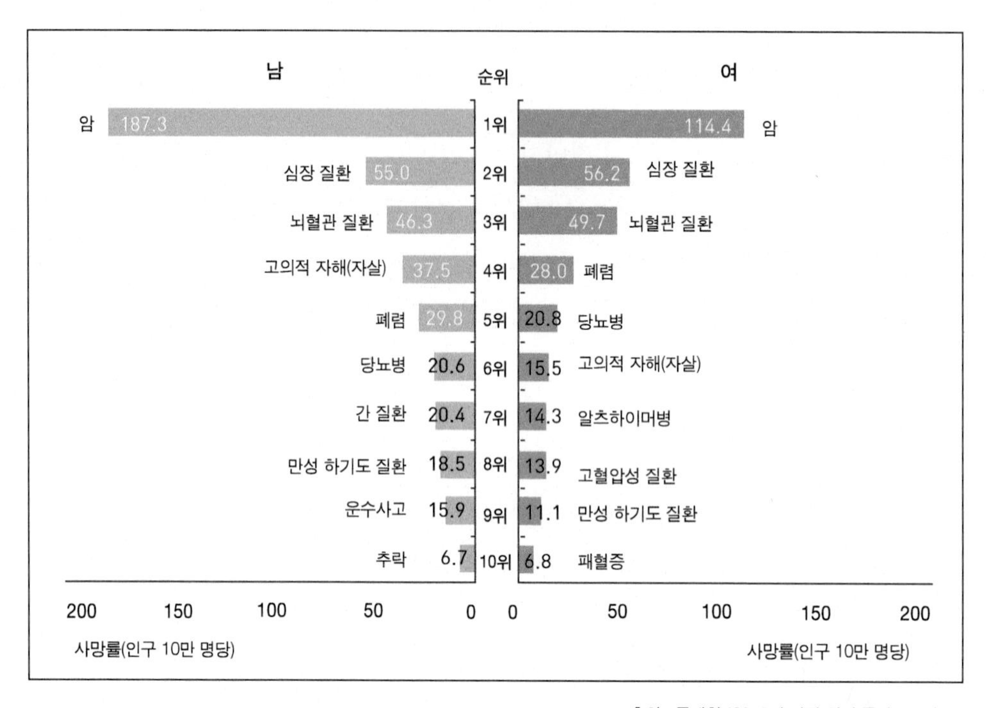


출처 : 통계청 〈2015년 사망 원인 통계보도자료〉

- 남녀 모두 악성 신생물(암)의 순위가 가장 높았고, 남자의 악성 신생물 사망률이 여자보다 1.6배 높았음
- 남자가 여자보다 순위가 높은 사인은 고의적 자해, 간질환, 만성 하기도 질환, 운수사고, 추락 순임
- 여자가 남자보다 순위가 높은 사인은 폐렴, 당뇨병, 알츠하이머병, 고혈압성 질환, 패혈증 순임
- 남자는 전년 대비 사망원인 순위가 동일하고, 여자는 알츠하이머병(8위→7위), 패혈증(12위→10위)의 순위가 상승함
- 여자의 알츠하이머병은 2011년 9위, 2013년 8위에서 2015년 7위로 상승함

만성질환의 예방을 위해서 다양성과 균형을 고려한 에너지, 영양소 섭취, 미량영양

소와 식이섬유의 충분한 섭취, 안전한 식품의 선택 등 지혜로운 식생활 섭취가 중요하다(표 3-3).

▌표 3-3 만성질환의 위험인자가 되는 식사 및 생활 양식

| 식사 및 생활 양식의 위험인자 \ 만성질환 | 암 | 고혈압 | 당뇨병 | 동맥경화 | 비만 | 심근경색 | 골다공증 |
|---|---|---|---|---|---|---|---|
| 에너지 및 지질 섭취 ↑ | ○ | ○ | ○ | ○ | ○ | ○ | |
| 곡류와 식이섬유의 섭취 ↓ | ○ | | ○ | ○ | ○ | ○ | |
| 칼슘 섭취 ↓ | ○ | ○ | | | | | ○ |
| 비타민과 무기질 섭취 ↓ | ○ | ○ | | ○ | | | ○ |
| 짠 음식과 절인 식품의 섭취 ↑ | ○ | ○ | | | | | ○ |
| 알코올 섭취 ↑ | ○ | ○ | | ○ | ○ | ○ | |
| 흡연 ↑ | ○ | ○ | | ○ | | ○ | ○ |
| 유전자 | ○ | ○ | ○ | ○ | ○ | ○ | ○ |
| 연령 ↑ | ○ | ○ | ○ | ○ | | ○ | ○ |
| 잘못된 생활습관 | ○ | ○ | ○ | ○ | ○ | ○ | ○ |
| 스트레스 ↑ | ○ | ○ | | ○ | | ○ | ○ |

## 1. 당뇨병

당뇨병이란 소변에 포도당이 나온다는 데서 그 이름이 유래된 병으로, 췌장에서 만들어지는 인슐린이 부족하거나 혹은 분비되는 인슐린이 체내에서 적절하게 작용하지 못함으로써 초래되는 고혈당증이다. 소변으로 포도당이 나오는 것은 혈액 속의 포도당 농도가 높아 걸러내야 하는 포도당의 양이 신장의 재흡수 능력보다 많기 때문이다.

▌그림 3-3 연도별 · 성별 당뇨병 유병률

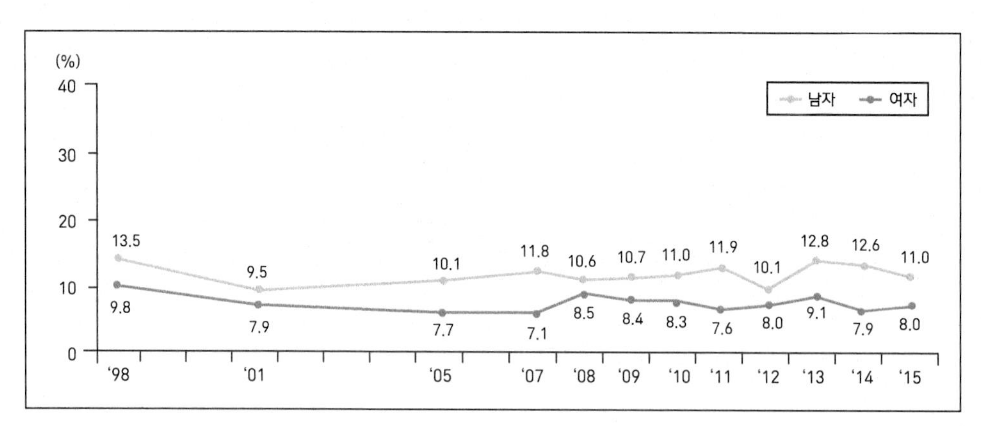


출처 : 2015년도 국민건강영양조사-만성질병편

▌그림 3-4 성별 · 연령별 당뇨병 유병률

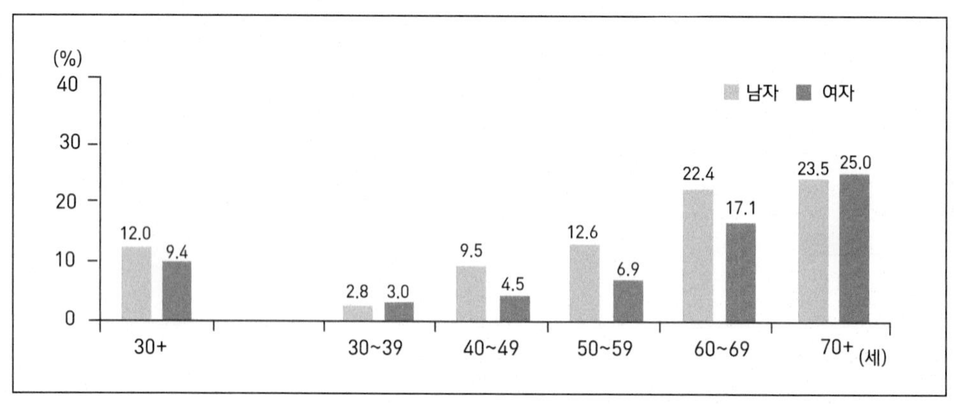


출처 : 2015년도 국민건강영양조사-만성질병편

- 당뇨병 유병률 : 공복혈당이 126mg/dL 이상이거나 의사진단을 받았거나 혈당강하제 복용 또는 인슐린 주사를 투여받고 있는 분율, 만 30세이상

## 1) 식사 원칙

- 식사량과 식사 시간을 지킨다.
- 음식을 가리지 않고 골고루 먹는다.

• 식사를 천천히 한다.
• 설탕, 꿀, 사탕과 같은 단순당과 지방을 제한한다.
• 섬유소가 많은 음식을 충분히 섭취하고, 음식을 가능한 싱겁게 먹는다.

## 2. 비만

비만은 만성질환의 하나이며, 그 유병률이 전 세계적으로 점차 증가하고 있는 추세이다. 비만이란 단순하게 체중이 증가하는 것이 아니라 지방세포의 비정상적인 증가에 의해 체중이 증가된 상태를 말한다. 풍요롭고 복잡한 생활을 하게 되면서 과식, 신체활동의 부족, 과음, 식사 패턴의 불규칙 등 다양한 요인들이 복합적으로 작용하여 섭취한 열량보다 소비하는 열량이 적은 경우에 나타난다.

과거에는 뚱뚱한 것을 건강해 보인다고 생각하는 경향이 있었는데 근래에는 비만한 경우에 고혈압, 심장병, 당뇨병 등의 질환에 걸릴 위험이 크다는 것이 알려져 주의를 요하고 있다. 또한, 어렸을 때 비만하면 건강하고 활달한 어린 시절을 보내기 힘들며 어른이 된 후에도 비만이 될 가능성이 높으므로 주의해야 한다.

### 1) 식사 원칙

비만 식사요법의 목표는 합병증의 위험을 지속적으로 감소시키고 건강을 증진시킬 수 있는 수준으로 체지방을 감소시키는 것이다. 식품의 선택, 식사 행동, 신체 활동 정도와 관련된 생활습관을 변화시켜 체중 감소가 장기간 유지하도록 하는 것이 중요하다.

**체중 조절을 위한 올바른 식습관**

- 하루 세 끼 규칙적인 식사를 한다.
- 가급적 식사는 천천히 한다.
- 가급적 기름이 적은 음식을 짜지 않게 섭취한다.
- 인스턴트 음식, 패스트푸드보다는 자연식품을 조리해서 먹는다.
- 음식은 골고루 섭취하되 후식, 음료 등의 단 음식을 주의한다.
- 간식은 가능한 섭취하지 않고 야식은 금한다.
- 가급적 섬유소는 충분히 섭취한다.
- 장기간 식사 조절을 유지하기 위해 음식량이나 음식 종류를 지나치게 제한하지 않도록 한다.

**저열량 식사를 위한 조리 포인트**

- 가급적 기름기 적은 부위의 육류를 선택하고 지방은 제거하고 조리한다.
- 기름이 많이 들어가는 조리 방법은 피하고 굽거나 찌는 방법을 선택한다.
- 튀김 대신 프라이팬에 적당량의 기름을 두르고 굽는다는 느낌으로 튀긴다.
- 볶음을 할 때에는 팬을 뜨겁게 달군 후 물을 약간 넣고 볶으면 기름 사용량을 줄일 수 있다.
- 코팅 팬이나 그릴, 오븐을 이용하면 기름 사용량을 줄인다.
- 튀김옷은 최대한 얇게 하고, 재료의 수분을 닦아내고 밀가루를 입힌다.
- 인스턴트 식품은 가급적 사용하지 않는다.
- 칼로리가 낮은 양념과 향신료를 사용(기름이나 설탕 대신 고춧가루, 식초, 카레, 후추, 겨자 등)하고 드레싱은 손수 만들어 기름 양을 조절한다.
- 유지 통조림을 이용할 경우에는 기름을 완전히 제거한 후 사용한다.

## 3. 암

우리 몸을 구성하고 있는 세포는 세포 내 조절 기능에 의해 분열하며 성장하고 죽어 없어지기도 하면서 세포 수의 균형을 유지한다. 암이란 이러한 조절 기능이 없는 비정상적인 세포들이 과다하게 증식하는 상태를 말하며, 악성종양이라고도 한다. 비교적 서서히 성장하면서 신체 여러 부위에 확산 전이하지 않는 양성종양과는 달리 악성종양이라고 불리는 암은 빠르게 증식할 뿐만 아니라 주위 장기조직을 침입하거나 체내 각 부위로 확산, 전이되어 정상 조직을 파괴하기 때문에 생명에 위협을 주게 된다. 암은 인간의 신체 중 어느 부위에서든지 발생할 수 있으며 인종, 국가, 성별, 나이, 생활습관, 식사습관 등에 따라서 다양한 부위에 발생할 수 있다. 한국인에게 가장 흔히 발생하는 암으로는 위암, 폐암, 간암, 대장암, 유방암, 자궁경부암 등이 있다.

**▌그림 3-5 주요 암 발생자 수/발생률**

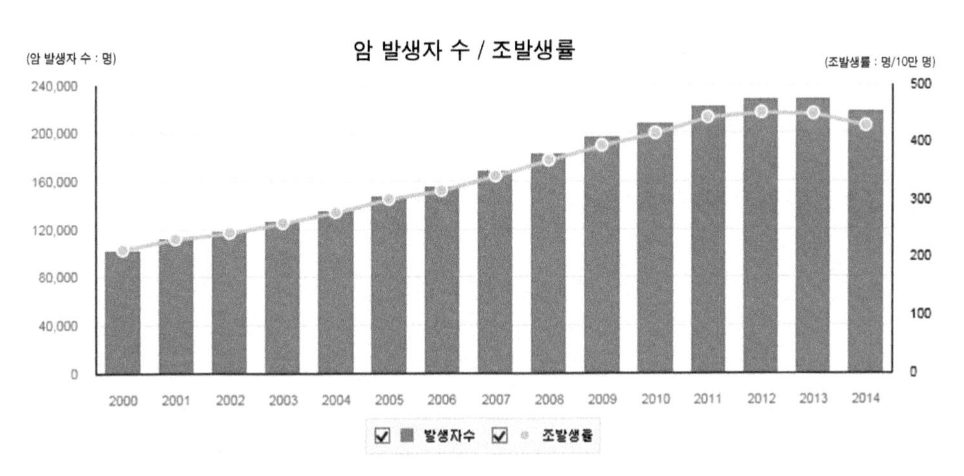


출처 : 보건복지부 암등록통계(국가승인통계 11744호)

주석 : 2014년 암발생률 통계(2016년 12월 발표)가 최근 자료이며, 2015년 자료는 2017년 12월 공표예정임

**▌표 3-4 통계표명 : 암 발생자 수 및 암 발생률**

단위 : 명, 명/10만 명

| | | 2006 | 2007 | 2008 | 2009 | 2010 | 2011 | 2012 | 2013 | 2014 |
|---|---|---|---|---|---|---|---|---|---|---|
| 모든 암 (C00-C96) | 발생자 수 | 154,656 | 167,802 | 182,263 | 196,046 | 207,450 | 221,503 | 226,952 | 227,188 | 217,057 |
| | 조발생률 | 316.4 | 341.5 | 368.9 | 394.8 | 415.9 | 442 | 450.8 | 449.4 | 427.6 |
| 위암 (C16) | 발생자 수 | 26,434 | 26,820 | 28,394 | 30,019 | 30,680 | 31,937 | 31,067 | 30,328 | 29,854 |
| | 조발생률 | 54.1 | 54.6 | 57.5 | 60.5 | 61.5 | 63.7 | 61.7 | 60 | 58.8 |
| 폐암 (C33-C34) | 발생자 수 | 17,724 | 18,447 | 19,159 | 20,056 | 21,250 | 22,170 | 22,419 | 23,401 | 24,027 |
| | 조발생률 | 36.3 | 37.5 | 38.8 | 40.4 | 42.6 | 44.2 | 44.5 | 46.3 | 47.3 |
| 간암 (C22) | 발생자 수 | 15,008 | 15,485 | 15,910 | 16,151 | 16,321 | 16,714 | 16,428 | 16,344 | 16,178 |
| | 조발생률 | 30.7 | 31.5 | 32.2 | 32.5 | 32.7 | 33.4 | 32.6 | 32.3 | 31.9 |
| 대장암 (C18-C20) | 발생자 수 | 19,887 | 21,519 | 23,198 | 25,483 | 26,614 | 28,579 | 29,366 | 27,870 | 26,978 |
| | 조발생률 | 40.7 | 43.8 | 47 | 51.3 | 53.4 | 57 | 58.3 | 55.1 | 53.1 |
| 유방암 (C50) | 발생자 수 | 10,934 | 12,002 | 12,843 | 13,666 | 14,662 | 16,161 | 16,726 | 17,398 | 18,381 |
| | 조발생률 | 22.4 | 24.4 | 26 | 27.5 | 29.4 | 32.3 | 33.2 | 34.4 | 36.2 |
| 자궁경부암 (C53) | 발생자 수 | 4,057 | 3,765 | 4,013 | 3,813 | 3,977 | 3,785 | 3,634 | 3,665 | 3,500 |
| | 조발생률 | 8.3 | 7.7 | 8.1 | 7.7 | 8 | 7.6 | 7.2 | 7.2 | 6.9 |
| 기타 암 (Re.C00-C96) | 발생자 수 | 60,612 | 69,764 | 78,746 | 86,858 | 93,946 | 102,157 | 107,312 | 108,182 | 98,139 |
| | 조발생률 | 124 | 142 | 159.4 | 174.9 | 188.3 | 203.9 | 213.2 | 214 | 193.3 |

출처 : 보건복지부 암등록통계(국가승인통계 11744호)

*2014년 암발생률 통계(2016년 12월 발표)가 최근 자료이며, 2015년 자료는 2017년 12월 공표 예정임

**▌그림 3-6 주요 암 사망자 수/ 사망률**

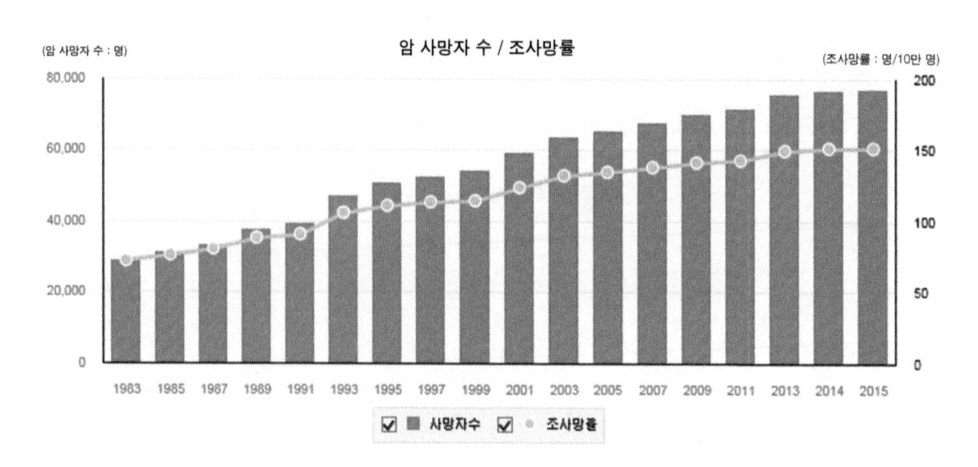


출처 : 통계청 사망원인통계(국가승인통계 제10154호)

주석 : 대장암에 항문암이 포함됨,

2015년 암사망률 통계(2016년 9월 발표)가 최근 자료이며, 2016년 자료는 2017년 9월에 공표예정임

**표 3-5 통계표명 : 암 사망자 수 및 암 사망률**

단위 : 명, 명/10만 명

| | | 2006 | 2007 | 2008 | 2009 | 2010 | 2011 | 2012 | 2013 | 2014 | 2015 |
|---|---|---|---|---|---|---|---|---|---|---|---|
| 모든 암 (C00-C97) | 사망자 수 | 65,519 | 67,561 | 68,912 | 69,780 | 72,046 | 71,579 | 73,759 | 75,334 | 76,611 | 76,855 |
| | 조사망률 | 134 | 137.5 | 139.5 | 140.5 | 144.4 | 142.8 | 146.5 | 149 | 150.9 | 150.8 |
| 위암 (C16) | 사망자 수 | 10,716 | 10,563 | 10,312 | 10,135 | 10,032 | 9,719 | 9,342 | 9,180 | 8,917 | 8,526 |
| | 조사망률 | 21.9 | 21.5 | 20.9 | 20.4 | 20.1 | 19.4 | 18.6 | 18.2 | 17.6 | 16.7 |
| 폐암 (C33-C34) | 사망자 수 | 14,027 | 14,278 | 14,791 | 14,919 | 15,623 | 15,867 | 16,654 | 17,177 | 17,440 | 17,399 |
| | 조사망률 | 28.7 | 29.1 | 29.9 | 30 | 31.3 | 31.7 | 33.1 | 34 | 34.4 | 34.1 |
| 간암 (C22) | 사망자 수 | 10,884 | 11,144 | 11,292 | 11,246 | 11,205 | 10,946 | 11,335 | 11,405 | 11,566 | 11,311 |
| | 조사망률 | 22.3 | 22.7 | 22.9 | 22.6 | 22.5 | 21.8 | 22.5 | 22.6 | 22.8 | 22.2 |
| 대장암 (C18-C21) | 사망자 수 | 6,244 | 6,650 | 6,855 | 7,105 | 7,701 | 7,721 | 8,198 | 8,270 | 8,397 | 8,380 |
| | 조사망률 | 12.8 | 13.5 | 13.9 | 14.3 | 15.4 | 15.4 | 16.3 | 16.4 | 16.5 | 16.4 |
| 유방암 (C50) | 사망자 수 | 1,615 | 1,678 | 1,731 | 1,893 | 1,868 | 2,018 | 2,013 | 2,244 | 2,271 | 2,354 |
| | 조사망률 | 3.3 | 3.4 | 3.5 | 3.8 | 3.7 | 4 | 4 | 4.4 | 4.5 | 4.6 |
| 자궁암 (C55-C55) | 사망자 수 | 1,240 | 1,241 | 1,261 | 1,258 | 1,272 | 1,294 | 1,219 | 1,232 | 1,300 | 1,374 |
| | 조사망률 | 2.5 | 2.5 | 2.6 | 2.5 | 2.6 | 2.6 | 2.4 | 2.4 | 2.6 | 2.7 |
| 기타 암 (Re.C00-C97) | 사망자 수 | 20,793 | 22,007 | 22,977 | 23,224 | 24,345 | 24,014 | 24,998 | 25,826 | 26,720 | 27,511 |
| | 조사망률 | 42.5 | 44.8 | 45.9 | 46.8 | 48.8 | 47.9 | 49.7 | 51.1 | 52.6 | 54 |

출처 : 통계청 사망원인통계(국가승인통계 제10154호)

※ 대장암에 항문암이 포함됨

※ 2015년 암사망률 통계(2016년 9월 발표)가 최근 자료이며, 2016년 자료는 2017년 9월에 공표 예정임

### 1) 식사 원칙

암 환자에게 있어서 기본적인 식사 원칙은 '잘 먹도록 해주는 것이다. 암 환자는 치료 과정에서 체중 감소를 흔하게 경험하게 되는데, 체중의 감소는 암으로 인한 대사 작용의 변화와 치료 과정에서 발생하는 식욕 저하, 설사, 구토, 오심, 탈수 등으로 인해 생길 수 있다. 체중 감소는 환자를 허약하게 하고, 암에 대한 저항력과 치료 효과를 떨어뜨리고 치료 기간을 연장시키며 항암 화학요법과 방사선치료 등을 잘 견디지 못하게 하고, 감염에도 쉽게 노출되게 한다. 따라서 체중 감소를 최소화하기 위해 환자가 음식

을 먹기 쉽도록 하고, 열량과 단백질을 보충하기 위한 여러 가지 요리법과 간식들을 활용할 필요가 있다. 입으로 적절히 식사를 섭취하지 못할 경우에는 영양 보충 음료를 섭취하거나 튜브를 이용한 경관급식, 정맥주사 등을 통해 충분한 영양을 공급하도록 한다.

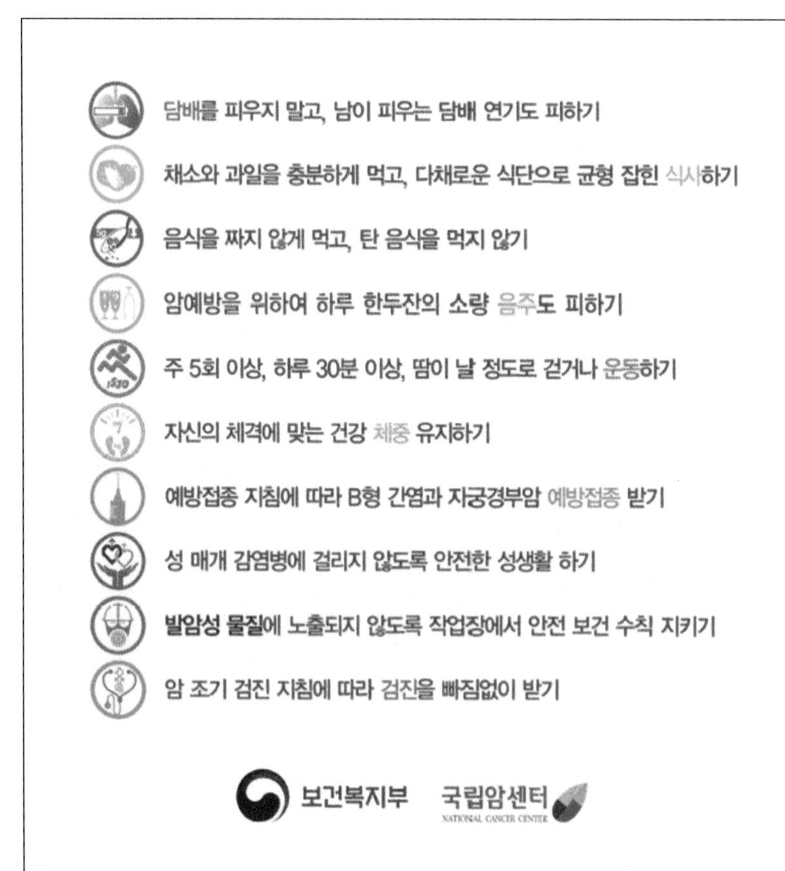

출처 : 보건복지부, 국립암센터

## 4. 위장병

소화성 궤양이란 위에서 분비되는 산(acid)이나 소화효소로부터 점막조직을 보호하는 기전에 이상이 생겨 발생하며 식도, 위, 십이지장의 점막조직이 침식되어 헐은 상태를 말한다. 궤양이 생긴 위치에 따라 위궤양, 십이지장궤양 등이 있다.

주요 원인은 헬리코박터 파이로리(helicobactor pyl-ori) 박테리아에 의한 감염인 경우가 많으며, 이 밖에도 흡연, 카페인, 알코올, 스트레스 등의 잘못된 생활습관과 유문괄약근 기능 저하로 인한 십이지장의 내용물 역류, 항염증 약물이 위산에 대한 방어기능을 약화시켜 궤양을 유발하는 등 원인이 매우 다양한 것으로 알려져 있다.

### 1) 식사 원칙

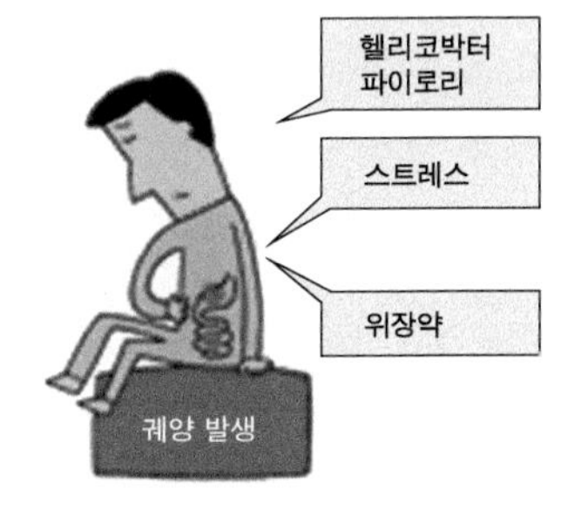


소화성 궤양의 식사요법의 목표는 위산 분비를 감소시키고 점막조직의 위산에 대한 저항력을 높이며, 통증 등의 증상을 감소시키는 것이다.

- 가능한 규칙적으로 식사하고 위의 과다한 팽창을 방지하기 위해 과식하지 않는다.
- 너무 늦은 시간에 음식물을 섭취하는 것은 위산 분비를 자극하므로 최소 취침 2시간 전에 섭취하도록 한다.
- 고춧가루, 후추, 겨자 등 자극성이 있는 조미료는 궤양의 상처 부위를 자극할 수 있으므로 제한하고, 증상이 호전되면 소량씩 섭취를 시도해 본다.
- 알코올 음료(술 등), 카페인 음료(커피, 콜라, 코코아 등) 등은 위산과 소화효소의 분비를 자극할 수 있으므로 제한한다.
- 흡연은 위 점막을 자극시키고 궤양을 악화시키므로 피하도록 한다.
- 통증이 심할 때는 자극이 적고 부드러우며, 소화되기 쉬운 음식(미음, 죽, 달걀찜, 생선찜 등)을 섭취한다.
- 거친 음식, 딱딱한 음식, 말린 음식, 튀긴 음식 등 소화되기 어려운 식품은 가급적 피하며 섭취 시에는 잘 씹어서 먹는다.

## 5. 동맥경화

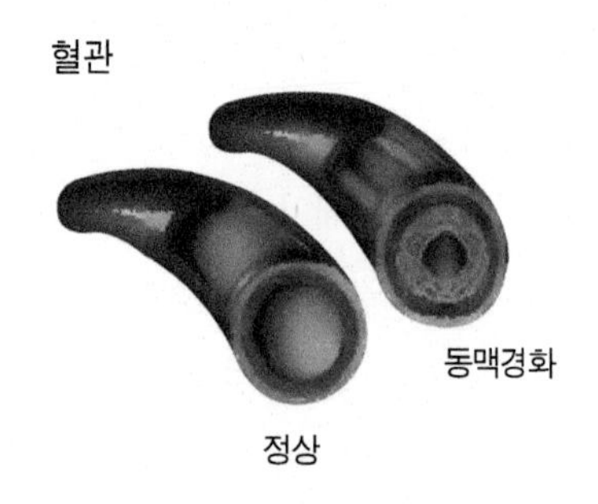


동맥경화증은 동맥이 탄력성을 잃고 단단해지는 증세로, 간단히 설명하면 혈액 내에 콜레스테롤 등의 지질이 많으면 이 지방 덩어리가 동맥벽에 축적되어 지방 덩어리 표면의 혈액이 부분적으로 응고되어 혈전(plaque)을 형성하게 되고, 이 혈전은 계속적인 콜레스테롤의 축적으로 점점 커지고 단단해지게 된다. 이로 인해 혈관은 원래 부드러운 튜브 상태로 되어 있는데, 이 혈관이 탄력성을 잃고 좁아지는 상태에 이르게 된다. 이렇게 동맥이 경화되고 좁아지면 혈전을 형성하기가 더 쉽게 되고 수축된 혈관은 일정량의 혈액에 대항해야 하므로 결국 혈압은 증가하게 되고 자연히 고혈압을 일으키게 된다.

### 1) 식사 원칙

- 식사는 규칙적으로 고루 섭취하되 반드시 아침은 거르지 않도록 한다.
- 지방은 열량의 15~20% 이하로 섭취한다.
- 가능한 하루에 콜레스테롤 섭취를 적게 하도록 한다.
- 탄수화물의 섭취를 50% 이상으로 하고, 정제된 당질은 피하되 섬유질이 풍부한 복합 당질의 섭취를 늘린다.
- 혈압을 정상으로 유지하고 소금의 섭취를 줄인다.
- 단백질은 총에너지 요구량의 15% 정도 되도록 한다.
- 알코올 섭취는 되도록 삼간다.
- 동맥경화증을 억제시키는 것으로 알려진 비타민과 무기질을 충분히 섭취한다.

## 6. 고혈압

고혈압은 유전적인 요인과 환경적 요인(비만, 염분의 과다 섭취, 알코올의 과다 섭취, 운동 부족, 스트레스 등)에 의해 발생된다.

고혈압 치료에 있어서 식사 조절은 가장 기본이 되는 치료 방법이다. 체중이 과다한 경우에는 열량을 조절하여 체중을 적절하게 유지하는 것이 중요하며, 염분과 알코올의 섭취를 줄이도록 한다.

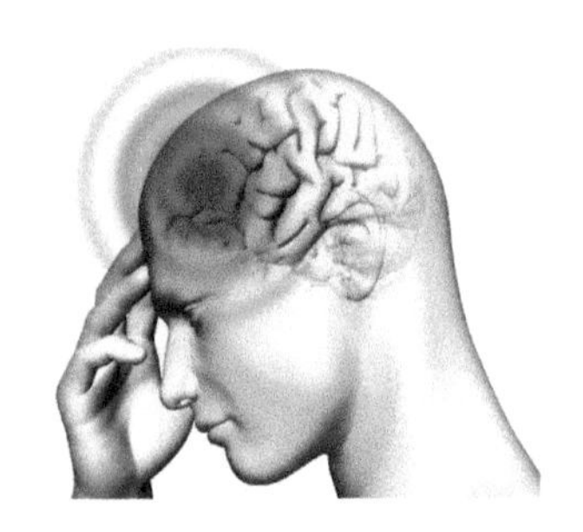

### 1) 식사 원칙

- 정상 체중을 유지하도록 한다.
  비만이라고 해서 모두 혈압이 높은 것은 아니지만, 고혈압과 비만은 관련이 깊다. 고혈압 환자에서 표준체중보다 10% 과체중인 경우에 5kg 정도의 체중 감량으로도 대부분 혈압이 감소하여 고혈압의 위험도를 낮출 수 있다.
- 염분의 섭취를 줄인다.
  과량의 소금 섭취는 나트륨을 체내에 많이 축적하여 혈압을 상승시키므로 염분 섭취를 줄이도록 한다. 보통 저염식 처방 시 1일 사용할 수 있는 염분의 양은 소금을 기준으로 할 경우 4~5g 정도가 된다.

## 7. 신장질환

신장은 척추의 좌·우측에 위치한 장기로 대사 과정 중 생긴 노폐물을 배설하고 수분과 전해질의 균형을 유지하며 혈압을 조절한다. 이외에도 신장은 조혈작용을 돕고 비타민 D를 활성화하여 칼슘의 재흡수에 관여하는 등의 중요한 역할을 담당하고 있다.

그러므로 신장이 여러 가지 이유로 제 기능을 하지 못하면 소변에 단백질이나 혈액이 빠져나오기도 하고, 혈액 내에 노폐물이 쌓이며, 수분과 전해질의 불균형, 소변량의 감소, 부종, 고혈압 등의 증상이 나타나게 된다.

신장질환은 종류가 많고 증상과 예후도 각기 다르므로 치료 방법 및 식사 조절도 이에 맞도록 하여야 한다.

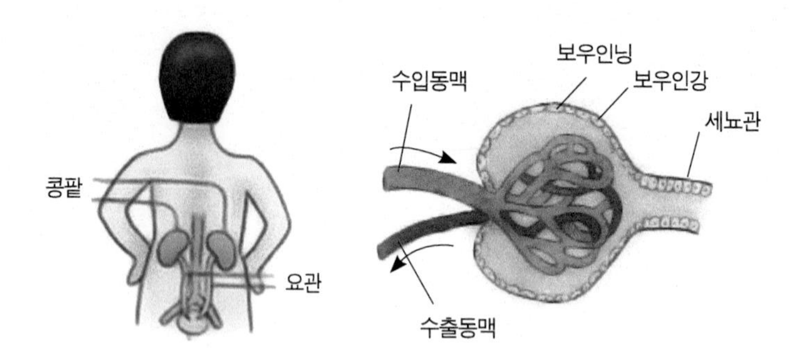


### 1) 식사 원칙

#### ■ 염분 제한 시 고려사항

- 김치류, 젓갈류, 장아찌 등의 염장식품
- 화학조미료, 베이킹파우더가 많이 들어간 음식
- 치즈, 베이컨, 햄, 통조림 등의 가공식품
- 인스턴트식품

#### ■ 염분은 적게, 음식은 맛있게 조리하는 요령

- 허용된 양념(후추, 고추, 마늘, 생강, 양파, 카레가루)을 사용하여 싱거운 맛에 변화를 주도록 한다.
- 신맛과 단맛(설탕, 식초, 레몬즙)을 적절하게 이용하여 소금을 넣지 않아도 먹을 수 있도록 조리한다.
- 식물성 기름(참기름, 식용유 등)을 사용하여 튀기거나 볶아서 고소한 맛과 열량을 증진시키도록 한다.
- 허용된 소금(간장)을 한 가지 음식에만 넣어 조리하는 것이 좋다.
- 식사 바로 전에 간을 하여 짠맛을 더 느낄 수 있도록 한다.

## ■ 염분 섭취를 줄이는 방법

- 조리할 때 소금, 간장, 된장, 고추장 등을 줄여 넣는다.
- 식탁에서 소금을 더 넣지 않는다.
- 짜게 조미된 김치, 장아찌, 젓갈, 가공된 소시지 및 햄, 런천미트, 치즈, 생선 통조림 등의 섭취를 피하도록 한다.
- 음식 조리 시 화학조미료는 사용하지 않는다.
- 온종일 먹을 수 있는 김치의 양은 김치나 깍두기 4~5쪽 정도이다.
- 생선을 조리할 때는 소금을 뿌리지 말고 굽거나 식물성유에 튀긴다.
- 물미역, 파래 등은 생것으로 먹지 않도록 하고 조리 시 소금기를 미지근한 물에서 충분히 빼도록 한다.
- 김에는 소금을 뿌리지 말고 들기름이나 참기름을 발라 굽는다.
- 된장찌개, 김치찌개와 짠 국물은 먹지 않도록 하고 조리 시에도 싱겁게 간을 맞춘다.
- 다음 표에 따라 식품을 선택한다.

| 식품 | 허용 식품 | 제한 식품 |
|---|---|---|
| 곡류 | 쌀, 보리, 옥수수, 감자, 고구마 등 소금을 넣지 않은 곡류 | 소금을 넣고 조리한 곡류 |
| 빵류 | 제한 식품 이외의 모든 식품 | 소금, 베이킹파우더, 소다를 넣고 만든 빵 |
| 고기, 생선류 | 소고기, 돼지고기, 간, 신선한 생선, 소금을 안 뿌리고 말린 생선 등 | 통조림, 소금에 절인 고기나 생선, 베이컨, 햄, 장조림, 졸인 생선이나 치즈 등 |
| 달걀류 | 제한 식품 이외의 모든 식품 | 소금을 넣은 달걀 요리 |
| 채소류 | 소금을 넣지 않고 조리한 신선한 채소류 | 김치, 깍두기, 장아찌, 통조림, 채소, 해조류 |
| 지방류 | 참기름, 식물성 기름 | 버터, 마가린 |
| 과일류 | 신선한 과일 모두 | 과일 통조림 |
| 당류 및 후식류 | 흰설탕, 흑설탕, 잼, 젤리, 커스터드 푸딩 | 케이크, 베이킹파우더, 소다를 넣은 과자 |
| 음료수 | 우유, 과즙, 보리차, 홍차, 커피, 탄산음료수 | 통조림에 들어 있는 채소즙(채소 주스, 토마토 주스) |
| 기 타 | 고추, 후춧가루, 식초, 겨자 등의 양념을 사용한 것 | 마요네즈(소금을 넣은 것), 화학조미료 |

※ 자연식품 중에서 염분 함량이 많은 식품은 소의 콩팥, 심장, 뇌 등의 내장류와 조개, 새우, 게, 해삼 등의 해산물이다.

## 8. 지방간

지방간은 간의 지방증(steatosis)을 의미하는 용어로서 간세포의 5% 이상에서 지방이 있거나 간 100g당 지방이 5g 이상일 때를 말한다. 지방간일 때는 대부분이 특유한 자각 증상이 없으나 상태가 악화된 경우에는 피로감, 식욕부진, 메스꺼움, 구토, 복부팽만감, 간 비대 증상이 나타난다. 지방간의 주요 원인으로서는 지나친 알코올 섭취, 당뇨병, 비만, 고지혈증, 약제 등이 있으며 원인이 과음인 경우에는 알코올성 지방간이라 하고, 원인이 비만, 당뇨, 고지혈증, 약제 등인 경우에는 비알코올성 지방성 간질환이라 한다. 지방간을 조절하지 않은 채 방치하는 경우 간경변증으로 진행될 수도 있으므로 조기 치료와 관리가 필요하다.

### 1) 식사 원칙

- 열량 섭취를 제한한다.

  비만한 경우 체중을 줄이면 지방간이 개선될 수 있다. 여분의 열량은 간에서 지방 축적을 증가시키므로 과잉 열량 섭취를 피하고 개인의 필요량에 맞는 적절한 식사량을 유지하는 것이 중요하다.

- 단백질은 충분히 섭취한다.

  단백질은 간세포의 재생을 촉진시키며 또한 지단백을 합성하여 지방을 간에서 혈액으로 이동시켜 지방간을 개선시킬 수 있으므로 충분한 단백질의 섭취가 필요하다. 하지만 단백질 섭취량이 지나칠 경우 지방 섭취량이 함께 높아질 수 있으므로 주의해야 한다. 양질의 단백질을 많이 함유하고 있는 식품은 육류, 생선, 두부, 콩, 달걀, 우유 및 유제품 등이 대표적이다.

- 알코올의 섭취를 금한다.

  알코올 섭취는 간세포나 뇌의 기능에 장애를 줄 뿐 아니라 간에서 지방 합성을 증가시켜 지방간을 비롯한 간질환을 유발한다. 일단 지방간으로 진단을 받으면 금주해야 한다.

- 과다한 당질 섭취를 제한한다.
  당질의 과잉 섭취는 중성지방을 증가시키므로 당질이 총섭취 열량의 60%가 넘지 않도록 하고, 가능한 단순당(설탕, 꿀, 엿 등 단맛이 나는 음식)의 섭취는 제한한다.

- 충분한 비타민과 무기질을 섭취한다.
  특히 비타민 B군은 우리 몸 효소의 구성 성분이며 간에서 각종 대사에 중요한 작용을 하므로 충분히 섭취한다.

**비타민 B가 많이 들어 있는 식품**

- 동물성 : 육류, 생선, 우유, 달걀, 간, 치즈
- 식물성 : 녹색 채소, 강화된 곡류, 땅콩, 두류, 곡류의 배아

- 원인 질환을 조절한다.
  당뇨, 고혈압 등 지방간의 원인 질환이 있는 경우, 이에 대한 조절을 병행해야 한다.

## 3-4 바람직한 식생활

현대인들은 풍족한 식생활과 의료 덕택에 건강이 좋아지고 수명도 늘고 있지만 잘못된 식습관에 의한 각종 비만과 같은 생활습관병은 도리어 건강을 위협하고 있다. 현대인들의 식습관을 이대로 방치하다가는 먹는 것이 인간의 생명을 단축할지도 모른다는 우려의 목소리가 높다. 하지만 현대의 도시인들은 매끼 식사에 어떤 문제가 있는지 한번쯤 생각해 볼 겨를도 없이 하루하루를 살아간다.

건강한 삶을 유지하고 행복한 생애를 보내기 위해서는 식생활에 대한 많은 관심과 시간을 투자하여야 한다. 건강한 삶은 우리가 매일 섭취하는 식품과 깊은 관계가 있다.

바람직한 식생활이란 신체가 요구하는 모든 영양소가 잘 배합된 적당량의 식사를 의미하나, 어느 한 가지 식품도 이 목적을 완벽하게 충족시킬 수 없다. 바람직한 식생활을 유지하기 위해서는 다음과 같은 세 가지 요소가 충족되어야 한다.

첫째, 식품 간의 균형(balance)을 이루는 것이다.

칼슘 식품과 철분 식품을 예들 들어 생각해 보면 육류, 생선 및 가금류는 철분을 풍부하게 함유하고 있는 대신에 칼슘은 부족한 편이며, 반면에 비슷한 예로 우유나 유제품은 칼슘은 충분히 함유하고 있으나 철분이 부족한 편이다. 이와 같이 모든 영양소를 완전하게 포함하는 식품은 존재하지 않는다. 따라서 어느 한 식품군에만 편중하여 섭취하지 말고 육류, 곡류, 채소 및 과일류, 유제품 등을 균형 있게 섭취하는 것이 필요하다.

둘째, 다양한(variety) 식품을 섭취하는 것이다.

보통 사람들은 매일 자기가 섭취하는 식품만을 주로 선택한다. 예를 들어 같은 과일이라 하더라도 어떤 사람은 주로 딸기를 먹는 반면, 어떤 사람들은 복숭아를 주로 먹는다. 이때 딸기에는 비타민 C가 많이 포함되어 있는 반면 복숭아에는 비타민 A가 많이 포함되어 있어, 과일을 먹을 경우에도 같은 과일만 매일 먹는 것보다는 여러 가지 과일을 다양하게 섭취하는 것이 영양소의 균형 있는 섭취를 위해 바람직하다.

셋째, 적당한(moderation) 양의 식품을 섭취하는 것이다.

지방이나 설탕이 많이 포함된 식품은 식사의 즐거움을 주지만 과도한 지방과 설탕의 섭취는 열량의 과잉뿐만 아니라, 여러 가지 다른 영양소의 섭취를 상대적으로 저하시키므로 적절한 양을 조절하여 섭취하는 것이 매우 중요하다. 따라서 바람직한 식생활을 한다는 것은 각 식품 간의 균형을 이루며 다양한 식품의 선택으로 적당량의 음식을 섭취하는 것을 말한다.

**▌국민 공통 식생활 지침**

보건복지부, 농림축산식품부, 식품의약품안전처가 공동으로 '국민 공통 식생활 지침' 제정 · 발표

1. 쌀, 잡곡, 채소, 과일, 우유 · 유제품, 육류, 생선, 달걀, 콩류 등 다양한 식품을 섭취하자.
2. 아침밥을 꼭 먹자.
3. 과식을 피하고 활동량을 늘리자.
4. 덜 짜게, 덜 달게, 덜 기름지게 먹자.
5. 단 음료 대신 물을 충분히 마시자.
6. 술자리를 피하자.
7. 음식은 위생적으로 필요한 만큼만 마련하자.
8. 우리 식재료를 활용한 식생활을 즐기자.
9. 가족과 함께 하는 식사 횟수를 늘리자

## 1. 바람직한 식생활 개선 방향

### 1) 생활습관병을 예방하고 건강을 지키기 위해서는 전통 식생활인 자연식 위주의 식생활이 필요하다.

우리 선조는 수천 년 전부터 한반도에 살면서 세계 각국의 채소·곡류를 받아들여서, 사계절의 변화와 이 땅에 맞는 토종식품으로 귀화시켜 왔고, 이런 자연 곡식과 채소가 우리 입맛과 몸에 알맞도록 다양하고 풍부한 음식문화를 만들어 왔다. 건강을 유지하고 건강에 도움이 되는 많은 음식들이 현재까지 전승되어 오고 있다. 채소와 자연 양념, 젓갈류를 이용한 천연 발효식품인 다양한 김치, 오곡을 주식으로 한 잡곡밥, 김·미

역 등의 해조류와 멸치·조기·명태 등 담백한 양질의 생선, 소고기·닭고기·돼지고기 등 육식을 이용한 신선로, 육개장, 불고기, 배추·무 등 채소가 적절히 포함된 수백 가지의 탕류와 국들, 식물성 단백질인 콩을 이용해 만든 두부, 유부, 된장, 간장, 고추장 등은 실로 세계 어느 나라에 내놓아도 손색없는 자랑스러운 자연식품의 역사, 건강식품의 역사라고 볼 수 있다.

김치만을 보더라도 채소, 곡류, 양념, 젓갈 등 최소 10여 가지가 들어가는데 우리 몸에 필요한 각종 비타민, 무기질, 효소를 보충하기에 충분하다. 최근 연구로는 김치는 담근 후 3주가 지나면 17가지 이상의 강력한 항암물질이 만들어지는 것이 밝혀져 암 예방과 치료에 좋은 보조식품으로 떠오르고 있고, 미국에서는 이를 건강식품으로 생산하고 있다고 한다. 그런데 분식집과 일식집, 중국집, 레스토랑 등 양식이 우리의 주된 식생활에 포함되어 버린 것이다. 또한, 한식집이라는 곳에 가 보아도 우리의 전통적인 음식을 찾아보기는 힘들다. 육식을 위주로 한 등심구이, 삼겹살구이는 우리의 전통과는 거리가 멀다. 다만, 다양한 채소와 마늘, 고추, 양파, 된장, 고추장 등은 우리의 전통 식생활과 함께 해 온 것으로 굳이 한식이라고 하자면 현대적 한식이라고 할 수도 있겠다. 하지만 결코 우리의 전통 식생활에 육식 위주의 식사는 없었다.

우리 조상들은 전통적으로 잡곡과 채소, 어패류 위주로 생활하여 왔음을 다시 한 번 주지해야 한다.

# PART 04 식생활과 영양

PART 04

# 식생활과 영양

2014년 통계청 자료에 의하면 한국인 사망 원인 1순위가 암이며, 심장질환, 뇌혈관질환, 자살, 폐렴 순이다. 현대인의 질병은 대부분 잘못된 식생활에서 비롯된다.

건강한 생활을 위해서는 자신에게 맞는 균형 잡힌 식사가 필요하다.

균형 잡힌 식사는 모든 영양소가 골고루 포함된 것을 의미하며, 이를 위해서는 한국인 영양섭취기준에서 제시한 6가지 식품군을 골고루 섭취해야 한다. 신체의 건강을 유지하기 위해서는 매일은 물론 끼니마다 균형 잡힌 식생활이 필요하다.

## 4-1 한국인 영양섭취기준

영양섭취기준(Dietary Reference Intakes : DRIs)은 건강한 개인 및 집단이 건강 증진 및 생활습관과 관련된 질병을 예방하고 최적의 건강 상태를 유지하기 위해 권장하는 에너지 및 각 영양소 섭취량에 대한 기준이다. 영양소 섭취기준의 설정 목적은 영양소 섭취 부족과 과다 섭취로 인한 건강 위해를 예방하기 위한 것이며, 우리나라는 1962년에 처음으로 영양권장량이 제정되어 5년 주기로 개정되었다. 2005년에는 만성질환이나 영양 과잉을 고려하여 영양섭취기준으로 제정되어 2010년도에 1차 개정, 2015년에 다시 재개정되었다.

영양섭취기준(Dietary Reference Intakes : DRIs)은 평균필요량(Estimated Average

Requirement : EAR), 권장섭취량(Recommended nutrient Intake : RNI), 충분섭취량(Adequate Intake : AI), 상한섭취량(Tolerable Upper Intake Level : UL)의 4가지로 구성되어 있다. 탄수화물과 지질의 영양섭취기준은 서로 간의 균형이 중요하므로 에너지 적정비율(Acceptable Macronutrient Distribution Ranges; AMDR)을 설정하고 있다(표 4-1~4-2). 영양섭취기준은 개인이나 집단의 식사를 계획하거나 평가할 때 활용된다.

**표 4-1 한국인의 1일 에너지 영양섭취기준**

| 성별 | 연령 | 신장(cm) | 체중(kg) | 에너지(kcal/일) |
|---|---|---|---|---|
| | | | | 에너지 필요추정량 |
| 영아 | 0~5(개월) | 60.3 | 6.2 | 550 |
| | 6~11 | 72.2 | 8.9 | 700 |
| 유아 | 1~2(세) | 86.4 | 12.5 | 1,000 |
| | 3~5 | 105.4 | 17.4 | 1,400 |
| 남자 | 6~8(세) | 126.4 | 26.5 | 1,700 |
| | 9~11 | 142.9 | 38.2 | 2,100 |
| | 12~14 | 163.5 | 52.9 | 2,500 |
| | 15~18 | 173.3 | 63.1 | 2,700 |
| | 19~29 | 174.8 | 68.7 | 2,600 |
| | 30~49 | 172.0 | 66.6 | 2,400 |
| | 50~64 | 168.4 | 63.8 | 2,200 |
| | 65~74 | 164.9 | 61.2 | 2,000 |
| | 75이상 | 163.3 | 60.0 | 2,000 |
| 여자 | 6~8(세) | 125.0 | 25.0 | 1,500 |
| | 9~11 | 142.9 | 35.7 | 1,800 |
| | 12~14 | 158.1 | 48.5 | 2,000 |
| | 15~18 | 160.9 | 53.1 | 2,000 |
| | 19~29 | 161.5 | 56.1 | 2,100 |
| | 30~49 | 159.0 | 54.4 | 1,900 |
| | 50~64 | 155.4 | 51.9 | 1,800 |
| | 65~74 | 152.1 | 49.7 | 1,600 |
| | 75이상 | 147.1 | 46.5 | 1,600 |
| 임신부 | 1분기 | | | +0 |
| | 2분기 | | | +340 |
| | 3분기 | | | +450 |
| 수유부 | | | | +340 |

# 1. 영양섭취기준

## 1) 에너지

에너지는 신체적, 정신적 활동을 위한 힘을 주는 동시에 원활한 신진대사를 가능하게 해준다. 에너지 영양섭취기준 설정은 에너지 소비량 산출 공식을 사용하였다.

- 총에너지 소비량(Total energy expenditure: TEE)
  = $\alpha - \beta \times$ 연령(세)+PA 〔r×체중(kg)+$\delta$ ×신장(m)〕
- 성인 남자 : 662-9.53×연령(세)+PA 〔5.91×체중(kg)+539.6×신장(m)〕
  PA=1.0(비활동적), 1.11(저활동적), 1.25(활동적), 1.48(매우 활동적)
- 성인 여자 : 354-6.91×연령(세)+PA 〔9.36×체중(kg)+726×신장(m)〕
  PA=1.0(비활동적), 1.12(저활동적), 1.27(활동적), 1.45(매우 활동적)

20대 성인 남녀의 에너지 권장량은 2,600kcal, 2,100kcal로 결정되었고, 그 외 다른 연령대에 따른 권장량은 〈표 4-1〉과 같다. 또한, 에너지 적정 비율은 〈표 4-2〉와 같다.

**표 4-2 에너지 적정 비율**

| 영양소 | | 1~2세 | 3~18세 | 19세 이상 |
|---|---|---|---|---|
| 탄수화물 | | 55~65% | 55~65% | 55~65% |
| 단백질 | | 7~20% | 7~20% | 7~20% |
| 지질 | 총지방 | 20~35% | 15~30% | 15~30% |
| | n-6 불포화지방산 | 4~10% | 4~10% | 4~10% |
| | n-3 불포화지방산 | 1% 내외 | 1% 내외 | 1% 내외 |
| | 포화지방산[1] | - | 8% 미만 | 7% 미만 |
| | 트랜스지방산[1] | - | 1% 미만 | 1% 미만 |
| | 콜레스테롤[1] | - | - | 300mg/일 미만 |

1) 1~2세, 2~18세 섭취기준을 설정할 과학적 근거가 부족함

(출처 : 한국영양학회, 2015 한국인 영양소 섭취기준, 2015)

성인 남녀의 에너지 필요추정량은 남녀 각각 신체활동 계수를 저활동적 수준을 적용하여 1.11과 1.12로 하였다.

임신한 여성은 임신에 따른 에너지 소비량 증가분과 모체 조직의 성장에 필요한 에너지 축적량을 더하여 산출하였고, 수유부는 수유 기간 중의 에너지 소비량 변화, 모유분비에 필요한 에너지와 모체 저장 지방조직에서 동원되는 에너지로부터 추정하여 부가하였다.

### 2) 단백질

단백질은 근육, 피부, 뼈, 손톱, 머리카락 등의 신체조직 성분이며 혈액, 호르몬, 효소의 구성 성분이다. 또한, 체액과 산, 염기의 평형 유지 등의 중요한 작용을 한다.

성인의 경우 단백질의 평균필요량은 0.66g/kg/일을 기준으로 하되 소화율 90%을 반영하여 0.73g/kg/일을 질소평형 유지를 위한 단백질 필요량으로 결정하였고, 권장섭취량은 평균필요량에 표준편차의 1.96배를 더해 인구의 97.5백분위수를 추정한 값으로 변이계수인 12.5%를 적용하였다. 영아기(6~11개월)에는 체중 1kg당 평균필요량은 1.1g으로 산출하였으며, 영아기 이후 18세까지는 질소평형 유지와 성장에 필요한 단백질량을 고려하여 평균필요량을 산출하였다(표 4-3).

단백질은 동물성 육류(소고기, 돼지고기, 닭고기), 생선, 달걀, 우유 및 유제품(치즈, 요거트) 등에 함유되어 있다.

▌표 4-3 단백질 영양섭취기준

| 성별 | 연령 | 단백질(g/일) | | | |
|---|---|---|---|---|---|
| | | 평균필요량 | 권장섭취량 | 충분섭취량 | 상한섭취량 |
| 영아 | 0~5(개월) | | | 10 | |
| | 6~11 | 10 | 15 | | |
| 유아 | 1~2(세) | 12 | 15 | | |
| | 3~5 | 15 | 20 | | |
| 남자 | 6~8(세) | 25 | 30 | | |
| | 9~11 | 35 | 40 | | |
| | 12~14 | 45 | 55 | | |
| | 15~18 | 50 | 65 | | |
| | 19~29 | 50 | 65 | | |
| | 30~49 | 50 | 60 | | |
| | 50~64 | 50 | 60 | | |
| | 65~74 | 45 | 55 | | |
| | 75 이상 | 45 | 55 | | |
| 여자 | 6~8(세) | 20 | 25 | | |
| | 9~11 | 30 | 40 | | |
| | 12~14 | 40 | 50 | | |
| | 15~18 | 40 | 50 | | |
| | 19~29 | 45 | 55 | | |
| | 30~49 | 40 | 50 | | |
| | 50~64 | 40 | 50 | | |
| | 65~74 | 40 | 45 | | |
| | 75 이상 | 40 | 45 | | |
| 임신부[1] | | +12 | +15 | | |
| | | +25 | +30 | | |
| 수유부 | | +20 | +25 | | |

(출처 : 한국영양학회, 2015 한국인 영양소 섭취기준, 2015)

1) 임신부 2,3분기별 부가량

### 3) 비타민 A

비타민 A는 우리 국민에게 부족하기 쉬운 비타민 중의 하나로 시각 관련 기능, 세포 성장, 면역 증진, 염증 억제, 항산화작용 등에 관여한다. 2015년 한국인 영양섭취기준에는 RAE(retinol activity equivalents)를 비타민 A의 기본 단위로 채택하였다. 성인의 평균필요량은 건강한 사람들이 체내의 비타민 A 풀(pool)을 유지하는 데 필요한 식사 중의 비타민량을 기초로 계산되었다(표 4-4). 비타민 A의 권장섭취량은 20%의 변이계수를 적용하여 평균필요량의 140%를 적용하였다. 상한섭취량은 과잉 섭취 시 발생되는 세포막의 안정성 저해, 간 조직 손상, 지방간, 기형아 출산, 골격 약화 등의 주요 유해작용을 고려하여 설정하였다.

비타민 A는 간, 육류, 달걀, 생선, 유제품, 당근, 시금치, 감자, 오렌지 등에 함유되어 있다.

### 4) 비타민 D

비타민 D는 칼슘대사를 조절하여 체내 칼슘 농도의 항상성과 칼슘과 인의 흡수를 도우며 뼈에 칼슘을 축적시키는 데 관여한다. 비타민 D는 필요량을 추정할 수 있는 과학적 근거가 부족하고 자외선을 쬐면 피부에서 생합성되는 특수성도 있어서 충분섭취량을 설정하였다. 성인의 경우, 특정 계절에는 자외선을 통해 비타민 D를 충분히 얻기가 어려워 충분섭취량을 10㎍으로 설정하였다. 65세 이상 노인의 경우, 피부에서 비타민 D 합성 능력 감소, 퇴행성 질환 증가, 골다공증과 골절 증가 등으로 인해 15㎍으로 하였고 유아와 아동은 5㎍으로 설정하였다(표 4-4).

비타민 D는 실외 활동 등으로 햇빛으로 비타민 D 합성을 증가시키고, 식품은 청어, 연어, 갈치, 고등어, 참치 등의 생선과 육류의 간, 달걀, 치즈, 버섯류 등에 함유되어 있다.

## 표 4-4 지용성 비타민 영양섭취기준

| 성별 | 연령 | 비타민 A(㎍RAE/일) | | | | 비타민 D(㎍/일) | | | |
|---|---|---|---|---|---|---|---|---|---|
| | | 평균 필요량 | 권장 섭취량 | 충분 섭취량 | 상한 섭취량 | 평균 필요량 | 권장 섭취량 | 충분 섭취량 | 상한 섭취량 |
| 영아 (개월) | 0~5 | | | 350 | 600 | | | 5 | 25 |
| | 6~11 | | | 450 | 600 | | | 5 | 25 |
| 유아 (세) | 1~2 | 200 | 300 | | 600 | | | 5 | 30 |
| | 3~5 | 230 | 350 | | 700 | | | 5 | 35 |
| 남자 (세) | 6~8 | 320 | 450 | | 1,000 | | | 5 | 40 |
| | 9~11 | 420 | 600 | | 1,500 | | | 5 | 60 |
| | 12~14 | 540 | 750 | | 2,100 | | | 10 | 100 |
| | 15~18 | 620 | 850 | | 2,300 | | | 10 | 100 |
| | 19~29 | 570 | 800 | | 3,000 | | | 10 | 100 |
| | 30~49 | 550 | 750 | | 3,000 | | | 10 | 100 |
| | 50~64 | 530 | 750 | | 3,000 | | | 10 | 100 |
| | 65~74 | 500 | 700 | | 3,000 | | | 15 | 100 |
| | 75 이상 | 500 | 700 | | 3,000 | | | 15 | 100 |
| 여자 (세) | 6~8 | 290 | 400 | | 1,000 | | | 5 | 40 |
| | 9~11 | 380 | 550 | | 1,500 | | | 5 | 60 |
| | 12~14 | 470 | 650 | | 2,100 | | | 10 | 100 |
| | 15~18 | 440 | 600 | | 2,300 | | | 10 | 100 |
| | 19~29 | 460 | 650 | | 3,000 | | | 10 | 100 |
| | 30~49 | 450 | 650 | | 3,000 | | | 10 | 100 |
| | 50~64 | 430 | 600 | | 3,000 | | | 10 | 100 |
| | 65~74 | 410 | 550 | | 3,000 | | | 15 | 100 |
| | 75 이상 | 410 | 550 | | 3,000 | | | 15 | 100 |
| 임신부 | | +50 | +70 | | 3,000 | | | +0 | 100 |
| 수유부 | | +350 | +490 | | 3,000 | | | +0 | 100 |

(출처 : 한국영양학회, 2015 한국인 영양소 섭취기준, 2015)

### 5) 티아민

티아민(비타민 B1)은 당질대사에 직접적으로 관여하고 당질이 한국인의 식사에서 대부분을 차지하고 있어서 필요량 설정은 에너지 섭취에 의존하고 있다. 티아민의 평균필요량은 적혈구 트랜스케톨라아제 활성(erythrocyte transketolase activity)과 티아민 소변 배설량을 유지하기에 적절한 섭취량을 근거로 설정하였다(표 4-5). 성인의 평균필요량은 남자 1.0mg/일, 여자 0.9mg/일로 설정하였으며 권장섭취량은 변이계수를 10%로 적용하여 평균필요량의 120% 수준에서 설정하였다. 임신부의 평균필요량은 성인 여성의 평균필요량에 모체 조직 및 태아의 성장에 필요한 티아민 양 0.2mg을 가산하고 임신부의 에너지 추가 필요량을 고려하여 에너지 이용 증가분 0.2mg을 가산한 1.3mg으로 설정하였다. 권장섭취량은 평균필요량에 0.4mg을 추가하여 설정하였다. 수유부는 수유 기간 중 모유로 분비되는 평균 티아민 함량(1일 0.16mg)과 모유 생산에 필요한 에너지 이용 증가분(0.18mg/일)을 고려하여 평균필요량을 1.2mg/일로 설정하였다.

티아민은 돼지고기(등심), 돼지고기(삼겹살), 현미, 감자, 백미, 달걀, 고추 등에 함유되어 있다.

### 6) 리보플라빈

리보플라빈(비타민 B2)의 영양 상태로 소변 중 함량을 측정하거나 임상적 결핍 상태인 구각염, 설염, 광선공포증 및 적혈구 내 리보플라빈의 함량 변화 등을 관찰하여 평가한다. 이에 근거하여 평균필요량은 남자 1.3mg/일, 여자 1.0mg/일로 설정되었으며, 권장섭취량은 변이계수 10%를 적용하여 평균필요량의 120% 수준으로 설정하여 성인 남녀 각각 1.5mg/일, 1.2mg/일로 나타내었다. 임신부의 경우 모체와 태아 건강을 위해 0.7mg/1000kcal이 필요하므로, 성인 여성보다 0.3mg/일을 추가로 필요하며, 권장섭취량은 개인 변이를 고려하여 0.4mg/일을 추가하도록 설정하였다. 수유부의 경우에도 유즙에 반영되는 리보플라빈량을 고려하여 평균필요량에 0.4mg/일을 추가로 필요하며, 권장섭취량은 평균필요량에 변이계수 10%를 적용하여 0.5mg을 추가하는 것으로

▌표 4-5 수용성 비타민 영양섭취기준

| 성별 | 연령 | 비타민 C (mg/일) | | | | 티아민(mg/일) | | | | 리보플라빈(mg/일) | | | |
|---|---|---|---|---|---|---|---|---|---|---|---|---|---|
| | | 평균 필요량 | 권장 섭취량 | 충분 섭취량 | 상한 섭취량 | 평균 필요량 | 권장 섭취량 | 충분 섭취량 | 상한 섭취량 | 평균 필요량 | 권장 섭취량 | 충분 섭취량 | 상한 섭취량 |
| 영아 (개월) | 0~5 | | | 35 | | | | 0.2 | | | | 0.3 | |
| | 6~11 | | | 45 | | | | 0.3 | | | | 0.4 | |
| 유아 (세) | 1~2 | 30 | 35 | | 350 | 0.4 | 0.5 | | | 0.5 | 0.5 | | |
| | 3~5 | 30 | 40 | | 500 | 0.4 | 0.5 | | | 0.5 | 0.6 | | |
| 남자 (세) | 6~8 | 40 | 55 | | 700 | 0.6 | 0.7 | | | 0.7 | 0.9 | | |
| | 9~11 | 55 | 70 | | 1,000 | 0.7 | 0.9 | | | 1.0 | 1.2 | | |
| | 12~14 | 70 | 90 | | 1,400 | 1.0 | 1.1 | | | 1.2 | 1.5 | | |
| | 15~18 | 80 | 105 | | 1,500 | 1.1 | 1.3 | | | 1.4 | 1.7 | | |
| | 19~29 | 75 | 100 | | 2,000 | 1.0 | 1.2 | | | 1.3 | 1.5 | | |
| | 30~49 | 75 | 100 | | 2,000 | 1.0 | 1.2 | | | 1.3 | 1.5 | | |
| | 50~64 | 75 | 100 | | 2,000 | 1.0 | 1.2 | | | 1.3 | 1.5 | | |
| | 65~74 | 75 | 100 | | 2,000 | 1.0 | 1.2 | | | 1.3 | 1.5 | | |
| | 75 이상 | 75 | 100 | | 2,000 | 1.0 | 1.2 | | | 1.3 | 1.5 | | |
| 여자 (세) | 6~8 | 45 | 60 | | 700 | 0.6 | 0.7 | | | 0.6 | 0.8 | | |
| | 9~11 | 60 | 80 | | 1,000 | 0.7 | 0.9 | | | 0.8 | 1.0 | | |
| | 12~14 | 75 | 100 | | 1,400 | 0.9 | 1.1 | | | 1.0 | 1.2 | | |
| | 15~18 | 70 | 95 | | 1,500 | 1.0 | 1.2 | | | 1.0 | 1.2 | | |
| | 19~29 | 75 | 100 | | 2,000 | 0.9 | 1.1 | | | 1.0 | 1.2 | | |
| | 30~49 | 75 | 100 | | 2,000 | 0.9 | 1.1 | | | 1.0 | 1.2 | | |
| | 50~64 | 75 | 100 | | 2,000 | 0.9 | 1.1 | | | 1.0 | 1.2 | | |
| | 65~74 | 75 | 100 | | 2,000 | 0.9 | 1.1 | | | 1.0 | 1.2 | | |
| | 75 이상 | 75 | 100 | | 2,000 | 0.9 | 1.1 | | | 1.0 | 1.2 | | |
| 임신부 | | +10 | +10 | | 2,000 | +0.4 | +0.4 | | | +0.3 | +0.4 | | |
| 수유부 | | +35 | +40 | | 2,000 | +0.3 | +0.4 | | | +0.4 | +0.5 | | |

(출처 : 한국영양학회, 2015 한국인 영양소 섭취기준, 2015)

설정하였다(표 4-5).

리보플라빈은 장어, 소간, 김, 시리얼, 달걀, 돼지고기, 닭고기, 소고기, 우유, 두부 등에 함유되어 있다.

### 7) 비타민 C

비타민 C는 콜라겐 형성에 관여하며 항산화작용 및 면역기능에 중요한 역할을 한다. 비타민 C의 평균필요량은 소변으로서의 배설이 거의 없으면서 백혈구의 비타민 C의 농도를 최대 수준으로 유지하여 생체 내 항산화 보호 효과를 내기 충분한 정도를 비타민 C의 평균필요량으로 성인 남녀 모두 75mg/일로 설정하였다. 권장섭취량은 평균필요량에 변이계수 15%를 사용하여 100mg/일로 설정하였다. 임신부의 평균필요량은 모체에서 태아로 이동되는 비타민 C 양을 고려하여 10mg을 가산하였고, 수유부의 평균필요량은 모유로 배출되는 양을 고려하여 35mg을 가산하여 설정되었다(표 4-5).

비타민 C는 브로콜리, 고춧잎, 케일, 풋고추, 키위, 딸기, 레몬, 무청 등에 함유되어 있다.

### 8) 칼슘

인체의 칼슘 보유량은 체중의 약 1~2% 정도로서 체내 칼슘의 대부분은 치아와 골격에 존재한다. 칼슘은 혈액응고, 근육의 수축과 이완, 신경 전달, 세포 내의 신호전달 과정 및 효소작용 등에 관여한다. 우리나라 칼슘의 섭취기준은 칼슘평형, 골밀도 및 골절위험을 주요 지표로 사용하였고, 연령 및 성별에 따라 칼슘 흡수율을 고려하여 칼슘 평균필요량 및 권장섭취량을 산출하였다. 특히 50세 이상 여성의 경우 폐경으로 인한 골손실과 골절 예방을 이유로 권장섭취량에 100mg을 부가하였다. 또한, 임신, 수유부의 경우 태아의 성장 및 모체 조직의 증가, 수유로 인한 체내 칼슘 필요량의 증가에 대해 추가 섭취의 건강상 이익을 제시하는 근거가 없어 추가량을 제시하지 않았다(표 4-6).

칼슘은 멸치, 미꾸라지, 치즈, 깨, 김, 대두, 깻잎, 미역, 우유 등에 함유되어 있다. 칼슘은 한국인에게 부족되기 쉬운 영양소이므로 우유 및 유제품을 섭취하지 않고 음식물로 섭취해서는 충족시키기가 어렵다. 주로 연령이 높을수록 유당불내증으로 우유를 먹기가 힘들면 두유와 다른 유제품으로 먹어서 충족시키고, 또한 다른 칼슘 함유 식품을 이용한 식단을 개발하여야 하겠다.

▌표 4-6 칼슘의 영양섭취기준

| 성별 | 연령 | 칼슘(mg/일) | | | |
|---|---|---|---|---|---|
| | | 평균필요량 | 권장섭취량 | 충분섭취량 | 상한섭취량 |
| 영아 | 0~5(개월) | | | 210 | 1,000 |
| | 6~11 | | | 300 | 1,500 |
| 유아 | 1~2(세) | 390 | 500 | | 2,500 |
| | 3~5 | 470 | 600 | | 2,500 |
| 남자 | 6~8(세) | 580 | 700 | | 2,500 |
| | 9~11 | 650 | 800 | | 3,000 |
| | 12~14 | 800 | 1,000 | | 3,000 |
| | 15~18 | 720 | 900 | | 3,000 |
| | 19~29 | 650 | 800 | | 2,500 |
| | 30~49 | 630 | 800 | | 2,500 |
| | 50~64 | 600 | 750 | | 2,000 |
| | 65~74 | 570 | 700 | | 2,000 |
| | 75 이상 | 570 | 700 | | 2,000 |
| 여자 | 6~8(세) | 580 | 700 | | 2,500 |
| | 9~11 | 650 | 800 | | 3,000 |
| | 12~14 | 740 | 900 | | 3,000 |
| | 15~18 | 660 | 800 | | 3,000 |
| | 19~29 | 530 | 700 | | 2,500 |
| | 30~49 | 510 | 700 | | 2,500 |
| | 50~64 | 580 | 800 | | 2,000 |
| | 65~74 | 560 | 800 | | 2,000 |
| | 75 이상 | 560 | 800 | | 2,000 |
| 임신부 | | +0 | +0 | | 2,500 |
| 수유부 | | +0 | +0 | | 2,500 |

(출처 : 한국영양학회, 2015 한국인 영양소 섭취기준, 2015)

## 9) 철

철은 인체 내 보유량은 3~5g이며, 철의 2/3가 적혈구의 헤모글로빈에 존재한다. 철의 평균필요량은 성인 남성의 경우 기본적 철 손실량을, 성인 여성의 경우 월경혈 손실량을, 임신부일 경우 태아에 필요한 양을 근거로 설정했다. 철 흡수율은 영아와 임신부를 제외한 연령층에서 12%를, 노인은 소화흡수 기능을 감안하여 10%를 적용하여 평균필요량을 산출하였고 15%의 변이계수를 이용하여 권장섭취량을 산출하였다(표 4-7).

**표 4-7 철 영양섭취기준**

| 성별 | 연령 | 철 (mg/일) | | | |
|---|---|---|---|---|---|
| | | 평균필요량 | 권장섭취량 | 충분섭취량 | 상한섭취량 |
| 영아 | 0~5(개월) | | | 0.3 | 40 |
| | 6~11 | 5 | 6 | | 40 |
| 유아 | 1~2(세) | 4 | 6 | | 40 |
| | 3~5 | 5 | 6 | | 40 |
| 남자 | 6~8(세) | 7 | 9 | | 40 |
| | 9~11 | 8 | 10 | | 40 |
| | 12~14 | 11 | 14 | | 40 |
| | 15~18 | 11 | 14 | | 45 |
| | 19~29 | 8 | 10 | | 45 |
| | 30~49 | 8 | 10 | | 45 |
| | 50~64 | 7 | 10 | | 45 |
| | 65~74 | 7 | 9 | | 45 |
| | 75 이상 | 7 | 9 | | 45 |
| 여자 | 6~8(세) | 6 | 8 | | 40 |
| | 9~11 | 7 | 10 | | 40 |
| | 12~14 | 13 | 16 | | 40 |
| | 15~18 | 11 | 14 | | 45 |
| | 19~29 | 11 | 14 | | 45 |
| | 30~49 | 11 | 14 | | 45 |
| | 50~64 | 6 | 8 | | 45 |
| | 65~74 | 6 | 8 | | 45 |
| | 75 이상 | 5 | 7 | | 45 |
| 임신부 | | +8 | +10 | | 45 |
| 수유부 | | +0 | +0 | | 45 |

(출처 : 한국영양학회, 2015 한국인 영양소 섭취기준, 2015)

철은 햄철과 비햄철의 형태로 존재한다. 생체 이용률이 높은 햄철은 헤모글로빈과 미오글로빈이 풍부한 육류, 가금류, 생선에 많고 생체 이용률이 낮은 비햄철은 식물성 식품(곡류, 과일, 채소, 두부)과 유제품(우유, 치즈), 달걀에 함유되어 있다.

### 10) 나트륨과 염소

나트륨과 염소는 삼투압 유지와 수분 평형에 관여하며, 산염기의 균형 조절 및 신경 자극 전달에도 중요한 역할을 한다. 나트륨과 염소의 장기적인 과잉 섭취는 혈압 상승, 뇌졸중, 심근경색, 심부전 등의 심장질환 및 신장질환의 발병을 촉진한다. 또한, 위암의 발생률을 증가시키고 골다공증, 천식, 비만 발병률과 함께 모든 원인의 사망률도 증가시킨다. 나트륨과 염소의 경우 모든 연령층에서 충분섭취량을 설정하였고, 나트륨평형, 혈중 지질 농도, 혈압을 지표로 설정하였다.

성인의 나트륨 충분섭취량은 나트륨평형, 혈중 지질 농도, 혈압에 영향을 주지 않으면서 다른 영양소(콜레스테롤과 포화지방) 섭취량의 부족을 일으키지 않는 양인 1,500mg으로 설정하였고, 염소의 충분섭취량은 2,300mg으로 설정하였다.

유아, 아동 및 노인의 경우 에너지 섭취량의 중앙값을 근거로 성인의 충분섭취량으로부터 외삽하였고, 청소년의 경우 성인과 동일한 양으로 설정하였다. 나트륨 목표섭취량을 설정하기 위해 고혈압, 위암, 뇌혈관질환 발생률 및 사망률과 나트륨 섭취량의 관련성이 연구의 제한적이고 한국인의 매우 높은 나트륨 섭취량을 고려하여 WHO(세계보건기구)의 1일 나트륨 최대 섭취량은 2,000mg(소금 5g)으로 설정하였다. 우리 국민의 1일 나트륨 섭취량은 평균 4,027.5mg(질병관리본부, 2014)으로 충분섭취량의 2.69배, 목표섭취량의 약 2배를 섭취하고 있으므로 현재 섭취량의 절반 정도로 섭취하는데 유의하여야 하겠다.

2015년 국민건강영양조사에 따르면 한 끼당 나트륨 섭취량의 경우, 단체급식은 2,236mg이었고, 외식은 1,959mg, 가정식은 1,342mg으로 나타나 가급적 외식을 하면 국이나 찌개류는 건더기 위주로 섭취를 하면 나트륨 섭취량을 낮출 수 있다. 정부는 '나트륨 줄이기 운동본부'를 발족해 2020년까지 하루 나트륨 섭취량을 20% 낮추는데 국민들의 참여와 건강한 식생활문화를 확산시키는데 노력을 기울이고 있다.

나트륨은 양념류, 국 · 찌개 · 탕류, 면류, 김치류 등에 많이 들어 있으므로 나트륨의 과잉 섭취에 따른 건강 위험이 우려되어 식사계획 및 평가 시 주의를 요한다.

**표 4-8 나트륨과 염소 영양섭취기준**

| 성별 | 연령 | 나트륨(mg/일) | | 염소(mg/일) |
|---|---|---|---|---|
| | | 충분섭취량 | 목표섭취량 | 충분섭취량 |
| 영아 | 0~5(개월) | 120 | | 180 |
| | 6~11 | 370 | | 560 |
| 유아 | 1~2(세) | 900 | | 1,300 |
| | 3~5 | 1,000 | | 1,500 |
| 남자 | 6~8(세) | 1,200 | | 1,900 |
| | 9~11 | 1,400 | 2,000 | 2,100 |
| | 12~14 | 1,500 | 2,000 | 2,300 |
| | 15~18 | 1,500 | 2,000 | 2,300 |
| | 19~29 | 1,500 | 2,000 | 2,300 |
| | 30~49 | 1,500 | 2,000 | 2,300 |
| | 50~64 | 1,500 | 2,000 | 2,300 |
| | 65~74 | 1,300 | 2,000 | 2,000 |
| | 75 이상 | 1,100 | 2,000 | 1,700 |
| 여자 | 6~8(세) | 1,200 | | 1,900 |
| | 9~11 | 1,400 | 2,000 | 2,100 |
| | 12~14 | 1,500 | 2,000 | 2,300 |
| | 15~18 | 1,500 | 2,000 | 2,300 |
| | 19~29 | 1,500 | 2,000 | 2,300 |
| | 30~49 | 1,500 | 2,000 | 2,300 |
| | 50~64 | 1,500 | 2,000 | 2,300 |
| | 65~74 | 1,300 | 2,000 | 2,000 |
| | 75 이상 | 1,100 | 2,000 | 1,700 |
| 임신부 | | 1,500 | 2,000 | 2,300 |
| 수유부 | | 1,500 | 2,000 | 2,300 |

(출처 : 한국영양학회, 2015 한국인 영양소 섭취기준, 2015)

### 11) 칼륨

칼륨은 나트륨 이온과 정상적인 삼투압을 유지시킴으로 수분평형을 유지하며 세포액을 보전하고 산, 염기 조절 인자로 작용하며, 심장근육을 이완시키는 기능을 한다. 식사를 통한 충분한 칼륨의 섭취는 혈압을 낮추며 뇌졸중과 심근경색을 예방한다. 칼륨 섭취량은 나트륨과 칼륨의 비율이 1에 가까운 수준이 되는 정도가 적절하다(WHO, 2003). 칼륨의 충분섭취량은 소금 섭취로 인한 혈압 상승을 완화시키고 신결석 발병 위험도와 염분 감수성을 감소시키는 수준으로 설정하였다. 5년간의 칼륨 섭취량을 예측하고 적절한 비율을 반영하여 남녀 동일하게 3,500mg으로 설정하였다. 노인은 고혈압 발생 위험 증가 및 칼륨요구량 증가를 고려하여 성인과 동일하게 3,500mg으로 설정하였고 수유부는 6개월간 모유를 통해 분비되는 칼륨의 함량(400mg/일)과 식사를 통해 섭취한 칼륨의 모유 전환을 고려하여 성인 여성의 충분섭취량에 400mg을 부가하였다(표 4-9).

칼륨은 가공하지 않은 곡류, 채소와 과일 등에 있으며 특히 고구마, 감자, 토마토, 오이, 호박, 가지, 오렌지, 바나나, 사과, 배, 우유 등에 함유되어 있다.

▌표 4-9 칼륨 영양섭취기준

| 성별 | 연령 | 칼륨(mg/일) |
|---|---|---|
| | | 충분섭취량 |
| 영아 | 0~5(개월) | 400 |
| | 6~11 | 700 |
| 유아 | 1~2(세) | 2,000 |
| | 3~5 | 2,300 |
| 남자 | 6~8(세) | 2,600 |
| | 9~11 | 3,000 |
| | 12~14 | 3,500 |
| | 15~18 | 3,500 |
| | 19~29 | 3,500 |
| | 30~49 | 3,500 |
| | 50~64 | 3,500 |
| | 65~74 | 3,500 |
| | 75 이상 | 3,500 |
| 여자 | 6~8(세) | 2,600 |
| | 9~11 | 3,000 |
| | 12~14 | 3,500 |
| | 15~18 | 3,500 |
| | 19~29 | 3,500 |
| | 30~49 | 3,500 |
| | 50~64 | 3,500 |
| | 65~74 | 3,500 |
| | 75 이상 | 3,500 |
| 임신부 | | +0 |
| 수유부 | | +400 |

(출처 : 한국영양학회, 2015 한국인 영양소 섭취기준, 2015)

# 4-2 식사구성안과 식품구성 자전거

## 1. 식사구성안

식사계획은 개인이나 집단에게 적절한 영양소를 공급하여 영양소의 부족, 과잉 문제를 최소화하는 식사를 제공하고자 하는 것이다. 개인의 식사계획은 권장섭취량이나 충분섭취량에 가까운 수준으로 영양 목표를 설정한다.

▌표 4-10 곡류의 주요 식품과 1인 1회 분량

| 구분 | 품목 | 식품명 | 분량(g)[1] | 횟수[2] |
|---|---|---|---|---|
| 곡류 (300kcal) | 곡류 | 백미, 보리, 찹쌀, 현미, 조, 수수, 기장, 팥<br>옥수수<br>쌀밥 | 90<br>70<br>210 | 1회<br>0.3회<br>1회 |
| | 면류 | 국수(말린 것)<br>국수(생면)<br>당면<br>라면 사리 | 90<br>210<br>30<br>120 | 1회<br>1회<br>1회<br>1회 |
| | 떡류 | 가래떡/백설기<br>떡(팥소, 시루떡 등) | 150<br>150 | 1회<br>1회 |
| | 빵류 | 식빵<br>빵(잼빵, 팥빵 등)<br>빵(기타) | 35<br>80<br>80 | 0.3회<br>1회<br>1회 |
| | 시리얼류 | 시리얼 | 30 | 0.3회 |
| | 감자류 | 감자<br>고구마 | 140<br>70 | 0.3회<br>0.3회 |
| | 기타 | 묵<br>밤<br>밀가루, 전분, 빵가루, 부침가루, 튀김가루, 믹스 | 200<br>60<br>30 | 0.3회<br>0.3회<br>0.3회 |
| | 과자류 | 과자(비스킷, 쿠키)<br>과자(스낵) | 30<br>30 | 0.3회<br>0.3회 |

삭제한 식품 : 혼합 잡곡, 삶은 면, 냉면국수, 메밀국수

1) 1회 섭취하는 가식부 분량임

2) 곡류 300 kcal에 해당하는 분량을 1회라고 간주하였을 때, 해당 1회 분량에 해당하는 횟수

그러나 일반인이 영양섭취기준으로 식단을 구성하고 평가하는 것은 매우 어려운 일이다. 따라서 식사구성안은 일반인이 복잡한 영양가 계산을 하지 않아도 한국인 영양소 섭취기준을 충족할 수 있도록 식품군별 대표 식품과 1인 1회 분량 및 1일 섭취 횟수를 나타낸 것이다. 개인이나 집단에 필요한 에너지 섭취량을 기준하여 바람직한 영양소 수준을 제안한 것이다(표 4-10~4-15).

**표 4-11 고기 · 생선 · 달걀 · 콩류의 주요 식품과 1인 1회 분량**

| 구분 | 품목 | 식품명 | 분량(g)[1] | 횟수[2] |
|---|---|---|---|---|
| 고기 · 생선 · 달걀 · 콩류 (100 kcal) | 육류 | 소고기(한우, 수입우) | 60 | 1회 |
| | | 돼지고기, 돼지고기(삼겹살) | 60 | 1회 |
| | | 닭고기 | 60 | 1회 |
| | | 오리고기 | 60 | 1회 |
| | | 햄, 소시지, 베이컨, 통조림햄 | 30 | 1회 |
| | 어패류 | 고등어, 명태/동태, 조기, 꽁치, 갈치, 다랑어(참치) | 60 | 1회 |
| | | 바지락, 게, 굴 | 80 | 1회 |
| | | 오징어, 새우, 낙지 | 80 | 1회 |
| | | 멸치 자건품, 오징어(말린 것), 새우 자건품, 뱅어포(말린 것), 명태(말린 것) | 15 | 1회 |
| | | 다랑어(참치통조림) | 60 | 1회 |
| | | 어묵, 게맛살 | 30 | 1회 |
| | | 어류젓 | 40 | 1회 |
| | 난류 | 달걀, 메추라기알 | 60 | 1회 |
| | 콩류 | 대두, 완두콩, 강낭콩 | 20 | 1회 |
| | | 두부 | 80 | 1회 |
| | | 순두부 | 200 | 1회 |
| | | 두유 | 200 | 1회 |
| | 견과류 | 땅콩, 아몬드, 호두, 잣, 해바라기씨, 호박씨 | 10 | 0.3회 |

삭제한 식품 : 미꾸라지, 민물장어, 넙치, 삼치, 깨(유지류로)

1) 1회 섭취하는 가식부 분량임

2) 고기 · 생선 · 달걀 · 콩류 100 kcal에 해당하는 분량을 1회라고 간주하였을 때, 해당 1회 분량에 해당하는 횟수

▌표 4-12 채소류의 주요 식품, 1인 1회 분량 및 1회 분량에 해당하는 횟수

| 구분 | 품목 | 식품명 | 분량(g)[1] | 횟수[2] |
|---|---|---|---|---|
| 채소류 (15kcal) | 채소류 | 파, 양파, 당근, 풋고추, 무, 애호박, 오이, 콩나물, 시금치, 상추, 배추, 양배추, 깻잎, 피망, 부추, 토마토, 쑥갓, 무청, 붉은고추, 숙주나물, 고사리, 미나리 | 70 | 1회 |
| | | 배추김치, 깍두기, 단무지, 열무김치, 총각김치 | 40 | 1회 |
| | | 우엉 | 40 | 1회 |
| | | 마늘, 생강 | 10 | 1회 |
| | 해조류 | 미역, 다시마 | 30 | 1회 |
| | | 김 | 2 | 1회 |
| | 버섯류 | 느타리버섯, 표고버섯, 양송이버섯, 팽이버섯 | 30 | 1회 |

삭제한 식품 : 고구마 줄기, 근대, 쑥, 아욱, 취나물, 두릅, 머위, 가지, 늙은호박, 나박김치, 오이소박이, 동치미, 갓김치, 파김치, 도라지, 토마토 주스, 파래

1) 1회 섭취하는 가식부 분량임

2) 채소류 15kcal에 해당하는 분량을 1회라고 간주하였을 때, 해당 1회 분량에 해당하는 횟수

▌표 4-13 과일류의 주요 식품, 1인 1회 분량 및 1회 분량에 해당하는 횟수

| 구분 | 품목 | 식품명 | 분량(g)[1] | 횟수[2] |
|---|---|---|---|---|
| 과일류 (50 kcal) | 과일류 | 수박, 참외, 딸기, | 150 | 1회 |
| | | 사과, 귤, 배, 바나나, 감, 포도, 복숭아, 오렌지, 키위, 파인애플 | 100 | 1회 |
| | | 건포도, 대추(말린 것) | 15 | 1회 |
| | 주스류 | 과일 음료 | 100 | 1회 |

삭제한 식품 : 망고

1) 1회 섭취하는 가식부 분량임

2) 과일류 50 kcal에 해당하는 분량을 1회라고 간주하였을 때, 해당 1회 분량에 해당하는 횟수

## 표 4-14 과일류의 주요 식품, 1인 1회 분량 및 1회 분량에 해당하는 횟수

| 구분 | 품목 | 식품명 | 분량(g)[1] | 횟수[2] |
|---|---|---|---|---|
| 우유 · 유제품류 (125kcal) | 우유 | 우유 | 200 | 1회 |
| | 유제품 | 치즈 | 20 | 0.3회 |
| | | 요구르트(호상) | 100 | 1회 |
| | | 요구르트(액상) | 150 | 1회 |
| | | 아이스크림 | 100 | 1회 |

1) 1회 섭취하는 가식부 분량임
2) 우유 · 유제품류 125 kcal에 해당하는 분량을 1회라고 간주하였을 때, 해당 1회 분량에 해당하는 횟수

## 표 4-15 유지 · 당류의 주요 식품, 1인 1회 분량 및 1회 분량에 해당하는 횟수

| 구분 | 품목 | 식품명 | 분량(g) | 비고 |
|---|---|---|---|---|
| 유지 · 당류 (45kcal) | 유지류 | 참기름, 콩기름, 커피프림, 들기름, 유채씨기름/채종유, 흰깨, 들깨, 버터, 포도씨유, 마요네즈 | 5 | 1회 |
| | | 커피믹스 | 12 | 1회 |
| | 당류 | 당류 설탕, 물엿/조청, 꿀 | 10 | 1회 |

삭제한 식품 : 옥수수기름, 당밀/시럽, 사탕
1) 1회 섭취하는 가식부 분량임
2) 유지 · 당류 45 kcal에 해당하는 분량을 1회라고 간주하였을 때, 해당 1회 분량에 해당하는 횟수

## 2. 식품구성 자전거

식품구성 자전거(그림 4-1)는 우리가 섭취하고 있는 식품들의 종류와 영양소 함량에 따라 곡류, 고기 · 생선 · 달걀 · 콩류, 채소류, 과일류, 우유 · 유제품류의 5가지 식품으로 분류하여 식생활에서 차지하는 중요성과 양을 일반인들이 쉽게 이해하도록 그림으로 나타낸 것이다(그림 4-1).

식품구성 자전거의 앞바퀴는 매일 충분한 물을 섭취해야 한다고 강조하고 있으며, 자전거에 앉은 사람의 모습은 매일 충분한 양의 신체활동을 해서 적절한 영양소 섭취기준과 함께 건강을 유지하고 비만을 예방할 수 있음을 의미한다. 뒷바퀴를 보면 곡류는 매일 2~4회, 고기 · 생선 · 달걀 · 콩류는 매일 3~4회, 채소류는 매끼 2가지 이상, 과일류는 매일 1~2개, 우유 · 유제품은 매일 1~2잔 섭취를 강조하고 있다. 물론 각 개인에 따라 식품의 양과 종류를 조정할 수 있으며, 식품구성안과 식품구성 자전거를 이용하면 편리하게 하루에 필요한 식품군의 섭취 횟수를 정할 수 있다.

▍그림 4-1 식품구성 자전거

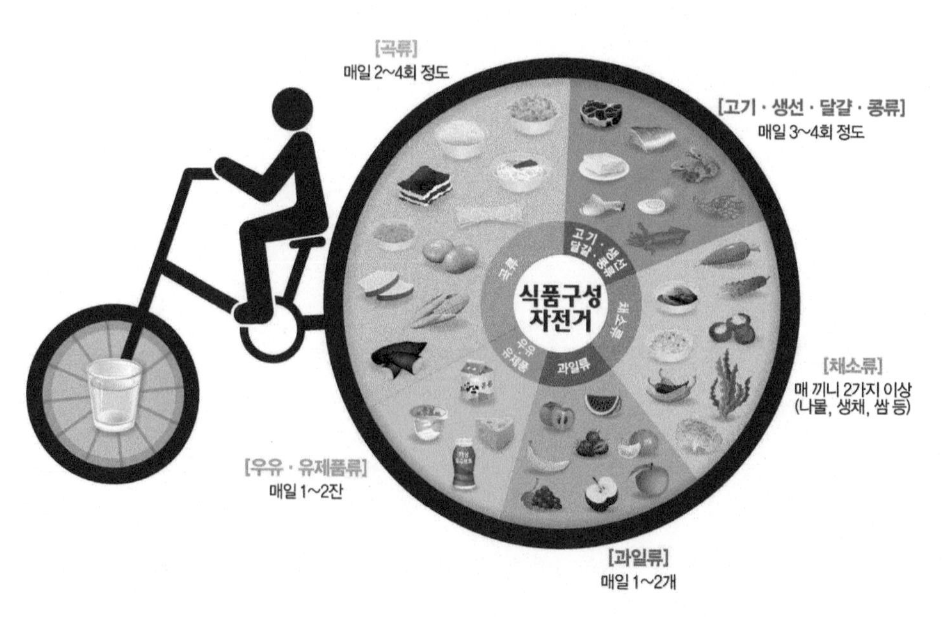


자료 출처 : 사)한국영양학회, 《한국인 영양섭취기준》 개정판, 2015

## 4-3 식생활 지침

국민의 건강과 영양 문제를 최소화하고 건강 증진과 삶의 질을 향상시키기 위해서는 개별 영양소의 섭취량에 대한 제시뿐만 아니라 포괄적인 식사의 질 향상을 위한 지침이 필요하다. 특히 사회 발전과 더불어 우리나라에서도 급격히 증가하고 있는 생활습관병의 예방을 위해서 질적인 지침이 요구되고 있다.

정부에서는 우리나라 사람들의 식생활에서 나타나는 문제점을 해소하여 균형 잡힌 식습관을 이끌고 식생활 관련 질병을 예방하기 위하여 2002년 한국인을 위한 식생활 목표 및 식생활 지침을 설정하였다. 이를 바탕으로 보건복지부에서는 2008년 '한국 성인을 위한 식생활 목표와 식생활 지침'을 임신·수유부·영유아·어린이·청소년·성인 부분에 대해 발표하고, 2009년에 어르신을 위한 식생활 지침을 만들었다.

2015년에 보건복지부에서는 각 부처별로 개발되어 사용되고 있는 식생활 지침을 통합하여 균형 있는 영양소 섭취, 올바른 식습관 및 한국형 식생활, 식생활 안전 등을 고려하여 국민 공통 식생활 지침을 제정하여 발표하였다(표 4-16~표 4-22).

**표 4-16 임신·수유부 식생활 지침**

| 임신·수유부를 위한 식생활 지침 | 임신·수유부를 위한 식생활 실천 지침 |
|---|---|
| 우유 제품을 매일 3회 이상 먹자 | - 우유를 매일 3컵 이상 마십니다.<br>- 요구르트, 치즈, 뼈째 먹는 생선 등을 자주 먹습니다. |
| 고기나 생선, 채소, 과일을 매일 먹자 | - 다양한 채소와 과일을 매일 먹습니다.<br>- 생선, 살코기, 콩 제품, 달걀 등 단백질 식품을 매일 1번 이상 먹습니다. |
| 청결한 음식을 알맞은 양으로 먹자 | - 끼니를 거르지 않고 식사를 규칙적으로 합니다.<br>- 음식을 만들 때는 식품을 위생적으로 다루고 먹을 만큼만 준비합니다.<br>- 살코기, 생선 등은 충분히 익혀 먹습니다.<br>- 보관했던 음식은 충분히 가열한 후 먹습니다.<br>- 식품을 구매하거나 외식할 때 청결한 것을 선택합니다. |

| | |
|---|---|
| 짠 음식을 피하고 싱겁게 먹자 | - 음식을 만들거나 먹을 때는 소금, 간장, 된장 등 양념을 적게 사용합니다.<br>- 국물은 싱겁게 만들어 적게 먹습니다.<br>- 김치는 싱겁게 만들어 먹습니다. |
| 술은 절대로 마시지 말자 | - 술은 절대로 마시지 않습니다.<br>- 커피, 콜라, 녹차, 홍차, 초콜릿 등 카페인 함유 식품을 적게 먹습니다.<br>- 물을 충분히 마십니다. |
| 활발한 신체 활동을 유지하자 | - 임신부는 적절한 체중 증가를 위해 알맞게 먹고 활발한 신체 활동을 규칙적으로 합니다.<br>- 산후 체중 조절을 위해 가벼운 운동으로 시작하여 점차 운동량을 늘려 갑니다.<br>- 모유 수유는 산후 체중 조절에도 도움이 됩니다. |

자료 출처 : 보건복지부, www.mohw.go.kr

▌표 4-17 영·유아 식생활 지침

| 영유아를 위한 식생활 지침 | 영유아를 위한 식생활 실천 지침 |
|---|---|
| 생후 6개월까지는 반드시 모유를 먹이자 | - 초유는 꼭 먹이도록 합니다.<br>- 생후 2년까지 모유를 먹이면 더욱 좋습니다.<br>- 모유를 먹일 수 없는 경우에만 조제유를 먹입니다.<br>- 조제유는 정해진 양대로 물에 타서 먹입니다.<br>- 수유 시에는 아기를 안고 먹이며 수유 후에는 꼭 트림을 시킵니다.<br>- 자는 동안에는 젖병을 물리지 않습니다. |
| 이유 보충식은 성장 단계에 맞추어 먹이자 | - 이유 보충식은 생후 만 4개월 이후 6개월 사이에 시작합니다.<br>- 이유 보충식은 여러 식품을 섞지 말고 1가지씩 시작합니다.<br>- 이유 보충식은 신선한 재료를 사용하여 간을 하지 않고 조리해서 먹입니다.<br>- 이유 보충식은 숟가락으로 떠먹입니다.<br>- 과일 주스를 먹일 때는 컵에 담아 먹입니다. |
| 유아의 성장과 식욕에 따라 알맞게 먹이자 | - 일정한 장소에서 먹입니다.<br>- 쫓아다니며 억지로 먹이지 않습니다.<br>- 한꺼번에 많이 먹이지 않습니다. |
| 곡류, 과일, 채소, 생선, 고기, 유제품 등 다양한 식품을 먹이자 | - 과일, 채소, 우유 및 유제품 등의 간식을 매일 2~3회 규칙적으로 먹입니다.<br>- 유아 음식은 싱겁고 담백하게 조리합니다.<br>- 유아 음식은 씹을 수 있는 크기와 형태로 조리합니다. |

자료 출처 : 보건복지부, www.mohw.go.kr

▌표 4-18 어린이 식생활 지침

| 어린이를 위한 식생활 지침 | 어린이를 위한 식생활 실천 지침 |
|---|---|
| 음식은 다양하게 골고루 | - 편식하지 않고 골고루 먹습니다.<br>- 끼니마다 다양한 채소 반찬을 먹습니다.<br>- 생선, 살코기, 콩 제품, 달걀 등 단백질 식품을 매일 1번 이상 먹습니다.<br>- 우유를 매일 2컵 정도 마십니다. |
| 많이 움직이고, 먹는 양은 알맞게 | - 매일 1시간 이상 적극적으로 신체 활동을 합니다.<br>- 나이에 맞는 키와 몸무게를 알아서 표준 체형을 유지합니다.<br>- TV 시청과 컴퓨터 게임을 모두 합해서 하루에 2시간 이내로 제한합니다.<br>- 식사와 간식은 적당한 양을 규칙적으로 먹습니다. |
| 식사는 제때에, 싱겁게 | - 아침 식사는 꼭 먹습니다.<br>- 음식은 천천히 꼭꼭 씹어 먹습니다.<br>- 짠 음식, 단 음식, 기름진 음식을 적게 먹습니다. |
| 간식은 안전하고, 슬기롭게 | - 간식으로는 신선한 과일과 우유 등을 먹습니다.<br>- 과자나 탄산 음료, 패스트푸드를 자주 먹지 않습니다.<br>- 불량식품을 구별할 줄 알고 먹지 않으려고 노력합니다.<br>- 식품의 영양 표시와 유통기한을 확인하고 선택합니다. |
| 식사는 가족과 함께 예의 바르게 | - 가족과 함께 식사하도록 노력합니다.<br>- 음식을 먹기 전에 반드시 손을 씻습니다.<br>- 음식은 바른 자세로 앉아서 감사한 마음으로 먹습니다.<br>- 음식은 먹을 만큼 담아서 먹고 남기지 않습니다. |

자료 출처 : 보건복지부, www.mohw.go.kr

▌표 4-19 청소년 식생활 지침

| 청소년을 위한 식생활 지침 | 청소년을 위한 식생활 실천 지침 |
|---|---|
| 각 식품군을 매일 골고루 먹자 | - 밥과 다양한 채소, 생선, 육류를 포함하는 반찬을 골고루 매일 먹습니다.<br>- 간식으로는 신선한 과일을 주로 먹습니다.<br>- 우유를 매일 2컵 이상 마십니다. |
| 짠 음식과 기름진 음식을 적게 먹자 | - 짠 음식, 짠 국물을 적게 먹습니다.<br>- 인스턴트 음식을 적게 먹습니다.<br>- 튀긴 음식과 패스트푸드를 적게 먹습니다. |

| | |
|---|---|
| 건강 체중을 바로 알고 알맞게 먹자 | - 내 키에 따른 건강 체중을 압니다.<br>- 매일 한 시간 이상 적극적으로 신체 활동을 합니다.<br>- 무리한 다이어트를 하지 않습니다.<br>- TV 시청과 컴퓨터 게임을 모두 합해서 하루에 2시간 이내로 제한합니다. |
| 물이 아닌 음료를 적게 마시자 | - 물을 자주 충분히 마십니다.<br>- 탄산 음료, 가당 음료를 적게 마십니다.<br>- 술을 절대 마시지 않습니다. |
| 식사를 거르거나 과식하지 말자 | - 아침 식사를 거르지 않습니다.<br>- 식사는 제시간에 천천히 먹습니다.<br>- 배가 고프더라도 한꺼번에 많이 먹지 않습니다. |
| 위생적인 음식을 선택하자 | - 불량식품을 먹지 않습니다.<br>- 식품의 영양 표시와 유통기한을 확인하고 선택합니다. |

자료 출처 : 보건복지부, www.mohw.go.kr

**표 4-20 성인을 위한 식생활 지침**

| 성인을 위한 식생활 지침 | 성인을 위한 식생활 실천 지침 |
|---|---|
| 각 식품군을 매일 골고루 먹자 | - 곡류는 다양하게 먹고 전곡을 많이 먹습니다.<br>- 여러 가지 색깔의 채소를 매일 먹습니다.<br>- 다양한 제철 과일을 매일 먹습니다.<br>- 간식으로 우유, 요구르트, 치즈와 같은 유제품을 먹습니다.<br>- 가임기 여성은 기름기 적은 붉은 살코기를 적절히 먹습니다. |
| 활동량을 늘리고 건강 체중을 유지하자 | - 일상생활에서 많이 움직입니다.<br>- 매일 30분 이상 운동을 합니다.<br>- 건강 체중을 유지합니다.<br>- 활동량에 맞추어 에너지 섭취량을 조절합니다. |
| 청결한 음식을 알맞게 먹자 | - 식품을 구매하거나 외식을 할 때 청결한 것으로 선택합니다.<br>- 음식은 먹을 만큼만 만들고, 먹을 만큼만 주문합니다.<br>- 음식을 만들 때는 식품을 위생적으로 다룹니다.<br>- 매일 세 끼 식사를 규칙적으로 합니다.<br>- 밥과 다양한 반찬으로 균형 잡힌 식생활을 합니다. |
| 짠 음식을 피하고 싱겁게 먹자 | - 음식을 만들 때는 소금, 간장 등을 보다 적게 사용합니다.<br>- 국물을 짜지 않게 만들고 적게 먹습니다.<br>- 음식을 먹을 때 소금, 간장을 더 넣지 않습니다.<br>- 김치는 덜 짜게 만들어 먹습니다. |

| | |
|---|---|
| 지방이 많은 고기나 튀긴 음식을 적게 먹자 | - 고기는 기름을 떼어내고 먹습니다.<br>- 튀긴 음식을 적게 먹습니다.<br>- 음식을 만들 때 기름을 적게 사용합니다. |
| 술을 마실 때는 그 양을 제한하자 | - 남자는 하루 2잔, 여자는 1잔 이상 마시지 않습니다.<br>- 임신부는 절대로 술을 마시지 않습니다. |

자료 출처 : 보건복지부. www.mohw.go.kr

**표 4-21 어르신을 위한 식생활 지침**

| 어르신을 위한 식생활 지침 | 어르신을 위한 식생활 실천 지침 |
|---|---|
| 각 식품군을 매일 골고루 먹자 | - 고기, 생선, 달걀, 콩류의 반찬을 매일 먹습니다.<br>- 다양한 채소 반찬을 매일 먹습니다.<br>- 다양한 우유 제품이나 두유를 매일 먹습니다.<br>- 신선한 제철 과일을 매일 먹습니다 |
| 짠 음식을 피하고 싱겁게 먹자 | - 음식은 싱겁게 먹습니다.<br>- 국과 찌개의 국물은 적게 먹습니다.<br>- 식사할 때 소금과 간장을 더 넣지 않습니다. |
| 청결한 음식을 알맞게 먹자 | - 식품을 구매하거나 외식을 할 때 청결한 것으로 선택합니다.<br>- 음식은 먹을 만큼만 만들고, 먹을 만큼만 주문합니다.<br>- 음식을 만들 때는 식품을 위생적으로 다룹니다.<br>- 매일 세 끼 식사를 규칙적으로 합니다.<br>- 밥과 다양한 반찬으로 균형 잡힌 식생활을 합니다. |
| 식사는 규칙적이고 안전하게 하자 | - 세 끼 식사를 꼭 합니다.<br>- 외식할 때는 영양과 위생을 꼭 고려하여 선택합니다.<br>- 오래된 음식을 먹지 말고, 신선하고 청결한 음식을 먹습니다.<br>- 식사로 건강을 챙기고 식이보충제가 필요한 경우에는 신중히 선택합니다. |
| 물은 많이 마시고 술은 적게 마시자 | - 목이 마르지 않더라도 물을 자주 충분히 마십니다.<br>- 술은 하루 1잔을 넘기지 않습니다.<br>- 술을 마실 때에는 반드시 다른 음식과 같이 먹습니다. |
| 활동량을 늘리고 건강 체중을 유지하자 | - 앉아 있는 시간을 줄이고 가능한 한 많이 움직입니다.<br>- 나를 위한 건강 체중을 알고 이를 갖도록 노력합니다.<br>- 매일 최소 30분 이상 숨이 찰 정도로 유산소 운동을 합니다.<br>- 일주일에 최소 2회, 20분 이상 힘이 들 정도로 근육 운동을 합니다. |

자료 출처 : 보건복지부. www.mohw.go.kr

# PART 05
# 식단 작성 및 평가

PART 05

# 식단 작성 및 평가

## 5-1 식단 작성 계획

### 1. 식단이란?

식단의 사전적 의미는 일정 기간 먹을 음식의 종류와 순서를 짜놓은 계획표를 말한다. 바람직한 식생활관리를 위하여 올바른 식단을 작성하는 것은 필수적인 요소라 할 수 있다. 즉 식단이란, 바람직한 식생활을 위한 식사계획으로, 매끼의 식사에 있어 구성원의 영양과 기호를 충족시킬 수 있도록 음식의 종류와 분량을 정하는 것을 말하며, 이때 영양, 기호, 경제, 위생, 시간, 노력 등을 고려하여야 한다. 또 어떠한 방식의 조리법을 사용하여 제공할 것인지에 대한 구체적인 계획도 포함된다. 이러한 식단은 우리 식생활의 중심적 역할을 하게 된다.

### 2. 식단의 작성 시 고려사항

계획 없이 준비된 식사는 균형 있는 영양 공급이 어려울 수 있으며, 식품 구매 시에도 필요 없는 식품을 구매하여 낭비되는 일이 있어날 수 있고 식사 준비를 위한 시간과 노력이 더 많이 투입될 가능성이 있다. 결과적으로 영양면, 경제면, 시간과 노력면에서 손실이 따르게 된다. 식단 작성의 이점은 다음과 같다.

■ **식단 작성의 이점**

① 가족 구성원의 영양 필요량을 고려하여 균형 있는 영양 공급이 가능하다.
② 가족 구성원의 올바른 식습관 형성에 도움을 줄 수 있다.
③ 계획된 예산에 맞춘 식사 구성으로 낭비를 줄일 수 있다.
④ 식품구매 시간 및 식사 준비 시간을 줄일 수 있다.
⑤ 식사 준비 과정에서 위해 요소들을 차단하여 식사의 안정성을 확보할 수 있다.

### 1) 영양

가정 내 식생활관리자는 가족의 건강관리를 담당하고 있는 책임자로 가족 구성원의 생애주기 특성을 감안하여 영양소 필요량을 파악해야 한다.

식단 작성 시 특정 영양소의 함량이 과잉되거나 부족하지 않도록 계획해야 하며, 특히 하루 세 끼를 모두 가정에서 식사하는 유아나 노인이 있는 경우 더욱 영양관리에 신중해야 한다. 건강 상태를 유지하기 위해서 신체는 식사로부터 충분한 에너지와 영양소를 계속하여 보충받아야 한다. 영양소는 지금까지 총 50여 종의 영양소가 밝혀져 있으며, 이들은 크게 물, 탄수화물, 단백질, 지방, 비타민, 무기질의 6대 영양소로 분류된다. 영양소 중 체내에서 합성되지 않거나, 합성되더라도 양이 부족한 영양소를 필수영양소라고 하며, 이러한 필수영양소는 반드시 식품을 통해 섭취해야 한다.

### 2) 기호

영양적으로 균형 잡힌 식사를 할 수 있도록 식품의 종류와 양을 결정하였더라도 맛이 없거나 좋아하지 않는 음식이 제공되면 음식 섭취량이 낮아지므로 충분한 영양 섭취를 기대하기 어렵다. 따라서 가족 모두가 즐겨 먹을 수 있도록 식단을 계획하는 것이 중요하다. 가족 구성원 내에서도 선호하는 음식의 차이가 있으므로 식단을 작성할 때에는 식품의 선택과 조리법에 다양한 변화를 주어 가족 구성원 모두가 즐길 수 있는 식단을 계획하는 것이 좋다.

그러나 기호에만 초점을 맞추다 보면 바람직하지 않은 식생활이 될 수 있으므로 가족의 기호를 좋은 방향으로 이끌어 가는 노력이 필요하다. 사람은 태어나면서부터 지속적으로 먹어온 것에 익숙해지면서 식습관이 형성되기 때문에 가정에서의 식생활이 올바른 식습관 형성에 미치는 영향은 매우 크다. 따라서 식사 준비 시 올바른 식습관 형성을 위하여 기호를 좋은 방향으로 이끌어 가기 위한 노력이 필요하다.

### 3) 비용

식생활관리자는 비용 전반에 대한 관리에 있어서 책임감을 가지고 식생활에 대한 비용 지출을 가계 생활비의 운용 가능한 범주 내에서 사용해야 한다. 예산이 결정되면 예산 내에서 식단 구성을 해야 하므로 식품의 단위와 시장 물가를 알아두는 것이 좋다. 예산이 적을수록 여러 가지 맛과 풍미의 배합, 식품의 모양이나 맛을 좋게 하기 위한 질감의 대조 등 여러 가지 방법을 동원해야 식사 대상자를 만족시킬 수 있다. 예산 내에서 더 좋은 식사를 구성하기 위한 방법으로는 값이 싸고 영양소 함량이 풍부하며 구하기 쉬운 계절식품을 최대한 활용하는 것이 있다. 실질적으로 먹을 수 없는 부분인 폐기율이 낮은 식품을 구매하는 것도 좋은 방법이다. 일반적으로 식품의 폐기율은 동일 품종의 식품이라 하더라도 식품의 크기, 산지에서의 전처리 정도, 유통 과정에 따라 달라질 수 있다. 저녁시간대를 활용하면 인하하는 상품을 살 수 있지만 신선도에 문제가 있을 수 있으므로 폐기율과 위생을 고려하여 구매하는 것이 좋다. 단가가 높을 때는 영양소의 조성이 비슷하여 대체할 수 있는 대체식품을 선택하도록 한다.

#### (1) 계절식품

계절에 많이 생산되는 식품은 가격이 적정하고 영양적인 면도 우수하며, 연중 가장 좋은 맛을 지니고 있으므로 계절 식품을 활용하여 다양한 식단 구성을 하는 것이 좋다. 계절별 사용되는 식재료를 알아두고 계절별 음식표를 만들어 활용하면 식단 작성 시 도움이 된다(표 5-1).

### (2) 대체식품

대체식품이란 같은 영양소를 갖는 식품을 서로 바꾸어 사용하는 것을 말한다. 예를 들면 전분 식품인 쌀로 밥을 지어 먹는 대신에 밀가루로 국수를 만들어 먹는 것, 또는 단백질 식품인 돼지고기구이 대신 생선구이를 먹는 것을 말한다. 계획한 식단이 식재료 가격의 상승으로 구매이 어려울 때 대체식품을 알고 바꾸어 사용하면 같은 영양소를 제공하면서도 가격은 낮추는 경제적인 효과를 얻을 수 있다.

### 표 5-1 계절별 주요 식재료

<table>
<tr><th colspan="13">제철 어패류 및 해조류</th></tr>
<tr><th>식품 \ 월</th><th>1</th><th>2</th><th>3</th><th>4</th><th>5</th><th>6</th><th>7</th><th>8</th><th>9</th><th>10</th><th>11</th><th>12</th></tr>
<tr><td>가오리</td><td colspan="6">가오리</td><td></td><td></td><td></td><td></td><td></td><td>가오리</td></tr>
<tr><td>가자미</td><td colspan="7">가자미</td><td></td><td></td><td></td><td></td><td></td></tr>
<tr><td>고등어</td><td></td><td></td><td></td><td></td><td></td><td></td><td></td><td></td><td colspan="3">고등어</td><td></td></tr>
<tr><td>꽁치</td><td></td><td></td><td></td><td></td><td colspan="2">꽁치</td><td></td><td></td><td></td><td></td><td>꽁치</td><td></td></tr>
<tr><td>대구</td><td>대구</td><td></td><td></td><td></td><td>대구</td><td></td><td></td><td></td><td></td><td colspan="3">대구</td></tr>
<tr><td>병어</td><td></td><td></td><td></td><td></td><td></td><td>병어</td><td></td><td></td><td colspan="4">병어</td></tr>
<tr><td>삼치</td><td colspan="2">삼치</td><td></td><td></td><td></td><td></td><td></td><td></td><td colspan="4">삼치</td></tr>
<tr><td>아귀</td><td>아귀</td><td></td><td colspan="4">아귀</td><td></td><td></td><td></td><td></td><td colspan="2">아귀</td></tr>
<tr><td>양미리</td><td></td><td></td><td></td><td></td><td></td><td></td><td></td><td></td><td></td><td></td><td></td><td>양미리</td></tr>
<tr><td>연어</td><td></td><td></td><td></td><td></td><td></td><td></td><td></td><td></td><td></td><td>연어</td><td></td><td></td></tr>
<tr><td>임연수어</td><td></td><td></td><td colspan="4">임연수어</td><td></td><td></td><td></td><td></td><td></td><td>임연수어</td></tr>
<tr><td>전갱이</td><td></td><td></td><td></td><td></td><td></td><td colspan="4">전갱이</td><td></td><td></td><td></td></tr>
<tr><td>전어</td><td colspan="3">전어</td><td></td><td></td><td></td><td></td><td></td><td>전어</td><td></td><td></td><td></td></tr>
<tr><td>청어</td><td></td><td></td><td></td><td colspan="4">청어</td><td></td><td></td><td></td><td colspan="2">청어</td></tr>
<tr><td>꽃게</td><td></td><td></td><td></td><td></td><td>꽃게</td><td></td><td></td><td colspan="4">꽃게</td><td></td></tr>
<tr><td>꽃새우</td><td></td><td></td><td></td><td></td><td colspan="4">꽃새우</td><td></td><td></td><td></td><td></td></tr>
<tr><td>대하</td><td></td><td></td><td></td><td></td><td></td><td></td><td></td><td></td><td colspan="2">대하</td><td></td><td></td></tr>
<tr><td>굴</td><td colspan="3">굴</td><td></td><td></td><td></td><td></td><td></td><td></td><td></td><td colspan="2">굴</td></tr>
<tr><td>꼬막</td><td>꼬막</td><td></td><td></td><td colspan="3">꼬막</td><td></td><td></td><td></td><td></td><td></td><td></td></tr>
<tr><td>홍합</td><td></td><td></td><td></td><td></td><td></td><td></td><td colspan="4">홍합</td><td></td><td></td></tr>
<tr><td>낙지</td><td></td><td></td><td colspan="4">낙지</td><td></td><td></td><td></td><td></td><td colspan="2">낙지</td></tr>
<tr><td>주꾸미</td><td></td><td></td><td colspan="2">주꾸미</td><td></td><td></td><td></td><td></td><td></td><td></td><td></td><td></td></tr>
<tr><td>오징어</td><td>오징어</td><td></td><td></td><td></td><td></td><td></td><td></td><td></td><td colspan="4">오징어</td></tr>
<tr><td>김</td><td>김</td><td></td><td colspan="2">김</td><td></td><td></td><td></td><td></td><td></td><td></td><td></td><td>김</td></tr>
<tr><td>다시마</td><td></td><td></td><td></td><td></td><td></td><td></td><td></td><td></td><td colspan="2">다시마</td><td></td><td></td></tr>
<tr><td>미역</td><td></td><td></td><td></td><td colspan="2">미역</td><td></td><td></td><td></td><td></td><td></td><td></td><td></td></tr>
<tr><td>파래</td><td colspan="2">파래</td><td></td><td></td><td></td><td></td><td></td><td></td><td></td><td></td><td></td><td></td></tr>
</table>

자료 : 통계청 사회국, 농어업통계 국내생산기준 (2009~2010)

<table>
<tr><th colspan="13">제철 채소류 1</th></tr>
<tr><th>월<br>식품</th><th>1</th><th>2</th><th>3</th><th>4</th><th>5</th><th>6</th><th>7</th><th>8</th><th>9</th><th>10</th><th>11</th><th>12</th></tr>
<tr><td>가지</td><td></td><td></td><td></td><td></td><td></td><td></td><td colspan="2">가지</td><td></td><td></td><td></td><td></td></tr>
<tr><td>감자</td><td colspan="3">감자</td><td></td><td>감자</td><td colspan="2">감자</td><td colspan="3">고랭지감자</td><td colspan="2">가감자</td></tr>
<tr><td>갓</td><td>갓</td><td></td><td></td><td></td><td></td><td></td><td></td><td></td><td></td><td></td><td colspan="2">갓</td></tr>
<tr><td>고구마</td><td></td><td></td><td></td><td></td><td></td><td></td><td colspan="5">고구마</td><td></td></tr>
<tr><td>고사리</td><td></td><td></td><td></td><td colspan="2">고사리</td><td></td><td></td><td></td><td></td><td></td><td></td><td></td></tr>
<tr><td>고추</td><td></td><td></td><td></td><td></td><td></td><td colspan="3">고추</td><td></td><td></td><td></td><td></td></tr>
<tr><td>근대</td><td></td><td></td><td></td><td></td><td></td><td colspan="3">근대</td><td></td><td></td><td></td><td></td></tr>
<tr><td>깻잎</td><td></td><td></td><td></td><td></td><td></td><td colspan="4">깻잎</td><td></td><td></td><td></td></tr>
<tr><td>냉이</td><td></td><td colspan="2">냉이</td><td></td><td></td><td></td><td></td><td></td><td></td><td></td><td></td><td></td></tr>
<tr><td>느타리버섯</td><td></td><td></td><td></td><td></td><td></td><td></td><td></td><td></td><td></td><td colspan="2">느타리버섯</td><td></td></tr>
<tr><td>달래</td><td></td><td colspan="2">달래</td><td></td><td></td><td></td><td></td><td></td><td></td><td></td><td></td><td></td></tr>
<tr><td>당근</td><td colspan="4">당근</td><td></td><td></td><td></td><td></td><td></td><td colspan="3">당근</td></tr>
<tr><td>대파</td><td colspan="3">대파</td><td></td><td></td><td></td><td></td><td></td><td></td><td></td><td colspan="2">대파</td></tr>
<tr><td>더덕</td><td></td><td></td><td colspan="3">더덕</td><td></td><td></td><td></td><td></td><td></td><td></td><td></td></tr>
<tr><td>두릅</td><td></td><td colspan="3">두릅</td><td></td><td></td><td></td><td></td><td></td><td></td><td></td><td></td></tr>
<tr><td>마늘종</td><td></td><td></td><td colspan="3">마늘종</td><td></td><td></td><td></td><td></td><td></td><td></td><td></td></tr>
<tr><td>무</td><td colspan="4">무</td><td colspan="2">무</td><td colspan="4">고랭지 무</td><td colspan="2">무</td></tr>
<tr><td>미나리</td><td></td><td colspan="3">미나리</td><td></td><td></td><td></td><td></td><td></td><td></td><td></td><td></td></tr>
<tr><td>배추</td><td colspan="4">배추</td><td colspan="2">배추</td><td colspan="4">고랭지 배추</td><td colspan="2">배추</td></tr>
<tr><td>봄동</td><td></td><td></td><td colspan="3">봄동</td><td></td><td></td><td></td><td></td><td></td><td></td><td></td></tr>
<tr><td>부추</td><td></td><td></td><td></td><td colspan="7">부추</td><td></td><td></td></tr>
<tr><td>브로콜리</td><td colspan="2">브로콜리</td><td></td><td></td><td></td><td></td><td></td><td></td><td></td><td></td><td colspan="2">브로콜리</td></tr>
<tr><td>비트</td><td colspan="2">비트</td><td></td><td></td><td></td><td colspan="7">비트</td></tr>
<tr><td>셀러리</td><td colspan="5">셀러리</td><td></td><td></td><td></td><td></td><td></td><td colspan="2">셀러리</td></tr>
<tr><td>송이버섯</td><td></td><td></td><td></td><td></td><td></td><td></td><td></td><td></td><td colspan="2">송이버섯</td><td></td><td></td></tr>
<tr><td>순무</td><td></td><td></td><td></td><td colspan="2">순무</td><td></td><td></td><td></td><td></td><td colspan="2">순무</td><td></td></tr>
<tr><td>시금치</td><td colspan="3">시금치</td><td></td><td></td><td></td><td></td><td></td><td colspan="4">시금치</td></tr>
</table>

자료 : 농산물 유통정보

<table>
<tr><th colspan="13">제철 채소류 2</th></tr>
<tr><th>월<br>식품</th><th>1</th><th>2</th><th>3</th><th>4</th><th>5</th><th>6</th><th>7</th><th>8</th><th>9</th><th>10</th><th>11</th><th>12</th></tr>
<tr><td>쑥</td><td></td><td colspan="2">쑥</td><td></td><td></td><td></td><td></td><td></td><td></td><td></td><td></td><td></td></tr>
<tr><td>쑥갓</td><td></td><td></td><td></td><td colspan="2">쑥갓</td><td></td><td></td><td></td><td></td><td></td><td></td><td></td></tr>
<tr><td>아스파라거스</td><td></td><td></td><td></td><td></td><td colspan="2">아스파라거스</td><td></td><td></td><td></td><td></td><td></td><td></td></tr>
<tr><td>아욱</td><td></td><td></td><td></td><td></td><td></td><td colspan="3">아욱</td><td></td><td></td><td></td><td></td></tr>
<tr><td>양배추</td><td></td><td></td><td></td><td colspan="3">양배추</td><td></td><td></td><td></td><td></td><td></td><td></td></tr>
<tr><td>양상추</td><td></td><td></td><td></td><td></td><td></td><td></td><td colspan="5">양상추</td><td></td></tr>
<tr><td>양파</td><td></td><td></td><td></td><td></td><td></td><td colspan="4">양파</td><td></td><td></td><td></td></tr>
<tr><td>얼갈이</td><td></td><td></td><td colspan="3">얼갈이</td><td></td><td></td><td></td><td></td><td></td><td></td><td></td></tr>
<tr><td>연근</td><td colspan="2">연근</td><td></td><td></td><td></td><td></td><td></td><td></td><td></td><td></td><td colspan="2">연근</td></tr>
<tr><td>열무</td><td></td><td></td><td colspan="3">열무</td><td></td><td></td><td></td><td></td><td></td><td></td><td></td></tr>
<tr><td>오이</td><td></td><td></td><td></td><td></td><td colspan="5">오이</td><td></td><td></td><td></td></tr>
<tr><td>우엉</td><td colspan="3">우엉</td><td></td><td></td><td></td><td></td><td></td><td></td><td></td><td></td><td>우엉</td></tr>
<tr><td>죽순</td><td></td><td></td><td colspan="4">죽순</td><td></td><td></td><td></td><td></td><td></td><td></td></tr>
<tr><td>쪽파</td><td></td><td></td><td colspan="3">쪽파</td><td></td><td></td><td></td><td></td><td></td><td></td><td></td></tr>
<tr><td>참취</td><td></td><td colspan="4">참취</td><td></td><td></td><td></td><td></td><td></td><td></td><td></td></tr>
<tr><td>콜리플라워</td><td colspan="3">콜리플라워</td><td></td><td></td><td></td><td></td><td></td><td></td><td colspan="3">콜리플라워</td></tr>
<tr><td>콩나물</td><td colspan="12">콩나물</td></tr>
<tr><td>토란</td><td></td><td></td><td></td><td></td><td></td><td></td><td></td><td></td><td></td><td colspan="3">토란</td></tr>
<tr><td>토란줄기</td><td></td><td></td><td></td><td></td><td></td><td></td><td></td><td></td><td colspan="2">토란줄기</td><td></td><td></td></tr>
<tr><td>풋마늘</td><td></td><td></td><td colspan="3">풋마늘</td><td></td><td></td><td></td><td></td><td></td><td></td><td></td></tr>
<tr><td>표고버섯</td><td></td><td></td><td colspan="8">표고버섯</td><td></td><td></td></tr>
<tr><td>풋콩</td><td></td><td></td><td></td><td></td><td></td><td colspan="4">풋콩</td><td></td><td></td><td></td></tr>
<tr><td>피망</td><td></td><td></td><td></td><td colspan="4">피망</td><td></td><td></td><td></td><td></td><td></td></tr>
<tr><td>호박</td><td></td><td></td><td></td><td></td><td colspan="2">호박</td><td></td><td></td><td></td><td></td><td></td><td></td></tr>
<tr><td>산마</td><td></td><td></td><td></td><td></td><td></td><td></td><td></td><td></td><td></td><td></td><td></td><td>산마</td></tr>
<tr><td>씀바귀</td><td></td><td>씀바귀</td><td></td><td></td><td></td><td></td><td></td><td></td><td></td><td></td><td></td><td></td></tr>
<tr><td>옥수수</td><td></td><td></td><td></td><td></td><td></td><td></td><td></td><td>옥수수</td><td></td><td></td><td></td><td></td></tr>
</table>

자료 : 농산물 유통정보

하우스 노지

<table>
<tr><th colspan="25">제철 과일류</th></tr>
<tr><th>식품 \ 월</th><th colspan="2">1</th><th colspan="2">2</th><th colspan="2">3</th><th colspan="2">4</th><th colspan="2">5</th><th colspan="2">6</th><th colspan="2">7</th><th colspan="2">8</th><th colspan="2">9</th><th colspan="2">10</th><th colspan="2">11</th><th colspan="2">12</th></tr>
<tr><td>감</td><td colspan="2">감</td><td colspan="14"></td><td colspan="8">감</td></tr>
<tr><td>감귤</td><td colspan="6">감귤</td><td colspan="2"></td><td colspan="10">감귤</td><td colspan="6">감귤</td></tr>
<tr><td>딸기</td><td colspan="10">딸기</td><td colspan="2">딸기</td><td colspan="6"></td><td colspan="6">딸기</td></tr>
<tr><td>방울토마토</td><td colspan="2"></td><td colspan="9">방울토마토</td><td colspan="5">방울토마토</td><td colspan="8"></td></tr>
<tr><td>배</td><td colspan="8">배</td><td colspan="6"></td><td colspan="4">배</td><td colspan="6">배</td></tr>
<tr><td>복숭아</td><td colspan="12"></td><td colspan="4">복숭아</td><td colspan="8"></td></tr>
<tr><td>사과</td><td colspan="14"></td><td colspan="6">사과</td><td colspan="4">사과</td></tr>
<tr><td>수박</td><td colspan="8"></td><td colspan="5">수박</td><td colspan="5">수박</td><td colspan="6"></td></tr>
<tr><td>참외</td><td colspan="12">참외</td><td colspan="4">참외</td><td colspan="8"></td></tr>
<tr><td>토마토</td><td colspan="8"></td><td colspan="6">토마토</td><td colspan="10"></td></tr>
<tr><td>포도</td><td colspan="14"></td><td colspan="6">포도</td><td colspan="4"></td></tr>
<tr><td>금귤</td><td colspan="4"></td><td colspan="2">금귤</td><td colspan="18"></td></tr>
<tr><td>매실</td><td colspan="12"></td><td colspan="2">매실</td><td colspan="10"></td></tr>
<tr><td>모과</td><td colspan="18"></td><td colspan="2">모과</td><td colspan="4"></td></tr>
<tr><td>무화과</td><td colspan="16"></td><td colspan="2">무화과</td><td colspan="6"></td></tr>
<tr><td>석류</td><td colspan="16"></td><td colspan="2">석류</td><td colspan="6"></td></tr>
<tr><td>앵두</td><td colspan="10"></td><td colspan="2">앵두</td><td colspan="12"></td></tr>
<tr><td>유자</td><td colspan="18"></td><td colspan="2">유자</td><td colspan="4"></td></tr>
<tr><td>자두</td><td colspan="12"></td><td colspan="2">자두</td><td colspan="10"></td></tr>
</table>

자료 : 농산물 유통정보

### 4) 능률

여성의 경제활동 참가가 늘어남에 따라 가정에서 식생활관리에 투입되는 시간이 많이 줄어 식사 준비에 필요한 시간을 단축하고 효율성을 높이기 위한 방안이 필요하다. 합리적인 식생활관리는 시간과 노력의 소모가 적절하게 조화된 식사관리를 말하며, 이를 위해 식단을 작성할 때부터 가족의 수, 식사의 수준, 구매 예산, 주방의 기기 및 동선 등을 염두에 두는 것이 필요하다. 조리 작업 시에 비슷한 작업을 간추려서 같은 과정을 되풀이하지 않게 단순화시키고, 기계나 기구의 힘을 빌려 기계화 · 자동화시키거나, 일정한 작업 절차에 맞는 조리 시간과 방법으로 작업을 표준화 · 전문화시키면 합리적으로 시간과 노력을 배분하면서 맛이 좋은 음식을 만들 수 있다.

### 5) 위생

아무리 영양, 기호, 경제를 고려한 식단이라도 위생을 고려하지 않으면 문제가 된다. 식단 작성 시 잠재적으로 위험한 식품을 주의하고(표 5-2), 식품의 구매 및 보관 과정에서도 식품이 변질되거나 위험물에 오염되지 않도록 해야 할 것이다. 또한, 식품을 조리하여 제공하는 과정에서도 위생적인 측면을 고려하여야 한다.

**표 5-2 식단 작성 시 주의할 식재료**

| 기간 | 종류 | 종목 |
|---|---|---|
| 3~10월 | 패류 | 소라, 조개, 꼬막, 굴, 석화, 홍합 등 |
| | 젓갈류 | 꼴뚜기젓, 명란젓, 어리굴젓, 오징어젓 등 |
| 4~9월 | 회류 및 알류 | 광어, 한치, 참치회, 멍게, 해삼, 성게알, 연어알, 미더덕, 동태곤이 등 |
| 6~9월 | 어류 및 콩가공품류 | 콩국, 콩비지, 판두부 등 |
| 연중 주의 | 식재료 | 가열 공정 없이 제공되는 농·축·수산물(가열 후 사용가능),<br>냉동 엽채류, 무침용 건어물, 육회용 소고기,<br>생굴류 (회/무침/석화), 비포장 가공식품 (두부류) 등 |

출처 : 어린이 급식관리 지침서, 2013

# 5-2 식단 작성 활용 도구

## 1. 식사구성안

식사구성안은 일반인에게 균형 잡힌 식사를 제공할 수 있도록 식품군별 대표 식품을 1인 1회 분량 기준으로 하여 1일 섭취 횟수로 나타낸 것이다. 개인이 영양가 계산을 복잡하게 하지 않아도 에너지 필요량에 따라 식품군별 섭취 횟수가 제시된 식사구성안(권장식사패턴)을 활용하면 개인의 영양소 섭취량을 충족할 수 있는 식단을 간단하게 작성할 수 있다.

### 1) 생애주기별 권장식사패턴

권장식사패턴은 영양 목표에 도달하기 위해 성별 · 연령별 기준에 맞는 에너지 섭취량을 제시하고 있다. 또한, 우리가 섭취하고 있는 식품을 영양소 함량과 기능이 비슷한 것끼리 묶어 식품의 종류를 곡류, 고기 · 생선 · 달걀 · 콩류, 채소류, 과일류, 우유 · 유제품류, 유지 · 당류 6가지 식품군으로 제시하고 있다. 생애주기를 고려한 에너지 필요량이 결정되었으면 청소년은 1일 우유 · 유제품류 2회인 A타입, 성인은 1일 우유 · 유제품류 1회인 B타입의 권장식사패턴을 참고한다(표 5-3).

### 2) 식품 구성의 결정

곡류는 매일 2~4회, 고기 · 생선 · 달걀 · 콩류는 매일 3~4회, 채소류는 매끼 2가지 이상, 과일류는 매일 1~2개, 우유 · 유제품류는 매일 1~2잔을 섭취하는 것을 권장하고, 유지 · 당류는 과잉 섭취를 주의한다. 일반적으로 아침 : 점심 : 저녁 = 1 : 1 : 1의 비율을 적용하고 있으나 직업의 종류, 노동 강도 및 생활 여건을 고려하여 세 끼 식사와 간식으로 식품 구성을 분배한다.

▌표 5-3 생애주기별 권장식사패턴 구성

| 타입 | A타입 | | | | | B타입 | | | |
|---|---|---|---|---|---|---|---|---|---|
| 열량(Kcal) | 1,400 | 1,700 | 1,900 | 2,000 | 2,600 | 1,600 | 1,900 | 2,000 | 2,400 |
| 적용 대상 / 식품군 | 3~5세 남녀 | 6~11세 여 | 6~11세 남 | 12~18세 여 | 12~18세 남 | 65세 이상 여 | 19~64세 여 | 65세 이상 남 | 19~64세 남 |
| 곡류 | 2 | 2.5 | 3 | 3 | 3.5 | 3 | 3 | 3.5 | 4 |
| 고기 · 생선 달걀 · 콩류 | 2 | 3 | 3.5 | 3.5 | 5.5 | 2.5 | 4 | 4 | 5 |
| 채소류 | 6 | 6 | 7 | 7 | 8 | 6 | 8 | 8 | 8 |
| 과일류 | 1 | 1 | 1 | 2 | 4 | 1 | 2 | 2 | 3 |
| 우유 · 유제품류 | 2 | 2 | 2 | 2 | 2 | 1 | 1 | 1 | 1 |
| 유지 · 당류 | 4 | 5 | 5 | 6 | 8 | 4 | 4 | 4 | 6 |

출처 : 한국인 영양소 섭취기준, 2015

### 3) 음식명과 식재료 분량의 결정

앞서 결정한 식품구성에 따라 구체적인 음식명을 정하고, 권장식사패턴에서 제안하는 식품군의 1인 1회 분량을 참조하여 음식재료와 분량을 결정한다(그림 5-2~그림 5-7). 생애주기별 권장식사패턴에는 이미 양념류로 인한 칼로리가 반영되어 있으므로 식단을 작성할 때 개인에 맞는 에너지 필요량을 확인한 후 주재료와 부재료로 사용되는 식품의 양만 고려하면 된다. 권장식사패턴을 이용하여 식단을 작성하더라도 나트륨 섭취량은 목표섭취량을 상회하게 되므로 메뉴 선택에 있어 김치, 장아찌, 가공식품 등의 선택을 줄인다.

**▌그림 5-1 곡류의 1인 1회 분량**

출처 : 한국인 영양소 섭취기준, 2015

**▌그림 5-2 고기 · 생선 · 달걀 · 콩류의 1인 1회 분량**

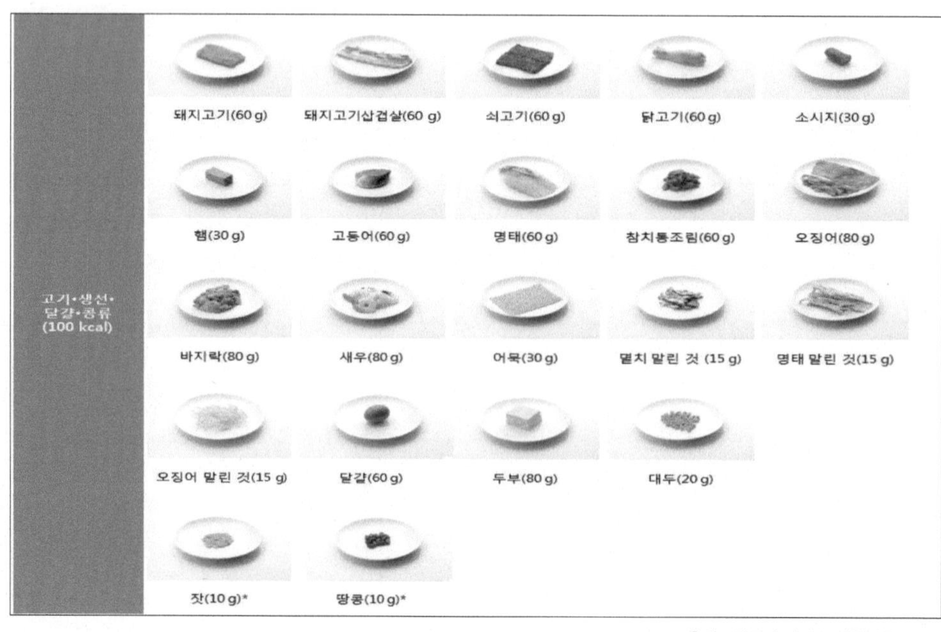


출처 : 한국인 영양소 섭취기준, 2015

▌그림 5-3 채소류의 1인 1회 분량

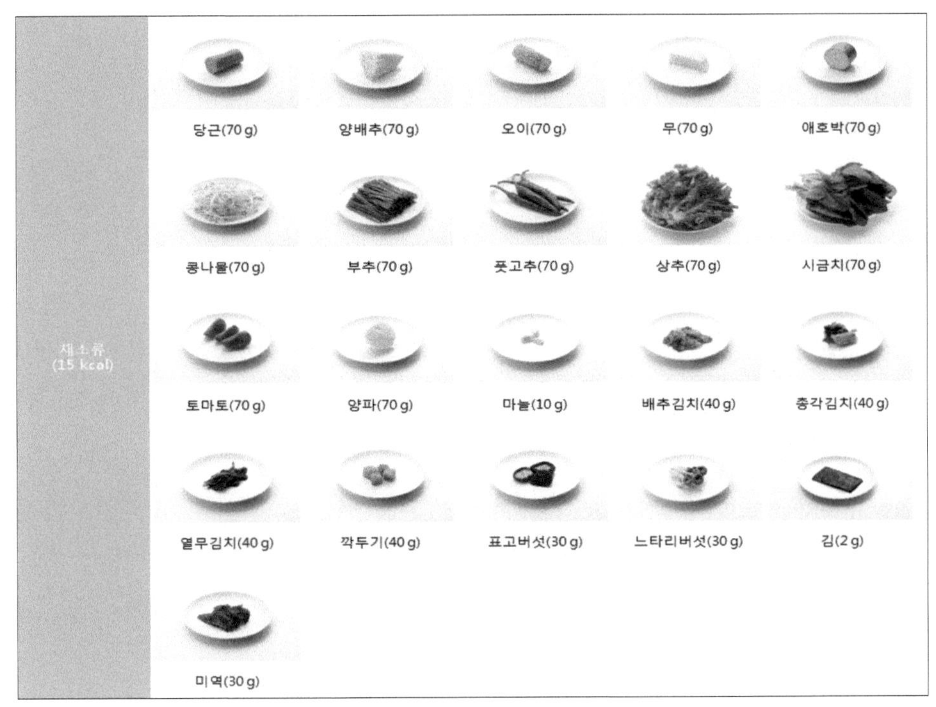


출처 : 한국인 영양소 섭취기준, 2015

▌그림 5-4 과일류의 1인 1회 분량

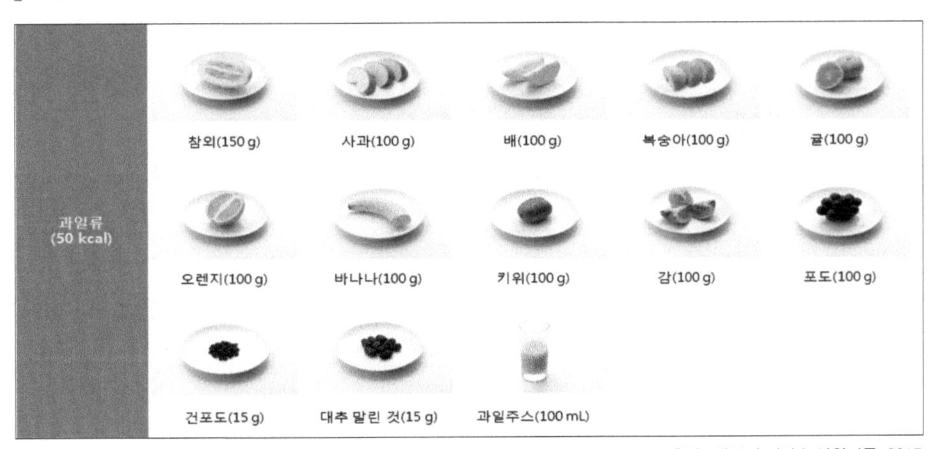


출처 : 한국인 영양소 섭취기준, 2015

## 그림 5-5 우유 · 유제품류의 1인 1회 분량

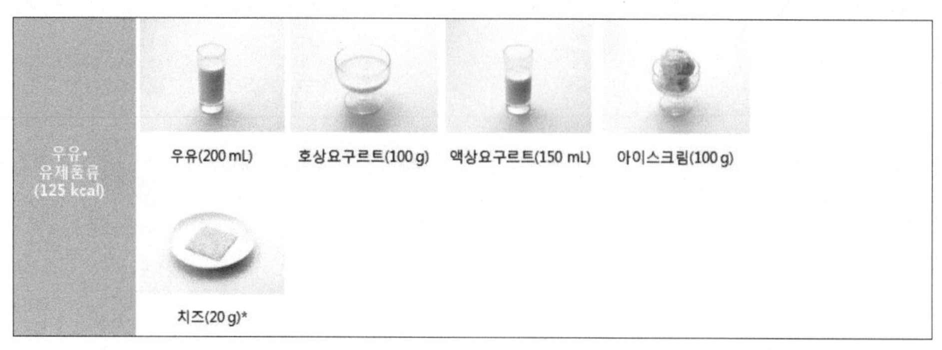


출처 : 한국인 영양소 섭취기준, 2015

## 그림 5-6 유지 · 당류의 1인 1회 분량

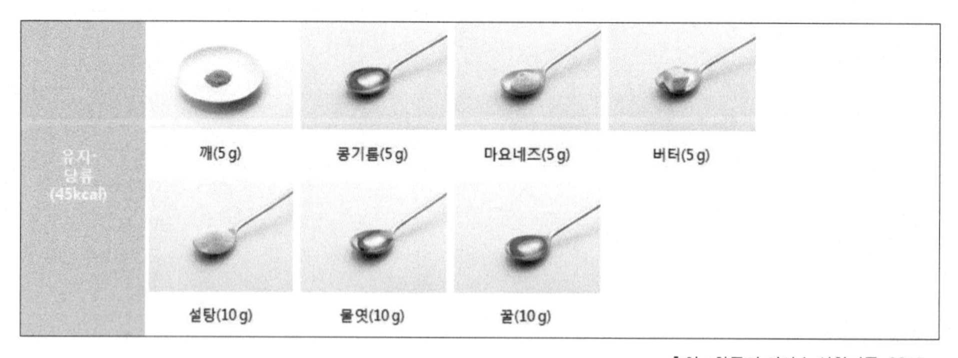


출처 : 한국인 영양소 섭취기준, 2015

### 4) 식단표 작성

식단표는 일반적으로 주식, 국, 주찬, 부찬, 김치, 후식의 순서로 기입한다. 가정에서 일반적으로 사용하기 쉬운 식단의 단위를 결정하고 식단을 작성한다. 보통 1일, 3일, 5일, 7일 단위로 식단을 작성한다.

최근 여성의 경제활동 참여로 가정의 식생활 담당자인 주부가 식생활관리에 많은 시간을 할애하지 못하는 경우가 많다. 그로 인해 단조로운 식생활이 이루어지고, 잦은 외식 증가로 이어질 수 있다. 일주일 식단을 미리 계획해 놓으면 영양이 골고루 들어가면서 조리법에 변화를 줄 수 있는 식단구성이 가능하다. 또한, 계획된 식단에 따라 주 1회 정도 식품 구매를 하게 되어 시간을 절약할 수 있고, 소비 단위가 큰 식품은 대용량 구매도 가능하므로 경제적으로도 이점을 얻을 수 있다.

한 번 식단을 작성한 후 반복하여 사용하고자 할 때에는 비고란을 만들어 대체 식품이나 계절별로 많이 나오는 식품 등을 기입하여 활용하면 식단에 쉽게 변화를 줄 수 있다.

TIP : **식사구성안을 활용한 식단 작성 순서**

자신의 에너지 필요량에 맞는 생애주기별 권장식사패턴의 교환단위 수를 확인한다.
식습관, 노동량, 조리 가능성 등을 고려하여 세 끼와 간식으로 식품 구성을 분배한다.
배분된 교환 수에 따라 적당한 음식명과 식재료 분량을 결정하여 식단을 작성한다.
식단 작성 후 상황에 따라 같은 식품군 내에서 자유로이 변경하여 사용한다.

## 2. 식품교환표

식품교환표는 1950년 미국에서 당뇨 환자 식단 작성을 위하여 고안한 것으로 식단 작성을 간편하게 하기 위하여 에너지 필요량을 기준으로 각 식품군별로 권장 교환단위 수를 정해 놓았다(표 5-4). 1교환단위는 1회 섭취량을 기준으로 당질, 단백질, 지방의 함량이 동일하도록 식품의 중량을 정하였으므로 같은 군안에 포함된 식품들은 다른 식품과 바꾸어 섭취할 수 있다(그림 5-7). 식품교환표를 이용하면 식품의 배합을 간편하게 할 수 있으며 무엇을 얼마만큼 먹어야 하는지 보다 편리하고 정확하게 알 수 있다.

**표 5-4 열량에 따른 식품군별 교환단위 수**

| 에너지 | 곡류군 | 어육류군 | 채소군 | 지방군 | 우유군 | 과일군 |
|---|---|---|---|---|---|---|
| 1,400 | 7 | 4 | 6 | 3 | 1 | 1 |
| 1,500 | 7 | 5 | 7 | 4 | 1 | 1 |
| 1,600 | 8 | 5 | 7 | 4 | 1 | 1 |
| 1,700 | 8 | 5 | 7 | 4 | 1 | 2 |
| 1,800 | 8 | 5 | 7 | 4 | 2 | 2 |
| 1,900 | 9 | 5 | 7 | 4 | 2 | 2 |
| 2,000 | 10 | 5 | 7 | 4 | 2 | 2 |
| 2,100 | 10 | 6 | 7 | 4 | 2 | 2 |
| 2,200 | 11 | 6 | 7 | 4 | 2 | 2 |
| 2,300 | 11 | 7 | 8 | 5 | 2 | 2 |
| 2,400 | 12 | 7 | 8 | 5 | 2 | 2 |
| 2,500 | 13 | 7 | 8 | 5 | 2 | 2 |
| 2,600 | 13 | 8 | 8 | 5 | 2 | 2 |
| 2,700 | 13 | 8 | 9 | 6 | 2 | 3 |

출처 : 식사계획을 위한 식품교환표, 2010

▌그림 5-7 식품군별 1교환단위 예

| 식품군 | | 1교환 단위의 예 | 밥 1/3 공기 | | | 열량 (kcal) |
|---|---|---|---|---|---|---|
| | | | 당질 | 단백질 | 지방 | |
| 곡류군 | | 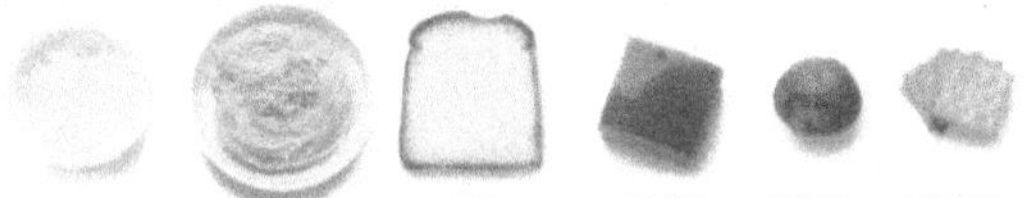 쌀밥 70g (1/3공기), 실은국수 90g (1/2공기), 식빵 35g (1쪽), 도토리묵 200g(1/2모), 감자 140g (중 1개), 크래커 20g (5개) | 23 | 2 | | 100 |
| 어육류군 | 저지방 | 쇠고기 40g (로스용 1장), 조기 50g(소 1토막), 멸치 15g (잔 것 1/4컵) | - | 8 | 2 | 50 |
| | 중지방 | 달걀 55g(중 1개), 고등어 50g(소 1토막), 두부 80g(1/5모) | - | 8 | 5 | 75 |
| | 고지방 |  닭고기 40g(닭다리 1개), 비엔나소시지 40g(5개), 치즈 30g(1.5장) | - | 8 | 8 | 100 |
| 채소군 | | 애호박 70g (중 1/3개), 오이 70g (중 1/3개), 당근 70g (대 1/3개), 시금치 70g (익혀서 1/3컵), 표고버섯 50g (대 3개) | 3 | 2 | | 20 |
| 지방군 | | 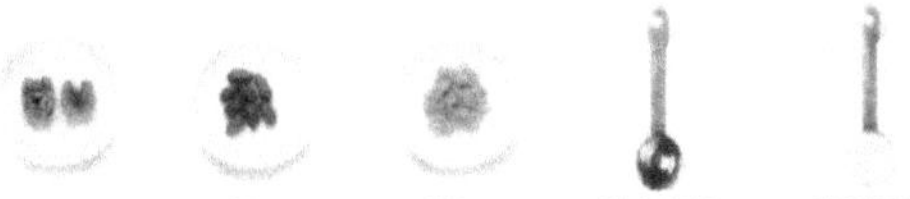 호두 8g (중 1.5개), 땅콩 8g (8개), 잣 8g (1큰스푼), 옥수수기름 5g (1작은스푼), 마요네즈 5g (1작은스푼) | - | | 5 | 45 |
| 우유군 | 일반우유 |  일반우유 200cc(1컵), 두유 200cc(1컵) | 10 | 6 | 7 | 125 |
| | 저지방우유 | 저지방우유 200cc(1컵) | 10 | 6 | 2 | 80 |
| 과일군 | |  수박 150g (중 1쪽), 귤 120g, 사과 80g (중 1/3개), 바나나 50g (중 1/2개), 토마토 350g (소 2개), 키위 80g (중 1개) | 12 | - | - | 50 |

출처 : 보건복지부, 대한의학회, 2010

식품교환표를 이용한 식단 작성의 예는 표 5-5와 같다.

**표 5-5 식품교환표를 이용한 식단 작성의 예 (2,000Kcal)**

| 식품군 | 교환 단위 수 | 아침 | 점심 | 저녁 | 간식 |
|---|---|---|---|---|---|
| | | 쌀밥<br>소고기미역국<br>달걀프라이<br>우엉조림<br>배추김치 | 현미밥<br>근대된장국<br>가자미구이<br>깻잎나물<br>도토리묵 무침<br>배추김치 | 보리밥<br>콩나물국<br>돈불고기<br>두부구이<br>호박나물<br>깍두기 | 우유<br>바나나<br>수박 |
| 곡류군 | 10 | 쌀 90g (3) | 쌀 60g (2)<br>현미 30g (1)<br>도토리묵 200g (1) | 쌀 60g (2)<br>보리 30g (1) | |
| 어육류군 | 5 | 소고기 20g (0.5)<br>달걀 50g (1) | 가자미 50g (1) | 돼지고기 40g (1)<br>두부 120g (1.5) | |
| 채소군 | 7 | 미역 15g (0.2)<br>우엉 30g (0.8)<br>김치 50g (1) | 근대 35g (0.5)<br>깻잎 20g (0.5)<br>배추김치 50g (1) | 콩나물 70g (1)<br>표고 10g (0.2)<br>양파 7g (0.1)<br>호박 50g (0.7)<br>깍두기 50g (1) | |
| 지방군 | 4 | 참기름 2.5g (0.5)<br>식용유 2.5g (0.5) | 식용유 4g (0.8)<br>참기름 1g (0.2) | 식용유 10g (2) | |
| 우유군 | 2 | | | | 우유 200ml (2) |
| 과일군 | 2 | | | | 바나나 50g (1)<br>수박 150g (1) |

## 3. 응용 프로그램

최근 일반인들도 손쉽게 음식의 열량에 관한 정보를 활용하여 본인의 식단을 관리할 수 있도록 웹사이트와 애플리케이션을 통한 다양한 응용 프로그램이 제공되고 있다.

### (1) 웹사이트

농식품 종합정보 시스템(http://koreanfood.rda.go.kr)은 식품 영양 성분 분석과 영양에 관한 정보를 제공하고, 식단관리(메뉴젠)을 통하여 간편하게 음식 정보를 얻어 식단을 작성할 수 있도록 도움을 줄 뿐 아니라 일상에서 활용 가능한 연령별 식단도 제시하고 있다(그림 5-8).

영양사 고용이 의무가 아닌 100인 미만의 어린이집, 유치원과 지역 아동센터 등의 어린이 단체급식소에 체계적이고 철저한 위생관리 및 영양관리를 지원하기 위한 어린이 급식관리 지원센터 웹사이트(https://ccfsm.foodnara.go.kr)는 영유아와 어린이를 위한 식단 프로그램을 제공하고 있다. 교육기관 사이트인 교육 행정 정보 시스템(National Education Information System ; NEIS)과 대기업 위탁급식업체와 병원 등에서 사용하는 웹사이트는 해당기관의 급식관리자를 위한 급식 프로그램을 제공하고 있다. 식품 전공자가 접근하여 식단을 작성하거나 식단 관련 정보를 얻을 수 있고 급식 전문가의 업무 편이성에 도움을 줄 수 있는 웹사이트로는 영양사 도우미(www.kdclub.com)와 재치 영양사(www.yori.co.kr) 등이 있다.

▌그림 5-8 농식품 종합정보 시스템

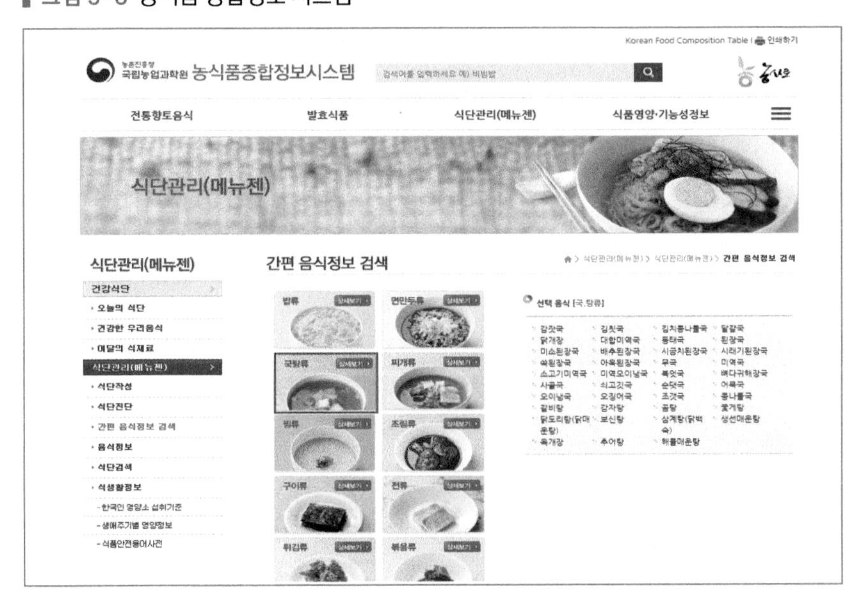

### (2) 애플리케이션

스마트폰을 사용해서도 간단하게 본인의 식단을 관리하거나 식단 리스트를 참조할 수 있는 다양한 응용프로그램이 개발되어 있다(그림 5-9). 이런 프로그램들은 음식 레시피와 식단 작성 프로그램 외에도 개인의 신체 정보를 간단하게 입력하면 음식의 열량과 함께 해당 열량을 소모하기 위한 운동량도 제시하고 있어 개인의 영양관리에 도움을 줄 수 있다.

▌그림 5-9 스마트폰을 이용한 식단관련 애플리케이션 예

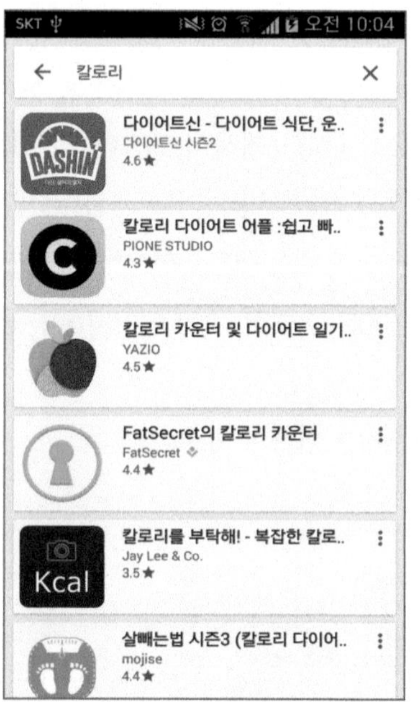

# 5-3 식단 작성과 평가

## 1. 식단 작성

### 1) 생애주기별 식단 작성

생애주기별로 성장의 속도와 양상이 다르고 생활 환경이 다르므로 각 생애주기 특징을 고려해서 식단을 작성하여야 한다.

#### (1) 유아 및 어린이 식단

유아 및 어린이는 식습관이 형성되는 중요한 시기이므로 바람직한 식습관을 위하여 유아와 어린이에게는 다양한 식품과 조리법으로 구성된 식단을 제공해야 한다. 또한, 성장과 발육이 왕성한 시기임과 동시에 신체 활동량 또한 많은 시기이므로 성장에 중요한 양질의 단백질과 칼슘이 충분한 식사를 제공하고, 두뇌 발달에 도움이 되는 오메가 3 지방산의 섭취를 위해 등푸른생선을 이용하는 것도 좋다. 음식 조리 시 소아 비만을 예방하기 위해 너무 기름지거나 달지 않도록 하고, 짠맛에 대한 민감도가 성인에 비해 높으므로 싱겁게 조리하며, 자극적이지 않은 조리법을 사용하는 것이 좋다. 유아 식단은 오전과 오후 하루 2회의 간식을 계획하도록 하고, 초등학생 이상의 어린이 식단은 오후 1회 정도로 계획하는 것이 좋다. 우유는 식사 계획안에 따라 하루 2회 공급한다. 식사구성안을 이용한 유아와 어린이 식단 작성의 예는 다음과 같다(표 5-6~표 5-8).

**표 5-6** 3~5세 식단 작성의 예 (A타입, 1,400Kcal)

| 식품군 | 횟수 | 아침 | 점심 | 저녁 | 간식 |
|---|---|---|---|---|---|
| | | 달걀샌드위치<br>양상추샐러드<br>고구마튀김<br>우유 | 쌀밥<br>채소카레<br>콩나물국<br>돈가스<br>시금치나물 | 현미밥<br>배추된장국<br>어묵느타리볶음<br>오이나물<br>배추김치 | 과일 꼬치<br>찐 옥수수<br>호상 요구르트 |
| 곡류 | 2 | 식빵 35g (0.3)<br>고구마 70g (0.3) | 쌀밥 105g (0.5)<br>감자 47g (0.1) | 현미밥 105g (0.5) | 옥수수 70g (0.3) |
| 고기 · 생선<br>달걀 · 콩류 | 2 | 달걀 60g (1) | 돼지고기 30g (0.5) | 어묵 15g (0.5) | |
| 채소류 | 6 | 양상추,<br>토마토, 오이,<br>당근 105g (1.5) | 당근, 양파 35g (0.5)<br>콩나물 35g (0.5)<br>시금치 70g (1) | 배추 35g (0.5)<br>느타리버섯 30g (1)<br>오이 35g (0.5)<br>배추김치 20g (0.5) | |
| 과일류 | 1 | | | | 파인애플 40g (0.4)<br>거봉 30g (0.3)<br>딸기 50g (0.3) |
| 우유 ·<br>유제품류 | 2 | | | | 우유 200ml (1)<br>호상 요구르트 100ml (1) |

출처 : 한국인 영양소 섭취기준, 2015

**표 5-7** 6~11세 여아 식단 작성의 예 (A타입, 1,700Kcal)

| 식품군 | 횟수 | 아침 | 점심 | 저녁 | 간식 |
|---|---|---|---|---|---|
| | | 참치 샌드위치<br>감자브로컬리샐러드<br>오이피클<br>우유 | 김치볶음밥<br>콩나물국<br>달걀프라이<br>시금치나물 | 흑미밥<br>사골국<br>두부양념조림<br>미역줄기볶음<br>총각김치 | 포도<br>호상요구르트 |

| 곡류 | 2.5 | 식빵 70g (0.6)<br>감자 70g (0.15) | 쌀밥 170g (0.8) | 흑미밥 170g (0.8)<br>국수(말린 것) 15g (0.15) | |
|---|---|---|---|---|---|
| 고기 · 생선<br>달걀 · 콩류 | 3 | 참치통조림 60g (1) | 달걀 60g (1) | 소고기 18g (0.3)<br>두부 56g (0.7) | |
| 채소류 | 6 | 브로콜리 35g (0.5)<br>오이 35g (0.5) | 배추김치 40g (1)<br>콩나물 35g (0.5)<br>시금치 63g (0.9) | 대파 7g (0.1)<br>양파 35g (0.5)<br>미역 줄기 30g (1)<br>총각김치 40g (1) | |
| 과일류 | 1 | | | | 포도 100g (1) |
| 우유 · 유제품류 | 2 | 우유 200ml (1) | | | 요구르트(호상)<br>100ml (1) |

출처 : 한국인 영양소 섭취기준, 2015

## 표 5-8 6~11세 남아 식단 작성의 예 (A타입, 1,900Kcal)

| 식품군 | 횟수 | 아침 | 점심 | 저녁 | 간식 |
|---|---|---|---|---|---|
| | | 쌀밥<br>호박된장국<br>달걀찜<br>감자피망볶음<br>김구이 | 잡곡밥<br>어묵국<br>두부구이<br>깻잎간장조림<br>오이생채 | 현미밥<br>미역국<br>데리야기치킨<br>숙주나물<br>시금치나물<br>배추김치 | 우유<br>과자<br>바나나 요구르트 |
| 곡류 | 3 | 쌀밥 170g (0.8)<br>감자 140g (0.3) | 잡곡밥 170g (0.8) | 현미밥 170g (0.8) | 과자 20g (0.3) |
| 고기 · 생선<br>달걀 · 콩류 | 3.5 | 달걀 60g (1) | 어묵 30g (1)<br>두부 40g (0.5) | 닭고기 60g (1) | |
| 채소류 | 7 | 애호박 35g (0.5)<br>당근, 양파 14g (0.2)<br>피망 35g (0.5)<br>김 2g (1) | 무 35g (0.5)<br>깻잎 21g (0.3)<br>오이 70g (1) | 미역 15g (0.5)<br>숙주 35g (0.5)<br>시금치 70g (1)<br>배추김치 40g (1) | |
| 과일류 | 1 | | | | 바나나 100g (1) |
| 우유 · 유제품류 | 2 | | | | 우유 200ml (1)<br>요구르트(액상) 150ml (1) |

출처 : 한국인 영양소 섭취기준, 2015

### (2) 청소년 식단

2013년 국민건강 통계자료에 의하면 12~18세 청소년의 영양섭취 부족자가 14.3%로 전 연령대에서 가장 높게 나타났다. 남자 청소년의 경우 아침 식사 결식률 30.5%, 여자 청소년의 경우 35.9%로 20대 다음으로 높은 아침 식사 결식률이 청소년의 영양섭취 부족 원인 중 하나라 할 수 있다. 따라서 제2 성장기에 해당하는 청소년들에게 올바른 성장과 건강을 위한 아침식사의 중요성에 대한 영양교육이 선행되어야 한다.

식사구성안을 이용한 청소년 식단 작성 예는 표 5-9, 표 5-10과 같다.

표 5-9 12~18세 여성 식단 작성의 예 (A타입, 2,000Kcal)

| 식품군 | 횟수 | 아침<br>현미밥<br>무채국<br>장조림<br>양상추샐러드<br>배추김치 | 점심<br>참치덮밥<br>호박된장국<br>오징어채무침<br>오이피클 | 저녁<br>보리밥<br>순두부찌개<br>브로콜리볶음<br>고사리나물 | 간식<br>바나나<br>아이스크림<br>방울토마토<br>우유<br>사과 |
|---|---|---|---|---|---|
| 곡류 | 3 | 현미밥 210g (1) | 쌀밥 210g (1) | 보리밥 210g (1) | |
| 고기 · 생선<br>달걀 · 콩류 | 3.5 | 소고기 60g (1) | 참치통조림 30g (0.5)<br>건오징어채 15g (1) | 순두부 100g (0.5)<br>바지락 20g (0.25)<br>돼지고기 15g (0.25) | |
| 채소류 | 7 | 무 35g (0.5)<br>양상추, 오이,<br>당근 70g (1)<br>배추김치 40g (1) | 양파 35g (0.5)<br>호박 35g (0.5)<br>오이 35g (0.5) | 호박, 양파 35g (0.5)<br>브로콜리 70g (1)<br>고사리 35g (0.5) | 방울토마토 70g (1) |
| 과일류 | 2 | | | | 바나나 100g (1)<br>사과 100g (1) |
| 우유 ·<br>유제품류 | 2 | | | | 아이스크림 100g (1)<br>우유 200ml (1) |

출처 : 한국인 영양소 섭취기준, 2015

▌표 5-10 12~18세 남성 식단 작성의 예 (A타입, 2,600Kcal)

| 식품군 | 횟수 | 아침 | 점심 | 저녁 | 간식 |
|---|---|---|---|---|---|
| | | 쌀밥<br>참치김치찌개<br>떡갈비<br>잔멸치볶음<br>시금치나물 | 우동<br>오징어부추전<br>배추겉절이<br>단무지무침 | 잡곡밥<br>소고기미역국<br>제육볶음<br>상추쌈<br>잡채<br>열무김치 | 호상 요구르트<br>우유<br>사과<br>포도<br>오렌지<br>배 |
| 곡류 | 3.5 | 쌀밥 210g (1) | 국수(생면) 210g (1)<br>부침가루 20g (0.2) | 잡곡밥 210g (1)<br>당면 30g (0.3) | |
| 고기 · 생선<br>달걀 · 콩류 | 5.5 | 참치통조림 30g (0.5)<br>소고기 60g (1)<br>건멸치 15g (1) | 어묵 15g (0.5)<br>오징어 40g (0.5) | 소고기 18g (0.3)<br>돼지고기 90g (1.5)<br>돼지고기 12g (0.2) | |
| 채소류 | 8 | 배추김치 40g (1)<br>시금치 70g (1) | 쑥갓 7g (0.1)<br>부추 35g (0.5)<br>배추 70g (1)<br>단무지 40g (1) | 미역 15g (0.5)<br>상추 63g (0.9)<br>시금치, 당근,<br>양파 70g (1)<br>열무김치 40g (1) | |
| 과일류 | 4 | | | | 사과 100g (1)<br>포도 100g (1)<br>오렌지 100g (1)<br>배 100g (1) |
| 우유 ·<br>유제품류 | 2 | | | | 호상요구르트 100ml (1)<br>우유 200ml (1) |

출처 : 한국인 영양소 섭취기준, 2015

### (3) 성인 식단

2005년 아침 식사 결식률이 남자 19.5%에서 2013년 25.0%로 증가하였고, 여성의 경우 2005년 20.2%였던 아침 식사 결식률이 2013년 22.6%로 증가하였다. 그중 20대 남성과 여성의 아침 식사 결식률이 각각 43.2%, 36.6%로 가장 높았다. 또한, 20대의 47.2%가 지방을 과잉으로 섭취하여 대학생과 사회 초년생에 해당하는 20대에게 규칙적인 식생활을 유지하면서 올바른 식품을 선택할 수 있는 교육이 식단관리와 함께 이루어져야 한다.

임산부는 태아의 성장 발육에 필요한 영양을 공급하기 위해 체내 기관의 기능과 여러 대사가 항진되므로 임산부를 위해서는 임신 전 식단보다 열량뿐 아니라 칼슘, 철분, 엽산과 같은 영양소의 요구량 증가를 고려하여 식단을 작성한다. 따라서 임산부와 수유부를 위한 식단 계획 시 성인 식단 기준에서 열량을 추가한 후 우유, 생선, 달걀, 콩류와 같은 양질의 단백질을 보충하고, 유제품과 신선한 과일과 채소를 충분히 섭취할 수 있도록 계획한다. 임신 초기에는 음식의 기호가 변화할 수 있으므로 식욕을 증진시키는 조리법을 선택하도록 하며 자극적인 향신료는 되도록 피하고, 싱겁게 조리하도록 한다. 또한, 가공식품의 사용을 최대한 줄이고 위생상 안전한 음식을 선택하는 것도 매우 중요하다.

식사구성안을 이용한 성인 식단 작성 예는 표 5-11, 표 5-12와 같다.

표 5-11 19~64세 여성 식단 작성의 예 (B타입, 1,900Kcal)

| 식품군 | 횟수 | 아침 | 점심 | 저녁 | 간식 |
|---|---|---|---|---|---|
| | | 쌀밥<br>달걀국<br>땅콩멸치볶음<br>애호박나물<br>깍두기 | 보리밥<br>팽이버섯된장국<br>소불고기<br>콩나물무침<br>오이소박이 | 떡국<br>갈치카레구이<br>꽈리고추볶음<br>양배추샐러드<br>배추겉절이 | 우유<br>토마토<br>귤<br>포도 |
| 곡류 | 3 | 쌀밥 210g (1) | 보리밥 210g (1) | 가래떡 150g (1) | |
| 고기 · 생선<br>달걀 · 콩류 | 4 | 달걀 30g (0.5)<br>건멸치 15g (1)<br>땅콩 6g (0.2) | 소고기 60g (1) | 소고기 18g (0.3)<br>갈치 60g (1) | |

| | | | | | |
|---|---|---|---|---|---|
| 채소류 | 8 | 애호박 70g (1)<br>깍두기 40g (1) | 팽이버섯 15g (0.5)<br>양파 35g (0.5)<br>콩나물 70g (1)<br>오이 70g (1) | 꽈리고추 35g (0.5)<br>양배추 70g (1)<br>배추 35g (0.5) | 토마토 70g (1) |
| 과일류 | 2 | | | | 귤 100g (1)<br>포도 100g (1) |
| 우유 · 유제품류 | 1 | | | | 우유 200ml (1) |

출처 : 한국인 영양소 섭취기준, 2015

### 표 5-12 19~64세 남성 식단 작성의 예 (B타입, 2,400Kcal)

| 식품군 | 횟수 | 아침 | 점심 | 저녁 | 간식 |
|---|---|---|---|---|---|
| | | 쌀밥<br>육개장<br>조기구이<br>콩자반<br>실파무침 | 잔치국수<br>동태전<br>느타리버섯볶음<br>시금치나물<br>가지무침 | 잡곡밥<br>미역국<br>수육<br>모듬쌈&쌈장<br>도토리묵무침<br>배추김치 | 시리얼<br>우유<br>배<br>단감<br>사과<br>군고구마<br>녹차 |
| 곡류 | 4 | 쌀밥 210g (1) | 국수(생면) 210g(1) | 잡곡밥 210g (1)<br>도토리묵 70g (0.1) | 시리얼 30g (0.3)<br>고구마 140g (0.6) |
| 고기 · 생선 달걀 · 콩류 | 5 | 소고기 30g (0.5)<br>조기 60g (1)<br>검정콩 20g (1) | 동태, 달걀 60g (1) | 돼지고기 90g (1.5) | |
| 채소류 | 8 | 숙주, 고사리,<br>무 70g (1)<br>실파 70g (1) | 애호박 17g (0.25)<br>김 0.5g (0.25)<br>느타리버섯 30g (1)<br>시금치 70g (1)<br>가지 70g (1) | 미역 15g (0.5)<br>상추, 고추,<br>깻잎 70g (1)<br>배추김치 40g (1) | |
| 과일류 | 3 | | | | 배 100g (1)<br>단감 100g (1)<br>사과 100g (1) |
| 우유 · 유제품류 | 1 | | | | 우유 200ml (1) |

출처 : 한국인 영양소 섭취기준, 2015

### (4) 노인 식단

노인은 치아의 손실 및 위장 기능의 약화로 인해 소화가 어려우므로 소화가 쉬운 음식으로 식단을 구성해야 한다. 노인기에는 기초대사율이 저하되어 에너지 필요량은 줄어들지만 양질의 단백질과 비타민, 무기질은 충분히 공급되어야 하고, 특히 맛을 잘 느끼지 못해 식욕 저하와 함께 영양 결핍을 보일 수 있는 신체적 특성이 식단 작성 시 고려되어야 한다. 2013년 국민건강통계에 의하면 65세 이상의 노인 중 50% 이상이 부족하게 섭취하고 있는 영양소로는 지방, 칼슘, 비타민 A, 리보플라빈, 나이아신, 비타민 C가 있으며, 이 중 칼슘이 81.7%로 가장 부족하게 섭취하고 있는 영양소에 해당하므로 이런 영양소들을 고려하여 식단을 작성해야 한다. 노인은 조혈영양소의 결핍으로 빈혈이 되기 쉬우므로 노인을 위한 식단에는 철이 풍부한 식품이나 철 이용률이 높은 동물성 단백질, 콩류, 녹황색 채소류를 포함시켜야 한다. 단백질 식품을 선택할 때는 소화가 잘되는 생선류, 닭고기, 두부, 달걀 등을 이용하는 것이 소고기나 돼지고기를 이용하는 것보다 효과적이다. 섬유소가 많은 채소보다는 부드러운 채소를 선택하는 것이 좋으며 조리법도 생것으로 섭취하는 것보다 익혀서 제공하는 것이 좋다. 또한, 미각의 예민도가 떨어져 직접 조리 시 식염의 과잉 섭취가 이루어질 수 있으므로 주의해야 한다.

식사구성안을 이용한 노인 식단 작성의 예는 표 5-13, 표 5-14와 같다.

**표 5-13 65세 이상 여성 식단 작성의 예 (B타입, 1,600Kcal)**

| 식품군 | 횟수 | 아침 | 점심 | 저녁 | 간식 |
|---|---|---|---|---|---|
| | | 쌀밥<br>시래기된장국<br>갈치무조림<br>도라지나물<br>열무물김치 | 현미밥<br>콩나물국<br>간장게장<br>취나물볶음<br>오이무침 | 보리밥<br>미역국<br>두부양념조림<br>브로콜리초회<br>깻잎김치 | 백설기<br>우유<br>단감 |
| 곡류 | 3 | 쌀밥 170g (0.8) | 현미밥 170g (0.8) | 보리밥 190g (0.9) | 백설기 75g (0.5) |
| 고기 · 생선<br>달걀 · 콩류 | 2.5 | 갈치 60g (1) | 꽃게 80g (1) | 두부 40g (0.5) | |

| | | | | | |
|---|---|---|---|---|---|
| 채소류 | 6 | 시래기 35g (0.5)<br>무 35g (0.5)<br>도라지 40g (1)<br>열무김치 20g (0.5) | 콩나물 35g (0.5)<br>취나물 35g (0.5)<br>오이 35g (0.5) | 미역 15g (0.5)<br>양파 14g (0.2)<br>브로콜리 70g (1)<br>깻잎 21g (0.3) | |
| 과일류 | 1 | | | | 단감 100g (1) |
| 우유 · 유제품류 | 1 | | | | 우유 200ml (1) |

출처 : 한국인 영양소 섭취기준, 2015

### 표 5-14 65세 이상 남성 권장 식단 작성의 예 (B타입, 2,000Kcal)

| 식품군 | 횟수 | 아침 | 점심 | 저녁 | 간식 |
|---|---|---|---|---|---|
| | | 누룽지<br>해물달걀찜<br>느타리버섯볶음<br>양파초절임<br>배추겉절이 | 콩밥<br>오이냉국<br>돼지고기볶음<br>애호박전<br>오이고추무침 | 잡곡밥<br>곰국<br>고등어감자조림<br>가지나물<br>배추김치 | 사과<br>바나나<br>찐 고구마<br>우유 |
| 곡류 | 3.5 | 쌀 67g (0.75) | 쌀 90 g(1) | 잡곡밥 210g (1)<br>감자 70g (0.15) | 고구마 140g (0.6) |
| 고기 · 생선<br>달걀 · 콩류 | 4 | 달걀 54g (0.9)<br>새우 8g (0.1) | 검정콩 10g (0.5)<br>돼지고기 60g (1) | 소고기 30g (0.5)<br>고등어 60g (1) | |
| 채소류 | 8 | 느타리버섯 30g (1)<br>양파 63g (0.9)<br>배추 70g (1) | 오이 35g (0.5)<br>양파 35g (0.5)<br>애호박 70g (1)<br>오이고추 70g (1) | 대파 7g (0.1)<br>가지 70g (1)<br>배추김치 40g (1) | |
| 과일류 | 2 | | | | 사과 100g (1)<br>바나나 100g (1) |
| 우유 · 유제품류 | 1 | | | | 우유 200ml (1) |

출처 : 한국인 영양소 섭취기준, 2015

### 2) 가족 식단 작성

가족 단위로 식단을 작성할 때 가족 구성원 개개인의 성별과 연령, 활동량이 다르므로 섭취해야 할 에너지와 영양소 필요량이 각각 다르다. 따라서 가족 식단을 작성하기 전에 식사구성안을 참고로 각 가족 구성원의 식품군별 하루 섭취 횟수를 확인한다(표 5-15). 가족의 섭취 횟수를 모두 더하여 그 합을 각 끼니별로 배분한 후 각 끼니의 주식과 부식을 결정하여 식단을 작성한다.

**표 5-15 가족 식단 작성을 위한 각 식품군 하루 섭취 횟수 예**

| 구분 | 곡류 | 고기 · 생선<br>달걀 · 콩류 | 채소류 | 과일류 | 우유 ·<br>유제품류 | 유지 · 당류 |
|---|---|---|---|---|---|---|
| 아버지(48세)<br>B 2,400Kcal | 4 | 5 | 8 | 3 | 1 | 6 |
| 어머니(47세)<br>B 1,900Kcal | 3 | 4 | 8 | 2 | 1 | 4 |
| 아들(14세)<br>A 2,600Kcal | 3.5 | 5.5 | 8 | 4 | 2 | 8 |
| 딸(11세)<br>A 1,700Kcal | 2.5 | 3 | 6 | 1 | 2 | 5 |
| 합계 | 13 | 17.5 | 30 | 10 | 6 | 23 |

### 3) 채식 식단 작성

채식은 동물성 식품을 섭취하지 않는 것을 의미하는데 종교적인 이유로 채식을 하는 사람도 있고, 최근에는 건강상의 이유로 채식을 선택하는 사람도 늘고 있다. 채식주의자는 본인의 선택에 따라 동물성 식품을 완전히 배제한 완전 채식을 하는 경우와, 우유 유제품은 섭취를 허용하는 우유 채식주의자, 동물성 식품 중 달걀을 섭취하는 달걀 채식주의자, 육류는 섭취하지 않지만 우유와 달걀은 섭취하는 우유 달걀 채식주의자로 나눌 수 있다.

채식 식단은 제공되는 열량에 비해 포만감을 느끼는 채소류를 주로 섭취하기 때문에 필요열량을 충족시키기 쉽지 않으며, 단백질이나 비타민 $B_{12}$, 칼슘과 철분 등이 부족되기 쉽다. 또한, 식품 선택의 폭이 좁으므로 이에 따른 영양문제가 발생할 수 있다

채식 식단을 구성할 때는 단백질 식품의 배합이 중요한데, 부족한 필수아미노산을 보충할 수 있도록 서로 보완성을 갖는 식품을 섞어 이용한다. 예를 들어 쌀에는 리신이 부족하므로 리신이 많이 함유되어 있는 콩류를 섞어서 콩밥을 지어 먹도록 하는 것이다. 채식 식단은 음식 재료의 구성이 단조로우므로 여러 조리법의 개발로 다양한 식사를 구성하도록 노력해야 한다.

## 2. 식단 평가

식단 평가는 식단 계획부터 식사 준비를 거쳐 식사 완료까지 행해져야 하는 과정이다. 이러한 식단 평가는 다음 식단에 피드백을 제공하므로 좀 더 나은 식단을 작성할 수 있게 해준다. 식단을 평가할 때는 식생활관리의 목표가 무엇이었는지를 생각하여 그 목표를 기준으로 평가해야 한다. 평가 항목으로는 식단 작성 시 고려했던 영양, 기호, 경제, 능률과 위생이 해당한다.

### 1) 영양 평가

식단의 영양적 평가를 위해서는 식단으로 제공되는 영양소의 함량을 산출한 후 영양섭취기준에 근거하여 대상의 영양 충족 여부를 판단한다. 먼저 열량의 과잉 섭취나 부족이 없는지 평가한 후 단백질의 섭취량을 분석한다. 단백질은 총섭취량과 더불어 섭취된 단백질이 질적으로 우수한 것인지 평가하는 것도 중요하다. 그 밖에 부족하기 쉬운 무기질과 비타민의 섭취 수준도 살펴보아야 한다.

영양소 함량은 이미 발표되어 사용되고 있는 식품 성분 데이터베이스 자료를 활용하거나, 영양소 함량을 편리하게 알아볼 수 있는 프로그램이나 인터넷 사이트를 활용하면 쉽게 알 수 있다. 평가 시 끼니별 함량을 맞추기보다는 하루 섭취량을 통합하여 일

일섭취량을 기준으로 하는 것이 좋다.

### 2) 기호 평가

식단이 가족 구성원의 기호나 건강 상태를 반영한 것인지 확인한다. 식사 후 남은 음식을 파악하여 다음 식단에 반영하면 좀 더 기호를 충족시키는 식단 작성을 할 수 있다. 또한, 식단의 변화, 음식의 맛, 질감, 온도, 외관, 색의 배합 등이 적절한지 판단해야 하며, 음식에 어울리는 식기를 사용한다든지 식탁 분위기의 변화도 검토하면 도움이 된다.

### 3) 비용 평가

식비의 기준이 계획했던 예산 범위를 초과하는지 확인하고, 주식과 부식 등으로 나누어 계획에 맞게 지출해야 한다. 예산 범위를 초과하였을 때는 그 원인을 찾아 방안을 마련하고 예산의 기간에 따라 이후 식단을 조정하여 예산을 맞춘다. 한 달 기준으로 식비 예산을 사용한다고 할 때, 월중에 한 번 예산 대비 사용비율을 계산해 보는 것은 예산을 관리하는 좋은 방법이 된다. 또한, 식품의 저장 불량으로 폐기하는 식품의 양을 줄이고, 구매 시 식품의 질을 검토하여 낭비되는 식품이 없도록 관리한다. 식비를 안정적으로 운영할 수 있는 계절 식품의 사용빈도도 확인한다.

### 4) 능률 평가

식단이 조리할 사람의 능력에 적절한지 판단해야 한다. 아무리 잘 계획된 식단이라 할지라도 조리 능력이 뒷받침되지 않는다면 제 역할을 다하지 못할 수 있다. 음식의 가짓수와 조리 시간, 조리기구, 주방의 동선이 적절한지 파악하여 식사를 준비하는데 노동력과 에너지가 과도하게 투입되지 않도록 검토한다.

### 5) 위생 평가

위생은 식품과 떨어질 수 없는 중요한 요소이다. 좋은 식단을 작성하여 실행한다 해도 위생이 좋지 않으면 인체에 해로울 수 있다. 식품 구매 시 유통기한 확인, 보관 시 적절한 온도관리, 조리 시 위해 물질에 의한 오염이 되지 않도록 식사 준비 전반에서 위생관리를 필수적으로 해야 한다. 위생은 가족의 건강과 직결되는 문제이므로 엄격하게 관리하도록 한다.

다음의 예시처럼 자가 진단하면 식단의 완성도를 높일 수 있다. (표 5-16)

**표 5-16 식단의 종합평가 예**

| 구분 | 평가 항목 | 우수 | 보통 | 미흡 |
| --- | --- | --- | --- | --- |
| 영양 평가 | · 영양필요량이 부족하지 않은가?<br>· 여섯 가지 식품군이 골고루 사용되는가? | | | |
| 기호 평가 | · 식사 대상자의 기호에 만족을 주는가?<br>· 조리법과 음식 재료의 중복은 없는가? | | | |
| 비용 평가 | · 예산 범위를 초과하지 않는가?<br>· 계절식품을 사용하는가? | | | |
| 능률 평가 | · 조리자의 작업 부담을 고려하는가?<br>· 주방의 조리기구와 동선이 고려되는가? | | | |
| 위생 평가 | · 위생적으로 안전한 식단인가?<br>· 조리는 위생적으로 이루어지는가? | | | |

# PART 06
# 식품 구매 및 저장관리

PART 06

# 식품 구매 및 저장관리

식품 구매 활동이란 음식 생산에 필요한 음식 재료를 적정 공급원으로부터 최적의 품질과 적정 수량을 필요한 시기에 최소 비용으로 구매하는 것이다. 식생활관리자의 적절한 식품 구매 활동은 비용을 절감할 수 있고 양질의 식사를 준비함으로써 구성원들에게 만족감을 높여주는데, 이런 목적을 달성하기 위해서 식생활관리자는 구매 정보 외에도 식품 감별법, 보관 방법 등에 대한 전문적인 지식과 기술을 습득하는 것이 필요하다.

## 6-1 식품 구매 계획

식단에 따라 음식별로 필요한 식품 재료와 양이 결정되면 예산 범위 내에서 무엇을 언제 어디서 구매할 것인가에 대한 의사결정을 해야 하며, 이를 위해서 식품의 품질, 포장단위, 상표, 시기, 구매 장소 등에 따른 가격 비교를 통해 가장 효율적인 구매가 될 수 있도록 식품 구매 계획을 세우는 것이 바람직하다.

# 1. 구매 내용

## 1) 구매할 식품의 종류와 양의 결정

식단 계획에 기초하여 필요한 식품의 종류와 양을 구매해야 하므로 작성한 식단에 따라 필요한 식품의 품목과 양을 계산한다. 이때 구매량은 해당 식품의 폐기 부분 유무에 따라 구분하여 아래와 같이 계산한다.

- 폐기 부분이 없는 식품의 구매량
  = 1인 순 사용량 × 인원수
- 폐기 부분이 있는 식품의 구매량
  = [1인 순 사용량 ÷ (100-폐기율)] × 100 × 인원수
  = 1인 순 사용량 × 출고계수 × 인원수

**출고계수 = 100/100 - 폐기율**

폐기율에 따른 구매량 계산을 쉽게 하기 위해 출고계수를 이용하기도 한다(표 6-1).

표 6-1 폐기율, 가식부율 및 출고계수

| 폐기율(%) | 가식부율(%) | 출고계수 | 폐기율(%) | 가식부율(%) | 출고계수 |
|---|---|---|---|---|---|
| 2 | 98 | 1.02 | 40 | 60 | 1.67 |
| 3 | 97 | 1.03 | 45 | 55 | 1.82 |
| 5 | 95 | 1.05 | 50 | 50 | 2.00 |
| 8 | 92 | 1.09 | 55 | 45 | 2.22 |
| 10 | 90 | 1.11 | 60 | 40 | 2.50 |
| 15 | 85 | 1.18 | 65 | 35 | 2.83 |
| 20 | 80 | 1.25 | 70 | 30 | 3.32 |
| 25 | 75 | 1.33 | 75 | 25 | 4.00 |
| 30 | 70 | 1.43 | 80 | 20 | 5.00 |
| 35 | 65 | 1.54 | 85 | 15 | 6.67 |

### 2) 구매 식품의 품질 결정

구매할 때에는 기본적으로 위생적이고 안전한 식품을 구매해야 하지만 항상 최상등급 품질의 식품을 구매해야 하는 것은 아니며, 음식에 따른 식품의 용도와 예산의 범위를 고려하여 구매 식품의 품질을 결정한다. 따라서 구매할 식품의 품질과 특성, 용도 등을 파악하여 구매하면 필요한 품질의 식품을 저렴한 비용으로 구매할 수 있다. 그 외에도 구매 식품의 품질 결정은 식생활관리자의 시간과 노력에 따라 달라진다. 식생활관리자의 중요 관리 요인이 시간이라면 편의 식품을 선택하고, 식비 절약이 중요하다면 가공되지 않은 식품을 구매하는 것이 좋다.

### 3) 구매 필요량의 포장단위 환산

식품의 구매 형태와 포장단위 규격을 파악하여야 시장에서의 실제 구매량을 결정할 수 있으므로 각 식품의 포장단위 무게를 알아두는 것이 좋다. 또 가정에 저장되어 있는 식품의 종류와 양을 파악하여 사용 가능한 분량인지를 확인한 후 이를 고려한 구매 포장단위를 결정한다.

### 4) 가격 검토

구매 활동에 있어서 경제적인 면은 매우 중요한 요소이므로 식품의 가격에 영향을 미치는 여러 가지 요소들을 잘 알아두는 것이 필요하다. 첫째, 식품을 적절한 가격에 구매하기 위해서는 식품의 품질을 잘 감별할 수 있어야 한다. 둘째, 계절식품 활용(표 5-1 참조)으로 식품비를 절약할 수 있으며, 일시적 가격 상승이 있을 때는 대체식품을 잘 활용할 필요가 있다. 셋째, 저장이 가능한 식품이라면 가격이 쌀 때 다량 구매하여 식품별 적절한 저장법으로 보관하는 것도 가능하다. 넷째, 일정 시간을 정하여 가격이 인하되는 타임 서비스나 쿠폰이 제공되는 경우가 있으므로 이를 잘 활용하면 구매 비용을 절약할 수 있다. 이러한 여러 가지 요소를 잘 검토하여 적절한 식품의 종류와 양을 선택하면 저렴한 비용으로 구매를 할 수 있다.

## 2. 구매 시기

식품을 구매하기 위해서는 식품의 종류에 따라 구매 시기와 이에 따른 빈도 등을 결정해야 하는데 구매 빈도는 저장 공간 및 저장 기간, 구매 단위, 식생활관리자의 사정 등에 따라 달라진다. 보통 일반 가정에서는 대부분 1주일에 1~2회 정도 식품 장보기를 통해 고기, 생선, 채소, 과일 같은 신선 식품을 구매하지만 쌀이나 조미료, 가공식품(통조림, 병조림 등) 등은 저장 중 품질의 변화가 적어 한 달 정도 먹을 수 있는 양을 한꺼번에 구매하기도 한다.

구매는 가격 할인이 가능한 날이나 시간을 선택하는 것이 좋다. 주말에는 구매자가 많아 대부분의 상점에서 많은 상품이 확보되어 있으며, 할인 행사를 하는 경우도 많고 품질도 좋은 편이다. 또 일정 시간대를 정하여 가격을 인하하여 판매하는 타임 서비스를 활용하면 식품비를 절약할 수 있다. 하지만 가격 할인이라고 광고가 되어 있더라도 신선도가 떨어지거나 실제 가격 할인의 폭이 그다지 크지 않은 상품들이 있을 수 있으므로 구매할 때에는 식품 표시를 확인하고 여러 가지 정보를 검토할 수 있을 정도의 여유를 가지는 것이 바람직하다.

## 3. 구매 장소

구매 장소를 잘 결정하면 영양, 경제, 위생, 시간, 노력 면에서 식생활관리의 목표 달성이 원활해지므로 잘 검토하여 선택하는 것이 좋다.

### 1) 전통시장

전통시장은 채소류, 과일류, 곡류 등의 농산물이 신선하고 저렴한 편이지만, 주차시설 부족, 배달·교환·환불의 어려움, 가격 표시 부정확 등으로 인해 그 이용을 저해하고 있다. 그러나 최근에는 전통시장 시설의 현대화 및 환경 개선, 신용카드 가맹점의 확대, 전통시장 상품권 개발 등으로 고객 편의를 높이기 위해 노력하고 있다.

### 2) 슈퍼마켓

슈퍼마켓은 육류, 농산물, 유제품, 냉동식품, 제과 등의 식료품과 비식료품의 다양한 제품을 적은 이윤을 남기며 셀프서비스로 판매하는 소매업이다. 동네의 일반 슈퍼마켓 이외에 기업에서 운영하는 경우 체인으로 점점 대형화[super supermarket (SSM)]되면서 구매력이 커서 소비자는 싼 가격으로 다양한 종류의 상품을 작은 구매단위로 구매할 수 있어 편리하다.

### 3) 할인점 및 대형 마트

할인점(discount store)은 생산자로부터 물품을 대량으로 구매해 판매하는 방식으로 시중 가격보다 최소 10%에서 최대 30%까지 낮은 가격으로 판매하는 유통업체를 말한다. 외국의 경우 창고형 방식/회원제를 도입하여 운영하고 있으며, 월마트, 코스트코 등 같은 창고형 할인점은 잘 판매되는 몇 가지 종류의 상품만을 취급하여 관리비를 절약하고, 상품은 창고에 쌓여 있는 형태로 진열되어 있으면서 직원의 서비스를 최소화함으로써 판매가격을 낮춘다. 또 가족 단위 포장, 경제적 포장 등 대량 판매가 이루어지므로 유통기한이 길거나 많이 소비되는 상품의 경우에는 할인점에서 구매하는 것이 바람직하다.

우리나라에서는 할인점이라기보다 대형 마트(Super Store) 방식으로 운영하고 있는데, 대형 마트는 상점 상표(private bland : PB)를 붙인 제품을 판매하는데 일반적으로 개발비, 광고비, 판촉비가 덜 소요되므로 소비자에게 싼 값에 공급될 수 있다.

### 4) 편의점

연중 무휴로 장시간(24시간)의 영업을 실시하고 소규모로 식료품, 잡화 등 다수의 품종을 취급하는 형태의 소매점이다. 일반적으로 육류나 농산물은 취급하지 않는 등 제품 계열이 한정되어 있고 가격도 비싼 편이지만 포장단위가 작고 즉석식품이 많으며 늦은 시간이나 긴급할 때 편리하게 이용할 수 있다.

### 5) 동네 장터와 직거래 장터

동네 장터는 대도시의 주거 밀집 지역과 중소 도시에서 1주일에 한두 번 또는 5일장으로 열리며 과일, 채소, 곡류, 건어물 등을 판매한다. 직거래 장터는 생산자가 직접 판매하는 형태로 특별 행사 시 이루어지며 가격이 저렴한 편이다.

### 6) 온라인 쇼핑몰 및 인터넷 주문 배달

가정에서 컴퓨터나 전화 등으로 백화점, 대형 마트, 홈쇼핑, 온라인 쇼핑몰 등의 상품 정보를 보고 식품을 구매할 수 있는 형태로, 식품 구매가 어려운 직장인에게 편리한 방식이다. 시장에 직접 가지 않고 구매할 수 있으므로 시간이 절약되며, 비용을 비교할 수 있어 효율적인 가격으로 물건을 구매할 수 있고 또 고객이 원하는 시간에 배달을 받을 수 있는 점이 편리하다. 반면, 상품의 종류가 한정되어 있고 사전에 품질을 확인하기 어려운 단점이 있으며 또한 충동구매를 일으키거나 허위광고, 과대광고 등의 우려도 있어 주의가 필요하다.

▌그림 6-1 식품 구매와 관련된 안전수칙

**▌식품 안전을 위한 똑똑한 장보기**

- 점포 내부가 청결하고 정리가 잘되어 신뢰가 가는 곳에서 구매하세요.
- 유통기한을 확인하여 날짜가 많이 남아 있는 식품으로 고르세요.
- 캔이나 용기 등의 포장이 파손되거나 움푹 들어가거나 오염되어 있는 것은 피하세요.
- 종류가 다른 식품을 취급할 때 점원에 집게를 바꿔서 사용하는지 확인하세요.
- 달걀은 특정한 용기에 담겨진 것을 구매하고 금이 가거나 오염된 것은 피하세요.
- 곰팡이가 있거나 변색되는 등 상한 것으로 보이는 식품은 피하세요.
- 따뜻한 식품이 식어 있으면 사지 마세요.
- 카운터 위에 뚜껑 없이 판매하는 조리된 식품은 사지 마세요.

- 육류, 생선류 등의 즙액이 다른 식품에 옮겨 가지 않도록 주의하세요.

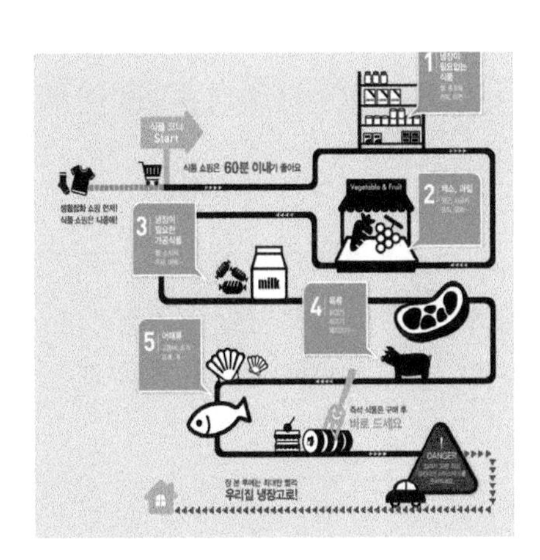


출처 : 굿모닝 경기 홈페이지

## 6-2 식품 구매 표시 정보

좋은 식품을 올바르게 선택하여 저렴한 가격으로 구매하기 위해서는 구매와 관련된 여러 가지 정보가 필요하다. 식품 구매에 필요한 정보는 단위가, 유통기한, 원재료 및 성분 표시, 영양 성분 표시, 품질 마크, 농산물 이력추적관리, 원산지 표시 등이 있다. 최근에는 식품 위해 관련 사건이 많이 발생하여 구매와 관련된 정보의 필요성이 더욱 커지고 있다.

### 1. 단위가

단위가는 물품의 가격을 물품의 부피나 무게의 단위로 나누어 g당, mL당, 100g당, 100mL당 가격으로 나타낸 것(그림 6-2)으로, 같은 종류의 물품이 상표나 포장단위에 따라 가격이 다를 때 비교할 수 있는 정보를 준다. 일반적으로 포장단위가 큰 경우에 단위가가 낮아 가격 면에서는 도움이 되지만, 단위가가 낮다고 해서 큰 포장으로 구매했다가 다 사용하지 못하고 변질되어 버리면 오히려 비용에 부정적인 영향을 주므로 필요량을 고려하여 구매하는 것이 중요하다. 요즘은 고객의 편의를 위하여 비교하기 쉽게 상품마다 단위가가 제시되어 있는 경우도 있다.

▌그림 6-2 단위가

## 2. 유통기한

식품의 품질과 안전성을 보증하기 위해 날짜를 제시하는 방법에는 품질 유지 기한, 유효일 등 여러 가지가 있지만 우리나라에서는 대부분의 식품의 경우 유통기한이 표시되어 있다. 유통기한은 유통업자가 소비자에게 식품을 유통, 판매하는 것을 허용하는 최종일로 유통기한이 지난 식품은 판매할 수 없다. 그러나 유통기한은 그날 이후로 먹을 수 없음을 의미하는 것은 아니며, 식품의 저장 수명, 보관 방법 등에 따라 식품을 먹을 수 있는지는 달라진다. 유통기한은 거의 모든 식품에 표시하는 의무사항이지만 설탕, 소금, 아이스크림류, 빙과류 등은 생략 가능한 식품이다.

## 3. 원재료 및 성분 표시

최종 제품에 들어 있는 물질 중 제조, 조리, 가공에 사용된 원재료와 첨가물에 대해 표시하는 것(그림 6-3)으로, 우리나라에서는 식품의 제조 가공 시 사용된 모든 원재료를 많이 사용한 순서에 따라 표시하여야 하며(중량 비율로서 2% 미만인 경우에는 함량 순서와 관계없이 표시), 제품의 조건에 따라 일부 원재료는 표시가 생략될 수 있다. 그러나 '식품 등의 표시기준'에 따라 한국인에게 알레르기를 유발하는 것으로 알려져 있는 난류(가금류에 한함), 우유, 메밀, 땅콩, 대두, 밀, 고등어, 게, 새우, 돼지고기, 복숭아, 토마토를 함유하거나 이들 식품으로부터 추출 등의 방법으로 얻은 성분과 이들 식품 및 성분을 함유한 식품 또는 식품첨가물을 원료로 사용하였을 경우에는 함유된 양과 관계없이 원재료명을 표시해야 하므로 알레르기 영양 문제가 있는 경우는 알레르기 유발 성분명을 확인하고 식품을 선택해야 한다.

**그림 6-3 원재료 및 성분 표시**

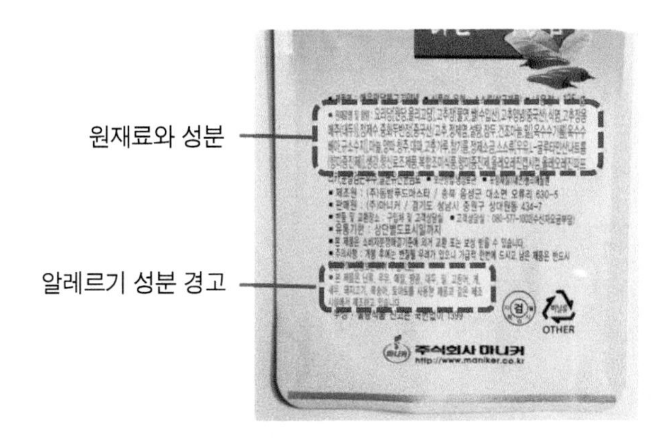

## 4. 영양 성분 표시

식품의 영양 성분 표시는 식품에 함유된 영양소와 그 함량에 대한 정보를 표시한 것(그림 6-4)으로 열량, 탄수화물, 당류, 단백질, 지방, 포화지방, 트랜스지방, 콜레스테롤 및 나트륨, 그 밖에 강조 표시를 하고자 하는 영양 성분에 대하여 그 명칭, 함량 및 영양소 기준치에 대한 비율(%)을 표시한다. 영양 성분 표시는 그동안 제품 100g(100mL) 또는 1포장당으로 표시하였으나 이 경우 구매자가 실제 섭취하는 양을 감안하여 다시 계산해야 하므로 식품의약품안전처는 영양 성분 표시가 실제 섭취하는 '1회 분량'을 기준으로 이루어질 수 있도록 영양 성분 의무 표시 대상 식품의 '1회 분량 기준량'을 마련하였다.

식품 구매자가 자신 또는 가족의 건강에 맞는 영양 섭취를 위해 일정한 성분을 선택 또는 피하고자 할 때 영양 성분 표시는 중요한 정보원이 되는데, 영양 성분 표시를 읽을 때에는 1회 제공량은 얼마인지, 한 포장 안에 몇 회 분량이 들어 있는지, 실제로 섭취량이 얼마인지를 꼭 생각하고 판단해야 한다.

▌그림 6-4 영양 성분 표시

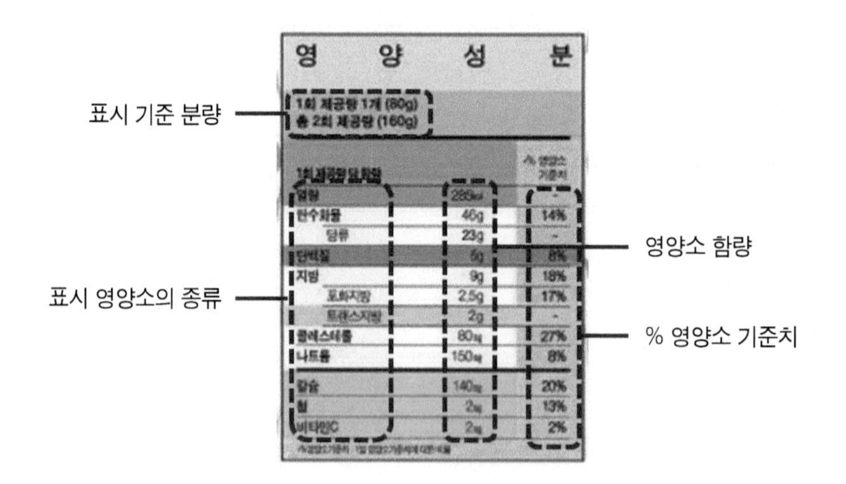

## 5. 품질인증 표시

### 1) 친환경 인증

친환경 농산물 인증은 환경을 보전하고 소비자에게 보다 안전한 농산물을 공급하기 위한 제도로, 친환경 농산물 인증 표시는 합성 농약, 화학비료, 항생/항균제 등 화학 자재를 사용하지 않거나 이의 사용을 최소화하여 생산한 농산물임을 의미한다. 친환경 농축산물 및 유기식품 인증 로고는 표 6-2와 같다.

▌표 6-2 품질 인증 로고

| 인증제도 | | 한글 표시 | 영문 표시 |
|---|---|---|---|
| 친환경 농축산물 · 유기식품 인증 | 유기농산물 및 유기축산물 | 유기농 (ORGANIC) 농림수산식품부<br>유기농산물 (ORGANIC) 농림축산식품부<br>유기축산물 (ORGANIC) 농림축산식품부<br>유기가공식품 (ORGANIC) 농림수산식품부 | ORGANIC MIFAFF KOREA |
| | 무농약 농산물 | 무농약 (NON PESTICIDE) 농림수산식품부 | NON PESTICIDE MIFAFF KOREA |
| | 무항생제 축산물 | 무항생제 (NON ANTIBIOTIC) 농림수산식품부 | NON ANTIBIOTIC MIFAFF KOREA |
| GAP 표시 | 우수농산물 (GAP) 인증 | GAP (우수관리인증) 농림수산식품부 | GAP MIFAFF KOREA |

| 지리적 표시 | **농산물 지리적 표시** | 지리적표시 (PGI) 농림수산식품부 | PGI MIFAFF KOREA |
|---|---|---|---|
| 이력추적 | **농산물 이력추적** | TRACEABILITY | |
| 우수 식품 | **전통식품 품질인증** | 전통식품 (TRADITIONAL FOOD) 농림수산식품부 | TRADITIONAL FOOD MIFAFF KOREA |
| HACCP | | HACCP (위해요소관리우수) 식품의약품안전처 / HACCP (위해요소관리우수) 농림축산식품부 | |

### 2) 유기가공식품 인증

유기가공식품 인증제도는 유기 표시의 신뢰도를 높임으로써 소비자를 보호하고, 선의의 사업자로 하여금 고품질의 유기식품을 공급할 수 있도록 장려하고자 만든 인증제도로, 유기가공식품은 인증받은 유기 원료(유기농산물, 유기축산물 등)를 유기적인 방법(화학적으로 합성된 첨가물의 사용을 최소화하고 방사선 조사를 하지 않으며, 유기식품이 비유기 식품 또는 오염물질과 접촉하지 않도록 구분하여 취급함으로써 유기농산물의 순수성이 가공 과정을 통해 훼손되지 않도록 하는 방법)으로 가공한 식품으로서 식품산업진흥법에 의해 인증받은 식품을 의미한다.

### 3) 지리적 표시

지리적 표시제도(Geographical Indication)는 우수한 지리적 특성을 가진 농산물 및 가공품에 지역명 표시를 할 수 있도록 하여 지리적 특산품 생산자를 보호하고 소비자에게 충분한 제품 구매 정보를 제공하고자 하는 제도이다. 우리나라에서는 이천 쌀, 여주 쌀, 상주 곶감, 보성 녹차, 고흥 유자, 양양 송이버섯, 기장 미역 등이 그 예이다.

### 4) 전통식품 품질인증

전통식품 품질인증 제도는 우리 농수산물을 사용하여 전통적인 제조 방법으로 우리 옛 맛을 재현한 식품임을 정부가 인증하는 제도로, 생산자에게는 고품질의 제품 생산을 유도하고, 소비자에게는 질 좋은 전통식품을 공급하는 데 목적을 두고 있다.

### 5) 농산물 우수관리 인증(GAP)

농산물의 안전성을 확보하기 위하여 농산물의 생산 단계부터 수확 후 포장 단계까지 토양, 수질 등의 농업 환경 및 농산물에 잔류할 수 있는 농약, 중금속 또는 유해생물 등의 위해요소를 철저히 관리하여 소비자가 안전한 농산물을 먹을 수 있게 인증해 주는 제도이다.

### 6) HACCP(Hazard Analysis and Critical Control Point : 위해요소중점관리 기준, 식품안전관리 인증 기준)

HACCP는 식품의 원재료부터 제조, 가공, 보존, 유통, 조리 단계를 거쳐 최종 소비자가 섭취하기 전까지의 전 과정에서 식품의 위생에 해로운 영향을 미칠 수 있는 위해 요소를 분석하고, 이러한 위해 요소를 제거하거나 안전성을 확보할 수 있는 단계에 중요관리점을 설정하여 과학적이고 체계적으로 식품의 안전을 관리하는 제도이다. 국내에서는 1998년 HACCP를 도입하여 축산 식품 전 분야와 우유, 치즈, 버터, 아이스크림 등 유가공품에서 난가공품까지 다양한 품목에 적용되고 있다.

## 6. 농산물 이력추적관리

농산물 이력추적관리 제도는 농산물을 생산부터 판매까지 각 단계별로 정보를 기록, 관리하여 해당 농산물의 안전성 등에 문제가 발생할 경우 해당 농산물을 추적하여 원인 규명 및 필요한 조치를 할 수 있도록 관리하는 제도로 농산물의 안전성을 확보하고 문제 발생 시 신속한 원인 규명 및 정확한 제품 회수를 취하여 농산물에 대한 소비자의 신뢰성을 확보하기 위하여 도입된 제도이다. 농산물을 생산하는 데 사용한 종자와 재배방법, 원산지, 농약 사용량, 유통 과정이 바코드에 기록되며, 별도의 정보 시스템을 통해 인터넷으로 소비자에게 무료로 제공된다.

## 7. 유전자재조합식품

유전자재조합식품이란 유전자 재조합 기술을 이용하여 생물의 유전자를 변형시켜 새로운 형질, 즉 특징이나 기능을 추가 또는 제거하여 독특한 특징, 맛, 모양 등으로 바꾼 농·축·수산물 중 안전성이 확인된 것을 이용하여 제조, 가공된 식품을 말한다. 유전자 재조합된 콩, 옥수수, 콩나물 등을 원료로 사용한 식품 중 제조 가공 후에도 유전자 재조합 DNA나 외래 단백질이 남아 있는 식품은 주 표시 면에 '유전자재조합식품' 또는 '유전자재조합 OO포함식품'으로 표시하고 있다.

## 8. 원산지 표시

원산지는 농산물이 생산 또는 채취된 국가나 지역을 말하는 것으로 원산지 표시제는 공정한 유통 질서를 확립하여 생산자와 소비자를 보호하기 위하여 생산지(국명) 또는 시 · 군명을 포장재에 인쇄 또는 표시하는 제도이다. 표시 방법은 수입 농산물은 생산국명으로, 국산 농산물은 '국산' 또는 '시·군명'으로, 농산 가공품은 원료 농산물의 생산 국명으로 각각 표시한다.

수입 개방화 추세에 따라 값싼 외국산 농산물이 무분별하게 수입되고 있으므로 소비자들은 원산지 표시 대상 품목에 대해서는 원산지 표시를 확인한 후 구매 선택하는 습관이 필요하며, 이들 농산물이 국산으로 둔갑 판매되는 등 부정 유통 사례가 늘어나고 있으므로 원산지 식별 방법도 익혀두는 것이 필요하다.

## 6-3 식품별 구매

식단에 계획된 음식에 적합한 식품 재료를 구매하려면 식품의 품질을 잘 감별할 수 있어야 하므로 식품을 선택할 때는 시간을 가지고 식품별 특징, 품종, 유통 환경 등에 대한 지식을 활용하여 선별하는 것이 바람직하다.

### 1. 곡류 및 서류

#### 1) 곡류

##### (1) 쌀

① 색택은 맑고 윤기가 나는 것
② 수분은 15~16%로 적당히 마른 것
③ 피해립, 병해립, 충해립 등이 없는 것
④ 쌀알이 부서지지 않고 입자가 고른 것
⑤ 포장이 표준 규격으로 잘 되어 있는 것
⑥ 쌀알의 길이가 짧고 폭이 넓고 둥근 것
⑦ 종류 : 멥쌀, 찹쌀(점성이 높고 모양이 통통하며 불투명한 흰색을 띰)

##### (2) 보리

① 담황색을 띠는 것

② 겹질이 얇게 도정된 것
③ 손으로 만져 보아 부드럽게 느껴질 것
④ 보리쌀 알이 고르고 둥그스름하며 통통한 것
⑤ 향미가 우수하며 이물질이 포함되지 않는 것
⑥ 종류 : 압맥(보리를 증기로 찌고 눌러서 건조), 할맥(보리의 골을 따라 쪼갬)

#### (3) 밀가루

① 순백색에서 크림색을 띠는 것
② 광택이 있고 독특한 향기가 있는 것
③ 손으로 만졌을 때 촉감이 좋고 감미가 있는 것
④ 손으로 쥐었을 때 덩어리지지 않으며 입자가 고운 것
⑤ 종류 : 강력분, 중력분, 박력분

| 구분 | 단백질 함량 | 특성 | 용도 |
|---|---|---|---|
| 세몰리나 | 13% 이상 | 듀럼 밀 | 파스타용 |
| 강력분 | 11% | 흡수율, 탄력성이 좋음 | 제빵용 |
| 중력분 | 10% | 색상이 밝고 투명함 | 면, 만두, 다목적용 |
| 박력분 | 8~9% | 부드럽고 바삭함 | 케이크, 비스킷, 튀김옷 |

### 2) 서류

#### (1) 고구마

① 모양이 매끈하고 단단한 것
② 표면의 털구멍이 깊지 않은 것
③ 육질이 분질이며 단맛이 나는 것
④ 모양이 균일하고 병충해의 흠집이 적은 것
⑤ 육질이 단단하며 둥글고 너무 크지 않은 것
⑥ 진흙에서 자란 것으로 표피 색이 밝고 선명한 적자색인 것

⑦ 흙 등 이물질 제거 정도가 뛰어나고 표면이 적당하게 건조된 것

#### (2) 감자

① 씨눈이 얕고 육색이 흰 것
② 알이 굵고 형태가 균일한 것
③ 싹이 나지 않고 조직이 단단한 것
④ 깨끗하며 모양이 고르고 잘 선별된 것
⑤ 껍질이 녹색으로 변색되어 있지 않는 것
⑥ 적당히 건조되어 외피에 물기가 없어 보관하기 좋은 것
⑦ 저장품의 경우 상처가 없고 표피에 주름이 없으며 무르지 않는 것
⑧ 종류 : 분질감자(굽거나 으깨는 용도), 점질감자(샐러드, 볶음 요리)

#### (3) 토란

① 반드시 흙이 묻어 있는 것
② 표면이 습한 느낌이 있는 것
③ 동글동글한 타원형 모양인 것
④ 껍질을 벗기면 흰색을 띠는 것
⑤ 잘랐을 때 단단하고 끈적끈적한 것

## 2. 육류, 어패류, 달걀 및 콩류

### 1) 육류

육류를 구매할 때는 부위, 원산지 등 식품 판매 표시판에 표시된 사항과 등급, 육색, 냄새, 탄력 정도, 지방의 분포 등 고기의 신선도를 확인한다. 육류가공품은 식품 표시, 색, 냄새 등을 확인한다.

### (1) 소고기

① 육색 : 담적갈색, 선홍색을 띠는 것

② 지방색 : 크림색이 나는 백색을 띠는 것

③ 조리의 용도에 따른 부위를 선택할 것

: 건열조리(등심, 안심 등), 습열조리(사태, 양지 등)

④ 결이 곱고 윤기가 나며 육즙이 나와 있지 않은 것

⑤ 마블링(Marbling : 근내지방도)이 잘된 고기(그림 6-5)

⑥ 고기의 표면이 건조하며 갈색을 띠는 것은 장시간 냉동 보관한 것

⑧ 구매 전 식육 판매 표시판을 확인하여 한우, 육우, 수입육 등 소고기의 종류를 선택하여 구매할 것

▌그림 6-5 소도체의 근내지방도 기준

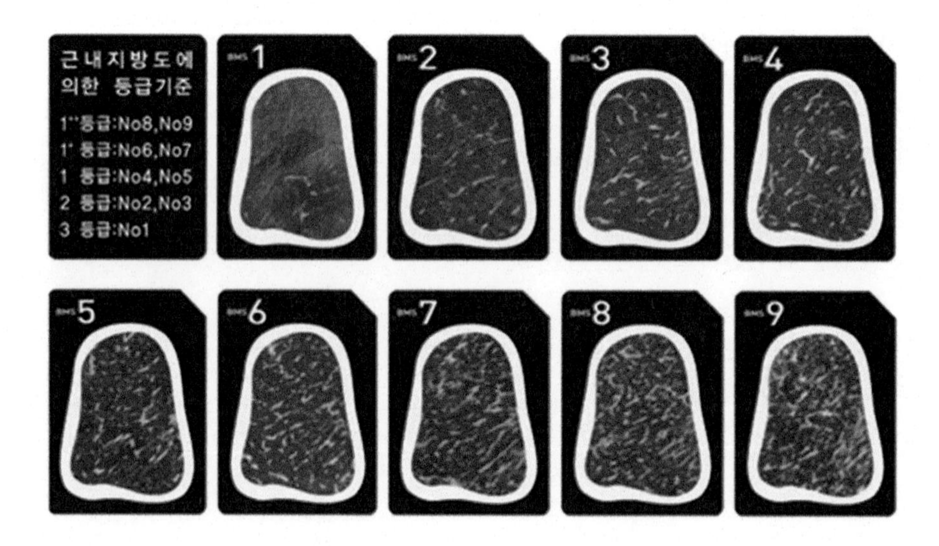


### (2) 돼지고기

① 육색 : 엷은 선홍색을 띠는 것

② 지방색 : 백색을 띠는 것

③ 특유의 불쾌취가 나지 않는 것

④ 탄력이 있고 윤기가 나며 육즙이 나와 있지 않은 것

⑤ 품질은 육색, 지방색과 질, 조직감, 지방의 침착 정도 등에 의해 결정됨 (그림 6-6, 그림 6-7)

▌그림 6-6 돼지 도체의 육색 기준

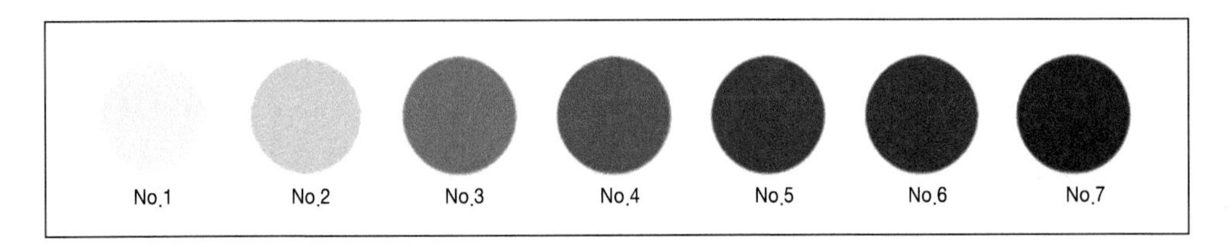


▌그림 6-7 돼지 도체의 근내지방도 기준

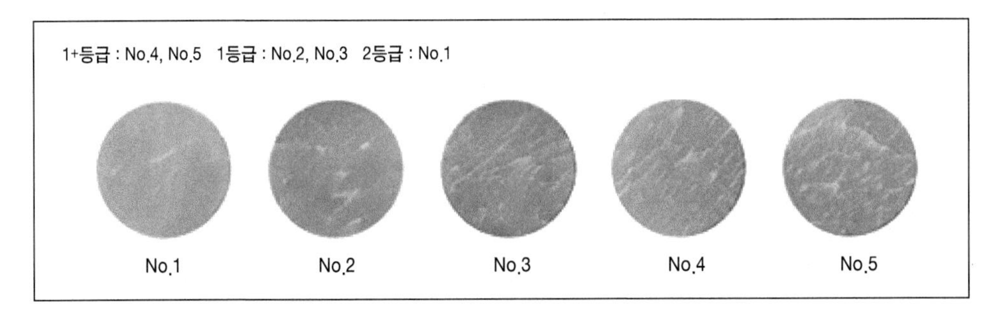


### (3) 닭고기

① 육색 : 선명하고 투명하며 광택이 있는 것

② 지방색 : 담황색을 띠는 것

③ 육질이 단단하고 탄력성이 있는 것

### (4) 육류가공품(훈제품)

- 제조일 및 유통기한을 확인할 것
- 포장 상태의 손상 유무를 확인할 것

① 햄

- 탄력 있고 육질이 밀착되어 있는 것
- 자른 단면이 신선한 장미색을 띠는 것
- 특유한 향기와 훈연한 냄새가 있는 것

② 소시지

- 자른 단면이 담황색을 띠는 것
- 향기와 끈기가 있으면서 이취가 나지 않는 것

③ 베이컨

- 지방이 끈적거리지 않는 것
- 살과 지방의 두께가 일정한 것
- 특유의 훈연 냄새가 나며 광택이 있는 것

## 2) 어패류

### (1) 어류

- 아가미 : 선홍색을 띠는 것
- 안구 : 맑고 투명하며 돌출된 것
- 경도 : 단단하고 탄력이 있는 것
- 복부 : 내장이 단단하게 붙어 있는 것
- 비늘 : 한쪽으로 고르게 밀착되어 있는 것
- 어취 : 어종 고유의 해수어, 담수어 냄새가 나는 것
- 체표 : 점질물이 투명하고 점착성이 적으며, 어종 특유의 색채를 가진 것

① 건조어

- 불쾌취가 나지 않는 것
- 생선 고유의 모양을 유지하는 것
- 손상된 부분이 없고 건조 상태가 좋은 것

- 흙 · 모래 · 먼지 등의 이물질이 부착되어 있지 않는 것

② 염장어

- 살이 단단하고 탄력이 있으며 바싹 마르지 않은 것
- 내장 등의 이물질이 남아 있지 않고 살이 눌렀거나 뼈에서 떨어지지 않은 것

③ 냉동어

- 포장 용기 내부에 많은 얼음이 얼어 있거나 물이 고여 있지 않는 것

### (2) 조개류

- 껍데기가 얇은 것
- 산란기를 피할 것
- 가능한 한 살아 있는 것으로 패주가 풀어지지 않는 것

① 굴

- 유백색으로 탄력이 있는 것
- 특유의 냄새가 많이 나는 것
- 껍데기가 붙어 있는 것은 무거운 것
- 주름이 많고 통통하며 광택이 있는 것
- 가장자리의 검은 테가 선명하게 나 있는 것

② 홍합

- 입이 벌어지지 않는 것
- 껍데기가 깨지지 않은 것
- 흑자색의 광택이 나는 것
- 길이가 짧고 둥근 편인 것
- 홍합살에서 냄새가 나지 않고 살이 퍼지지 않는 것

③ 해삼

- 두께가 굵고 길이가 짧은 것
- 표면의 돌기가 뚜렷하고 많은 것

- 크기가 200g 이상으로 크고 단단한 것

#### (3) 갑각류

① 가능한 한 살아 있는 것
② 냉동 제품의 경우 살은 탄력성이 있으며 모양에 이상이 없고 강한 냄새가 나지 않는 것

#### (4) 연체류

① 오징어
- 몸통이 펴지지 않고 원형인 것
- 몸이 짙은 흑갈색이고 투명한 것
- 눌러 보았을 때 단단하고 탄력이 있는 것
- 배를 갈라 보았을 때 속살에 내장이 배지 않은 것

② 문어 · 낙지
- 흡착력이 좋은 것
- 살이 통통하고 윤기가 나는 것
- 적자색을 띠고 흡반(빨판)이 크고 뚜렷한 것

### 3) 달걀

달걀은 껍질의 상태, 기실의 크기, 난황 및 난백의 상태로 신선도를 판정(표 6-3, 6-4)하며 달걀 껍질에는 '살모넬라'라는 식중독의 원인균이 묻어 있는 경우가 있으므로 깨끗한 것이 좋다.

▌표 6-3 신선한 달걀의 판정 방법 및 특징

| 방법 | | 신선한 달걀의 특징 |
|---|---|---|
| 외관법 | | 껍질이 꺼칠꺼칠하고 광택이 없는 것 |
| 투광법 | | 햇빛, 투시검란기 등에 비추어 보았을 때 투명한 것 |
| 진음법 | | 흔들어 보았을 때 기실이 작아 흔들림이 없는 것 |
| 비중법 | | 6%의 소금물에 담가 보았을 때 밑으로 가라앉은 것 |
| 할란 판정법 | 난황계수 | 난황계수(난황의 높이÷난황의 직경)가 큰 것으로 난황이 높이 솟아 있는 것으로 신선란은 0.361~0442 정도이다. |
| | 난백계수 | 난백계수(난백의 높이÷난백의 직경)가 큰 것으로, 난백의 점도가 높아 퍼지지 않고 난황 주위에 모아져 있는 것으로 신선란은 0.14~0.17 정도이다. |

▌표 6-4 신선한 달걀과 오래된 달걀의 구분

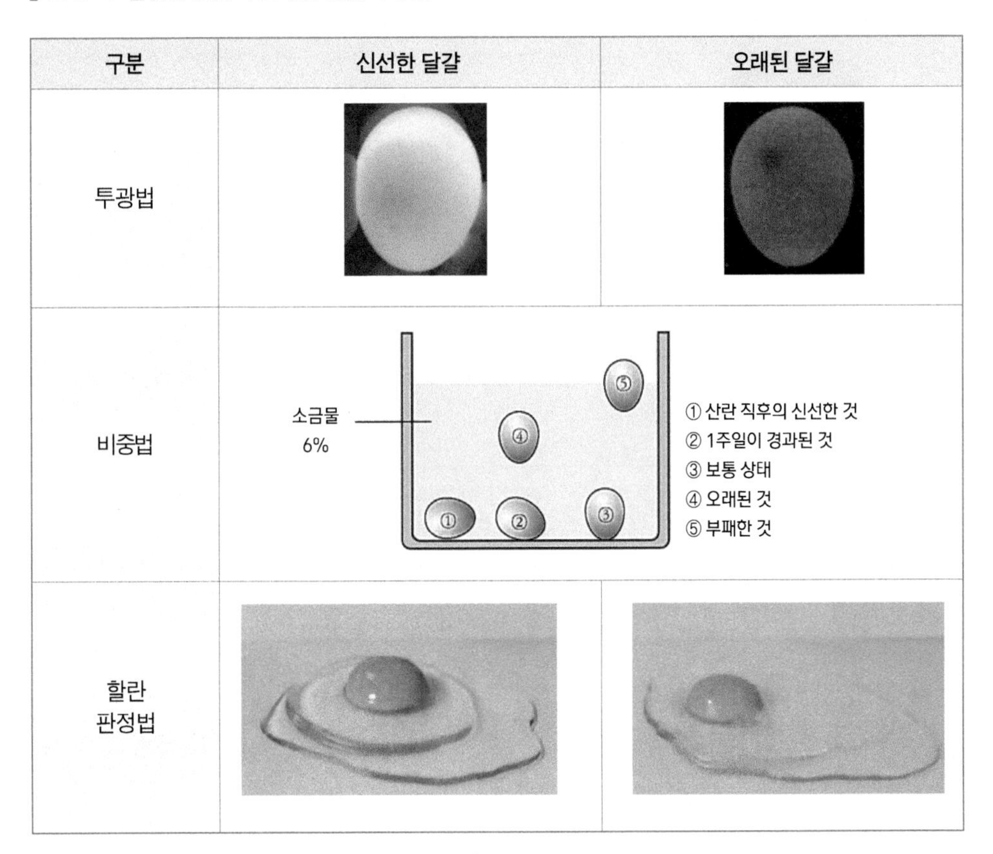

| 구분 | 신선한 달걀 | 오래된 달걀 |
|---|---|---|
| 투광법 | | |
| 비중법 | | |
| 할란 판정법 | | |

국내 시판 달걀의 등급 판정은 중량 규격과 품질 등급으로 구분한다. 즉 중량 규격에 따라 왕란, 특란, 대란, 중란, 소란으로 분류되고 품질 규격은 외관법, 투광법, 비중법, 할란 판정법 등을 통하여 1+등급, 1등급, 2등급, 3등급으로 구분되며(그림 6-8), 이는 포장 용기에 표시되어 있으므로 유통기한과 함께 확인한다(그림 6-9).

▌그림 6-8 달걀의 중량 규격 및 품질 등급

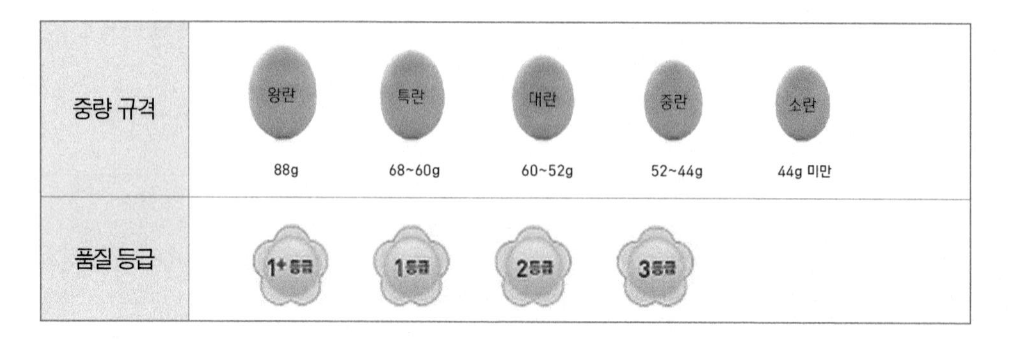


▌그림 6-9 달걀의 중량 규격 및 품질 등급

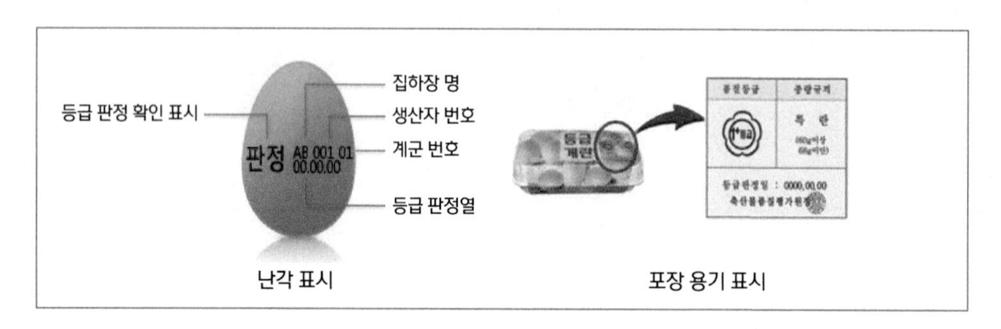


## 4) 콩류 및 가공품

콩류는 단백질과 지질의 함량이 많은 대두와 땅콩, 지방은 적고 탄수화물의 함량이 높은 팥, 녹두, 완두, 강낭콩 및 채소처럼 이용되는 청대콩, 껍질 콩 등이 있다.

#### (1) 대두 및 기타 두류

① 껍질이 얇고 알이 고르고 충실한 것
② 특유의 색과 광택, 낟알 모양을 가지고 있는 것
③ 충해나 병해가 없으며 이물질이 섞이지 않은 것

#### (2) 두부

① 눌러 보았을 때 탄력성이 있고 단단한 것
② 손실이 없고 쉬거나 이상한 냄새가 나지 않는 것
③ 색상이 누르스름하고 겉면이 곱게 정리되어 있는 것
④ 포장 두부는 포장 상태, 제조일 및 유통기한, 원산지 등을 확인할 것

## 3. 채소류

채소는 잎채소(엽채류), 줄기채소(경채소), 뿌리채소(근채류), 열매채소(과채류) 및 꽃채소(화채류)로 구분할 수 있는데 공통적으로 색, 광택, 모양, 크기, 연한 정도, 무게를 확인한다. 요즘은 친환경 농법으로 생산된 농산물이 판매되고 있는데 가격은 일반 채소류보다 비싸며, 제철에 노지에서 재배된 채소류들이 가격이 싸고 영양도 좋다.

### 1) 엽·경채류

잎 부분과 줄기 부분을 식용하는 채소로서 수분 함량이 높고 비타민과 무기질의 함량이 높으며, 잎이 진할수록 비타민 A 함량이 높다.

#### (1) 배추

① 반점이 없는 것
② 배추 뿌리 부분이 싱싱한 것
③ 결구의 상태가 모나지 않고 둥근 것
④ 배춧잎이 넓고 그다지 두껍지 않은 것

⑤ 잎이 많고 연하며 연녹색을 나타내는 것
⑥ 동일한 크기의 배추라면 가장 무거운 것
⑦ 중간 정도 크기의 육질이 연하고 단맛이 많은 것
⑧ 줄기의 흰 부분을 눌러 보아 단단하고 탄력이 있는 것

### (2) 양배추

① 속이 단단하고 무거운 것
② 절단했을 때 심이 없는 것
③ 뿌리 쪽이 튀어나오지 않은 것
④ 잎이 두껍지 않고 탄력이 있는 것
⑤ 겉껍질이 깨끗하며 녹색이 많은 것
⑥ 완전히 결구된 상태로 광택이 나는 것
⑦ 반을 나누어 판매하는 것은 속이 가지런한 것

### (3) 상추

① 잎이 연하고 두꺼운 것
② 물기가 없으며 크기가 일정한 것
③ 고유한 녹색을 잘 유지하고 있는 것
④ 상춧잎을 잘랐을 때 우윳빛 유액이 있는 것

### (4) 양상추

① 잎의 수가 많고 주름이 균일한 것
② 잎이 두껍고 색상이 연한 녹색인 것
③ 줄기의 길이가 짧고 결구 상태가 좋은 것
④ 주름의 수가 많고, 동일한 크기인 경우 무거운 것

### (5) 시금치

① 꽃이 피지 않은 것

② 강인한 줄기가 없고 부드러운 것
③ 한 뿌리에 잎이 많이 달려 있는 것
④ 줄기와 잎이 진한 녹색을 띠고 신선한 것
⑤ 잎의 뿌리가 짧고 뿌리의 붉은색이 진한 것
⑥ 뿌리를 잘랐을 때 단면이 싱싱하고 윤이 나는 것
⑦ 잎이 두껍고 싱싱하며 윤이 나고 벌레가 먹지 않은 것

### (6) 미나리

① 줄기가 굵고 연한 것
② 뿌리의 잔털이 잘 정돈된 것
③ 잎은 녹색을 나타내며 적은 것
④ 단이 흐트러지지 않고 이물질이 포함되지 않은 것

### (7) 대파

① 대가 너무 굵지 않은 것
② 흰 부분의 육질이 치밀하고 유연하며 곧은 것
③ 크기와 굵기가 일정한 것끼리 선별, 정선하여 묶은 것
④ 잎끝 부분은 시든 것 없이 진녹색으로 부드럽고 탄력이 있는 것
⑤ 마른 잎과 잔뿌리가 적절히 제거되고 토사 부착과 이물질이 적은 것

### (8) 근대

① 잎이 넓고 부드러운 것
② 잎이 상한 곳 없이 단단하고 광택이 있는 것
③ 줄기가 살이 찌고 연하며 지나치게 길지 않은 것

### (9) 아욱

① 대가 통통하고 연한 것
② 잎이 넓고 부드러우며 짙은 연두색인 것

### (10) 깻잎

① 줄기가 마르지 않은 것
② 잎의 크기가 균일하고 짙은 녹색으로 부드러운 것

### (11) 쑥갓

① 꽃대가 올라오지 않은 것
② 줄기가 짧고 잘 선별된 것
③ 잎이 푸르고 싱싱하며 광택이 있는 것
④ 줄기가 너무 굵지 않고 아래쪽에도 잎이 붙어 있는 것

### (12) 냉이

① 특유의 독특한 향이 강한 것
② 잎이 윤기가 있고 녹색이 진하며 너무 피지 않은 것
③ 줄기에 붉은빛이 없고 질기지 않으며 뿌리는 짧은 것

### (13) 달래

① 고유의 향과 맛이 있고 연한 것
② 알뿌리가 너무 크지 않고 둥글둥글한 것

### (14) 고사리

① 길이나 굵기가 고른 것
② 잎이 너무 펴지지 않는 것
③ 대가 통통하고 연하며 부드러운 것

### (15) 샐러리

① 품종 고유의 향이 뛰어난 것
② 밑 부분이 갈변되지 않은 것
③ 줄기가 시들지 않고 녹색이 선명한 것

④ 줄기가 연하고 굵으며 오목한 모양을 한 것
⑤ 잎은 담녹색 또는 녹색으로 윤기가 있는 것

### 2) 근채류

뿌리를 식용으로 하는 채소로 다른 채소에 비해 당질 함량이 더 높고 수분 함량이 적으며 비타민과 무기질의 함량은 높지 않다.

#### (1) 무

① 육질이 단단하고 치밀한 것
② 뿌리가 있는 부분이 깨끗한 것
③ 매운맛이 적고 감미가 있는 것
④ 동일한 부피일 때 더 무거운 것
⑤ 모양이 매끈하게 바르며 광택이 있는 것
⑥ 뿌리 부분이 하얗고 상처나 움푹 파인 곳이 없는 것

#### (2) 당근

① 모양이 곧고 윤기가 있는 것
② 육질이 연하고 감미가 있는 것
③ 선홍색으로 중심부까지 착색된 것
④ 심이 거의 없으며 싱싱해 보이는 것
⑤ 마디나 뿔이 없이 표면이 매끄러운 것
⑥ 윗부분과 아랫부분이 거의 일정한 정도로 통통한 것

#### (3) 연근

① 모양이 길고 굵은 것
② 무겁고 상처가 없는 것
③ 휘거나 건조되지 않은 것

④ 잘랐을 때 속이 희고 부드러운 것
⑤ 마디와 마디 사이가 길고 두꺼운 것
⑥ 엷은 주황색을 띠며 윤기가 있는 것
⑦ 잘랐을 때 구멍이 일정하고 검은 액체가 없는 것

### (4) 우엉

① 잘랐을 때 부드러운 것
② 갈라진 틈이 없고 모양이 굽지 않은 것
③ 굵기가 균일하며 직경이 3cm 정도인 것
④ 바람이 들지 않고 너무 건조하지 않은 것
⑤ 윤이 나고 싱싱하며 껍질에 흙이 묻어 있는 것

### (5) 양파

① 외피가 적황색이며 상처가 없는 것
② 윗면과 뿌리 부분을 눌러보아 단단한 것
③ 껍질에 광택이 있고 싹과 뿌리가 없는 것
④ 표면에 윤기가 있고 잘 건조되어 있는 것
⑤ 얇고 여러 겹으로 이루어진 껍질이 잘 벗겨지지 않는 것

### (6) 마늘

① 한지형 육쪽마늘을 선별한 것
② 윤기가 흐르고 알이 단단한 것
③ 겉껍질과 속껍질이 잘 부착된 것
④ 싹이 돋거나 썩은 공간이 없는 것
⑤ 쪽수가 적고 짜임새가 알차 보이는 것
⑥ 외형이 둥글고 깨끗하며 고유의 매운맛이 강한 것

### (7) 생강

① 모양이 울퉁불퉁한 것
② 육질이 단단하고 큰 것
③ 고유의 매운맛과 향기가 강한 것
④ 색이 다소 짙고 황토색을 나타내는 것
⑤ 한 덩어리에 발이 적게(6~7개) 붙어 있는 것

## 3) 과채류

열매를 식용하는 채소로 일반적으로 수분 함량은 높으나 칼로리와 단백질의 함량은 낮으며 엽채류보다 비타민 C와 카로틴의 함량이 낮다.

### (1) 오이

① 꼭지가 마르지 않은 것
② 육질이 단단하면서 부드러운 것
③ 껍질에 돋은 가시가 날카로운 것
④ 오이의 끝부분이 쓴맛이 적은 것
⑤ 끝에 꽃이 달려 있으며 굽지 않은 것
⑥ 반으로 잘랐을 때 씨가 생성되지 않은 것
⑦ 색이 고르고 굵기가 위와 아랫부분이 동일한 것

### (2) 애호박

① 껍질이 연두색이며 작은 것
② 모양이 곧고 광택이 있는 것
③ 육질이 과숙하지 않고 씨가 적은 것
④ 윗부분과 아랫부분의 굵기가 비슷한 것
⑤ 껍질은 연하고 육질이 치밀하고 단단한 것

### (3) 토마토

① 과일이 2/3 정도 숙성된 것
② 크고 단단하며 모양이 둥근 것
③ 붉은 빛깔이 선명하고 균일한 것
④ 꼭지가 단단하고 시들지 않은 것
⑤ 과피의 색이 짙고 윤기가 나는 것

### (4) 가지

① 껍질이 얇고 육질이 연한 것
② 구부러지지 않고 모양이 바른 것
③ 속이 꽉 차 있으면서 씨가 여물지 않은 것
④ 색이 흑자주색으로 선명하고 윤기가 있는 것

### (5) 피망

① 색이 고르고 양호한 것
② 표피가 두껍고 광택이 있는 것
③ 무게가 적당하고(60~80g), 꼭지 상태가 청결한 것

### (6) 풋고추

① 과피가 두껍고 씨가 적은 것
② 외관상 착색 상태가 좋은 것
③ 모양이 곧고 껍질이 두꺼운 것
④ 꼭지가 싱싱하며 윤기가 나는 것

## 4) 화채류

### (1) 콜리플라워

① 꽃눈이 벌어지지 않은 것

② 꽃봉오리의 색이 연노랑색인 것

③ 꽃덩어리가 크고 깨끗하며 싱싱한 것

④ 솜털이 일어났거나 작은 잎이 돋아나지 않은 것

### (2) 브로콜리

① 줄기는 연하며 단단한 것

② 작은 꽃송이들이 많이 피지 않은 것

③ 진한 푸른색이며, 꽃봉오리의 작은 꽃들이 조밀하고 쌀알 크기인 것

## 4. 과일류

과일류는 저장성이 좋은 식품이 아니므로 가능한 신선한 것을 선택하며, 과일의 성숙도, 색, 모양, 광택, 향기와 무게를 확인하고 구매한다.

### (1) 사과

① 과즙이 많으며 단맛이 많은 것

② 꼭지의 반대 부위가 담황색인 것

③ 껍질에 탄력이 있고 꽉 찬 느낌이 드는 것

④ 손가락으로 튕겨 보았을 때 맑은 소리가 나는 것

⑤ 상자로 구매할 경우는 알의 굵기와 중량이 균일한 것

⑥ 껍질 색이 고르고 밝은 느낌을 주며 너무 크지 않는 것

### (2) 배

① 과피가 얇고 매끈한 것

② 껍질이 팽팽하며 무게가 묵직한 것

③ 수분 함량이 많고 당도가 높으며 싱싱한 것

④ 품종 고유의 색을 유지하며, 윤기가 나고 깨끗한 것

⑤ 아삭아삭하고 뒷맛이 개운하며 찌꺼기가 씹히지 않는 것

### (3) 귤

① 크기는 중간 정도인 것
② 단단하고 속이 꽉 찬 것
③ 색상이 선명한 주황색인 것
④ 껍질이 얇고 쪽수가 적은 것
⑤ 적당한 크기에 초록색 꼭지가 달린 것

### (4) 복숭아

① 향기가 강한 것
② 핵 주면에 섬유질이 적은 것
③ 과육이 부드럽고 즙이 많은 것
④ 알이 크고 고르며 상처가 없는 것
⑤ 육질이 연하고 과즙이 많으며 단맛이 좋은 것

### (5) 포도

① 과피에 하얀 분이 많은 것
② 과피가 얇고 당도가 높은 것
③ 포도송이의 아래쪽이 달콤한 것
④ 포도 알의 색과 크기가 일정한 것
⑤ 줄기가 파랗고 알맹이가 꽉 찬 느낌이 드는 것

### (6) 딸기

① 굵고 크기와 모양이 균일한 것
② 꼭지가 싱싱하며 외피에 손상이 없는 것
③ 과육이 단단하고 독특한 향기가 강하며 당도가 높은 것

### (7) 참외

① 껍질이 얇은 것

② 전체적으로 모양이 타원형이면서 육질이 단단한 것

③ 노란색이 진하고 골이 깊으면서 줄무늬가 분명한 것

### (8) 수박

① 과육의 수분 함량이 많은 것

② 껍질이 얇고 탄력이 있는 것

③ 꼭지 부위의 줄기가 싱싱한 것

④ 껍질 색은 짙은 암록색이고 검은 줄무늬는 진하고 뚜렷한 것

### (9) 멜론

① 그물망이 치밀하고 꼭지가 마르지 않은 것

② 꼭지 반대편을 눌러 보았을 때 살짝 들어가며 부드러운 것

### (10) 파인애플

① 후숙이 잘된 것

② 외피가 약간 황갈색인 것

③ 손으로 눌렀을 때 과육이 부드러운 것

### (11) 바나나

① 후숙이 잘된 것

② 크기가 굵고 고른 것

③ 과육이 단단해 보이는 것

④ 상처가 없고 윤기가 있는 것

### (12) 키위

① 모양이 고른 것

② 윤이 나고 엷은 갈색인 것

③ 손으로 눌렀을 때 탄력이 있고 말랑한 것

④ 표면의 솜털이 깨끗하게 정리되어 있으며 상처가 없는 것

## 5. 버섯류 및 해조류

### 1) 버섯류

#### (1) 느타리버섯

① 표면에 윤기가 나며 향기가 강한 것
② 갓은 부채꼴의 회갈색으로 너무 피지 않은 두꺼운 것
③ 대의 길이나 갓이 균일하고 탄력이 있으며 육질이 부드러운 것

#### (2) 새송이버섯

① 고유의 향기가 뛰어난 것
② 갓은 우산형이고 크고 무거운 것
③ 자루가 굵고 육질이 부드럽고 단단하며 탄력이 있는 것

#### (3) 송이버섯

① 고유의 향기가 뛰어난 것
② 색상이 자연스럽고 광택이 있는 것
③ 갓이 피어나지 않고 둥근 모양으로 줄기가 단단한 것

#### (4) 팽이버섯

① 머리가 떨어지지 않은 것
② 줄기는 가지런하며 통통한 것
③ 갓이 펴지지 않고 중심부가 담갈색인 백색인 것

#### (5) 표고버섯

① 줄기가 짧고 짙은 황갈색을 띠는 것
② 모양이 원형, 타원형으로 고르고 일정한 것
③ 갓 안쪽의 주름은 뭉개지지 않고 순백색으로 깨끗한 것

④ 갓이 너무 피지 않고 안쪽으로 말리는 모양을 하고 광택이 나며 두꺼운 것

### 2) 해조류

#### (1) 김

① 맛이 담백한 것
② 건조 상태가 좋고 이물질이 없는 것
③ 불에 구웠을 때 청록색으로 변하는 것
④ 빛깔이 검고 윤기가 있으며 두께가 얇고 균일한 것
⑤ 특유의 향이 진하고 검정색 바탕에 약간 붉은색을 띠는 것

#### (2) 미역

① 줄기가 가늘고 잎이 넓은 것
② 건조 상태가 좋고 이물질이 없는 것
③ 진한 녹색으로 검은색을 띠며 윤기가 있는 것
④ 말린 미역은 물에 담갔을 때 너무 풀어지지 않는 것

#### (3) 다시마

① 두껍고 광택이 있는 것
② 검은색에 녹갈색을 띠는 것
③ 표면에 흰 분이 퍼져 있는 것
④ 고유의 향기가 있고 잘 건조된 것

## 6. 우유 및 유제품

#### (1) 우유

① 약간 단맛이 나는 것

② 색은 유백색에서 약간 형광색을 띠는 것

③ 뚜껑을 열었을 때 우유의 독특한 향기 이외에는 아무런 냄새도 없는 것

④ 용기나 뚜껑이 손상되지 않고 유통기한을 확인하여 생산 일자가 최근인 것

⑤ 컵 속에 우유를 한 방울 떨어뜨렸을 때 구름과 같이 퍼지면서 내려가는 것

#### (2) 연유

① 유백색에서 황색을 띠는 것

② 이미(異味), 이취(異臭)가 없는 것

③ 종류 : 가당연유, 무당연유

#### (3) 분유

① 고운 분말로 담황색을 띠는 것

② 이미(異味), 이취(異臭)가 없는 것

③ 밀봉 여부와 유통기한을 확인할 것

④ 종류 : 전지분유, 탈지분유, 조제분유

#### (4) 크림

① 유통기한을 확인할 것

② 종류 : 커피 크림(유지방 18~30%), 라이트 휘핑 크림(유지방 30~36%), 헤비 휘핑 크림(유지방 36% 이상)

#### (5) 치즈

① 지나치게 건조되지 않은 것

② 기름이 배어 나오지 않는 것

③ 수입 연월일, 제조 연월일을 확인할 것

④ 변색되지 않은 담황색으로 단맛과 산뜻한 맛이 나는 것

⑤ 물기가 겉돌지 않으며 곰팡이나 얼룩, 흠이 없어야 하고 손상되지 않은 것

⑥ 종류 : 연질 치즈, 반경질 치즈, 경질 치즈, 초경질 치즈

## 7. 견과류 및 유지류

### 1) 견과류

견과류는 지방 함량이 많은 식품으로 오래되면 산패하므로 불쾌한 냄새가 나지 않으며 곰팡이가 없는 것을 선택한다.

#### (1) 밤

① 들어 보았을 때 무거운 것
② 껍질이 윤이 나며 갈색인 것
③ 크기가 균일하며 주름이 없는 것

#### (2) 호두

① 외피가 깨끗하고 골이 얕은 것
② 속이 비어 있지 않고 꽉 찬 것
③ 알호두는 속피가 노랗고 윤기가 있으며 깨끗한 것

#### (3) 잣

① 맛이 고소한 것
② 크기가 균일하고 통통한 것
③ 고유의 색과 윤기가 있고 건조 상태가 양호한 것

### 2) 유지류

- 특유한 상태와 색을 지니고 있으면서 변색 · 착색되지 않은 것
- 액체 유지류는 투명하고 점도가 낮으며 무미, 무취인 것(참기름 등 예외)
- 종류 : 상온에서 고체 상태, 상온에서 액체 상태

## 8. 기타 식품

### 1) 가공식품

가공식품은 유통기한, 품질 표시, 포장 상태를 확인하여 구매한다.

#### (1) 냉동 제품

① 재냉동이 되지 않은 것
② 보관 온도를 확인할 것(-18℃ 이하)
③ 포장 용기 내부에 얼음이 적은 것

#### (2) 통조림

① 상표가 부착되어 있는 것
② 내용물이 새어 나오지 않은 것
③ 통조림 내부가 검은색으로 변하거나 녹슬지 않은 것
④ 통조림의 외관이 녹슬거나 찌그러지지 않고 팽창되어 있지 않은 것

#### (3) 병조림

① 병조림의 밀착 부분이 안전한 것
② 외부가 깨끗하고 상표가 변색되지 않은 것
③ 뚜껑이 돌출되거나 들어가지 않고 두드렸을 때 맑은 소리가 나는 것

### 2) 조미료

#### (1) 간장

① 전체적으로 적갈색을 띠면서 투명하고 광택이 있는 것
② 자극적인 맛이 나지 않고 단맛이 나며 특유의 향을 가지고 있는 것

#### (2) 설탕

① 순수한 단맛을 가진 것

② 착색되지 않고 결정이 고른 것

③ 수분이 적고 고형물이나 다른 성분을 포함하지 않는 것

### 3) 수입 식품

포장 상태, 원산지, 수입원, 주재료, 유통기한, 반품이나 교환할 수 있는 연락처를 확인한다.

## 6-4 식품의 보관

식품은 구매한 후 조리할 때까지 영양 손실을 줄이고 부패되지 않도록 올바른 저장 방법으로 적절한 장소에 보관해야 한다. 적절한 저장관리로 장기 보관하면 식생활비와 식사관리 시간을 절약할 수 있다. 식품을 보관할 수 있는 장소로는 지하실·창고·냉장 냉동고·다용도실 등이 있는데, 식품은 종류에 따라 보관 및 저장 장소를 분류해야 하며, 식품을 보관할 장소는 적당한 온도와 습도가 유지되면서 통풍이 잘되고 세균 번식이 없는 곳이어야 한다.

집 안에 보관하고 있는 식품은 언제나 손쉽게 꺼내 쓸 수 있도록 정리·정돈되어 있어야 하며, 유통기한이 가장 적게 남은 것이나 먼저 구매한 식품을 먼저 사용하는 선입선출방식(first in first out, FIFO)으로 관리하는 것이 좋다. 선입선출이 되기 위해서는 식품마다 구매 일자 꼬리표를 부착하고 나중에 들어온 것을 뒤편에 보관하는 것이 편리하다.

## 1. 실온 보관

곡류, 근채류, 건조식품, 통조림, 병조림, 파우치 제품, 열대과일 등은 적절한 온도와 습도가 유지되며 환기가 잘되고 직사광선이 닿지 않으며 방충, 방서가 가능한 곳에 실온 보관한다.

## 2. 냉장 · 냉동 보관

### 1) 냉장실

냉장실은 0~10℃(습도 75~95%)의 온도를 유지하는데, 육류 · 생선 · 달걀 · 유제품 · 채소 · 과일 등을 보관할 때나 냉동식품을 해동할 때 사용한다. 냉장 상태는 미생물의 번식을 지연시킬 뿐 완전히 차단할 수는 없으므로 저장 기간이 길지는 않다.

음식 재료를 저장할 때에는 전체 유효 용적의 70%만 저장하여 냉기의 흐름이 원활하도록 간격을 두고 저장하여야 하고, 필요한 물품은 일시에 꺼내도록 계획하여 냉장고 개폐 횟수를 줄임으로써 온도가 잘 유지되도록 해야 한다. 육류나 생선 등은 온도가 낮은 냉동실 가까운 곳에 보관하고, 채소나 과일은 2단이나 3단 채소 보관함에 넣어 보관하며, 냄새를 흡수하는 식품(달걀, 버터 등)은 냄새나는 식품(김치, 생선 등)과 분리 보관하는 등 각 식품별로 적절한 온도와 장소에 보관하고, 선입선출이 가능하도록 식품을 배열해야 한다.

냉장고에 식품이나 음식을 넣을 때는 투명 용기에 담아 내용물을 알 수 있게 하는 것이 편리하며 육안으로 구별하기 어려운 것은 원래 포장지의 유통기한과 함께 상표명 부분을 용기 앞쪽에 붙인다. 냉장고에 식품을 보관할 때는 용기에 넣거나 랩으로 싸서 저장하여 교차오염을 예방하며, 뜨거운 것은 먼저 식히고 나서 냉장고에 넣어야 냉장고의 온도가 높아지지 않는다.

### 2) 냉동실

냉동실은 주로 육류 등 장기간 냉동해 두었다가 사용할 수 있는 음식 재료를 보관하며, -24 ~ -18℃의 온도를 유지하도록 한다. 최근 냉동실의 이용이 크게 확대되고 보편화되었지만, 냉동하더라도 보존 기간이 길면 탈수·오염·부패 등으로 품질 저하가 일어나면서 미생물의 증식으로 인한 식중독 발생 가능성도 있으므로 보존 기간은 1~3주가 적당하다.

냉동할 때는 투명한 플라스틱 용기에 식품을 넣어두면 내용물을 볼 수 있어 편리하며, 냉동은 장기 보관 방법이므로 식품의 구매 일자가 명시된 스티커를 보관 용기에 붙여 놓는 것이 좋다. 또한, 냉동식품을 해동해서 조리해야 하는 경우는 냉장실에서 해동하는 것이 위생적으로 안전하며 일단 해동한 식품은 재냉동하지 않도록 한다.

### 3) 김치냉장고

김치냉장고는 김치의 발효 조건에 맞게 개발된 기기로 벽면 자체가 냉각되는 방식이며 일반 냉장고에 비해 온도 변화가 적어 김치를 장기간 저장하기가 좋다. 이와 같이 정확한 온도 조절이 되는 장점으로 인하여 김치 이외에 채소나 과일을 보관하는 경우에도 냉장고보다 신선도가 오래 유지되어 활용도가 높다. 그러나 채소나 과일을 보관할 때는 냄새가 배지 않도록 김치와 다른 구역에 보관하고 냉해를 막기 위해 온도를 조금 높이는 것이 좋다.

## 3. 건조 보관

건조법은 식품의 저장 방법 중 가장 오래된 방법으로 식품의 수분 함량을 줄여 보존성을 증가시키고 안전하게 저장하는 방법이다. 식품을 건조하면 실온에서도 장기간 저장이 가능하며, 중량과 부피가 줄어 보관 공간을 줄일 수 있는 장점이 있다. 식품을 그대로 건조하는 경우도 있지만 채소나 과일의 경우에는 데쳐서, 육류나 어류는 소금에 절인 후 건조해야 품질을 유지할 수 있다.

건조하면서 품질을 보존하기 위해 필요한 햇빛과 바람이 충분하지 않으면 건조하는 동안 변질될 가능성이 높아지므로 자연 건조가 어려운 경우는 식품 건조기를 이용하기도 한다.

## 4. 식품별 보관 방법

현대는 생활이 바빠지면서 식품을 매일 구매하기보다는 1주일에 1~2회 정도 구매하여 냉장고나 다용도실에 식품 재료를 보관하는 형태로 바뀌고 있다. 식품은 보관하는 방법에 따라 품질이 변화되므로 식품마다 적절한 보관 방법을 선택하여 신선도와 맛을 유지하는 것이 필요하다.

### 1) 곡류

곡류는 온도 및 습도가 낮고 햇빛이 닿지 않는 곳에 보관한다. 도정된 쌀은 해충이나 미생물들이 침범하기 쉽고 온도나 습도의 영향을 빨리 받아 변질되기 쉬우며 밥맛도 나빠지므로, 대량 포장보다는 적당한 소포장으로 구매하여 가능한 한 빨리 소비하는 것이 좋다. 쌀을 상온에 보관하여 쌀벌레가 생기면 그늘에 펴서 말리고, 붉은 고추나 숯, 마늘을 넣어 두면 쌀벌레가 잘 생기지 않는다. 곡류도 장기 보관이 필요하다면 냉장·냉동 보관할 수 있다.

### 2) 육류

육류는 실온에서 쉽게 변패하므로 낮은 온도에서 보관한다. 냉장육은 신선육으로서 냉동육에 비해 육질에 큰 손상이 생기지 않아 제품 가치가 높지만 냉장 온도에 따라 품질이 크게 좌우되므로 4℃ 이하의 저장 조건을 일정하게 유지하는 것이 매우 중요하다. 육류를 장시간 저장할 필요가 있을 경우 냉동시키게 되는데 -20℃ 이하에서 빠르게 냉동 저장하게 되면 화학적, 효소적 변화를 최소화시키고 미생물의 증식을 억제할 수 있다. 냉동할 때는 한 번 조리할 양만큼 소분하고, 고기 표면에서 수분이 마르는 냉동

변색을 막기 위해 밀폐 용기에 넣거나 비닐백에 담아 보관하는 것이 좋다.

### 3) 어패류

생선은 구매한 후 바로 조리하는 것이 가장 좋으며, 저장해야 할 경우에 짧은 기간이라면 냉장하고 장기 보관할 경우에는 냉동한다. 그러나 냉장 온도에서도 부패를 촉진하는 효소가 활동하므로 2~3일 이내에 조리하고 냉동 저장할 경우에도 -18℃ 이하에서 6개월 이상은 보관하지 않는 것이 좋다.

생선은 구매 즉시 내장을 제거하고 소금물로 깨끗이 손질한 후 다른 음식에 비린내가 스며들지 않게 밀봉하여 보관해야 하며, 조개류는 모래를 토해내면 신선도가 떨어지므로 씻지 말고 냉장고에 보관한 뒤 필요에 따라 사용한다. 냉동할 경우에는 표면의 수분을 잘 제거하고 밀봉하여 1회 분량씩 냉동한다. 육포, 굴비, 북어 등의 건어물도 습기가 스며들지 않도록 밀봉하여 냉동실에 보관한다.

### 4) 달걀

달걀은 둥근 쪽에 기실이 있으므로 뾰족한 곳이 아래로 향하도록 하고, 냉장고 문 쪽의 달걀 보관실에 보관하는 것이 편리하게 사용할 수 있다. 달걀은 냄새를 잘 흡수하므로 냄새가 강한 식품과 같이 보관하지 않는다.

### 5) 채소 및 과일류

채소는 가능한 한 직사광선을 받지 않는 서늘한 곳이나 냉장고에서 저온 저장해야 한다. 진흙이 묻은 채소는 표면을 깨끗이 씻어서 냉장 보관한다. 잎채소는 물을 약간 적신 후 보관 용기에 담고 파나 우엉은 적당한 크기로 잘라 밀봉하여 냉장 보관한 후 조리 직전에 씻는다.

오이, 토마토, 가지 등은 밀봉하여 채소 칸에 보관하며, 시금치는 뿌리를 씻고 수분을 제거하여 냉장하거나 데친 후 용기에 넣어 냉장·냉동한다. 아울러 감자, 양파, 고구마 등은 바람이 잘 통하는 바구니에 담아 습기가 적은 장소에 보관한다.

열대과일을 제외한 과일은 냉장 보관하고, 사과는 에틸렌가스가 많이 나와 다른 과일을 숙성시키므로 별도로 보관한다.

### 6) 우유 및 유제품

우유는 냉장 보관하며 냄새를 잘 흡수하므로 개봉 후에는 밀폐하여 보관한다.

버터는 유지의 자동 산화에 의한 품질 저하나 오염을 방지할 수 있는 곳에 보관하며, 냄새를 흡수하는 성질이 있으므로 냉장고에 보관할 때는 밀폐 용기에 넣거나 사용하기 편한 크기로 잘라 밀봉한 상태로 -18℃ 이하에서 냉동 보관하면 장기간 보관이 가능하다.

치즈는 냉장고에서 보관하는 것이 좋다. 개봉한 치즈는 진공포장이나 밀봉하여 3~5℃ 내외에서 냉장 보관하며, 0℃ 이하에서 보관하면 치즈에 함유된 수분이 얼어 치즈가 부서지고 풍미가 저하되므로 바람직하지 않다. 수분 함량이 적은 경질 치즈, 초경질 치즈는 냉동이 가능하므로 밀봉하여 냉동 보관하며, 냉동 저장된 것은 해동 후 재냉동은 피하는 것이 좋다.

### 7) 기타

#### (1) 가공식품

표시된 보관 방법을 확인하고 지시에 따라 저장하도록 한다. 캔에 들어 있는 식품은 개봉 시 캔 내부의 금속이 공기와 접촉하게 되면서 산화되어 식품을 오염시킬 수 있으므로 사용하고 남은 식품은 다른 용기에 옮겨 냉장 보관하여야 한다.

#### (2) 건어물

멸치, 미역, 다시마, 북어, 오징어 등의 건어물은 종이에 싸서 습기가 없는 건조한 장소에 보관하거나 장기 보관이 필요한 경우에는 냉동 저장한다. 냉동실에 보관할 때에는 탈수되지 않도록 밀폐 용기에 넣거나 포장해서 저장한다.

### (3) 견과류

견과류는 불포화지방산이 많아 산화되기 쉬우므로 밀폐 용기에 담아 서늘한 곳에 보관하는 것이 좋다.

### (4) 조미료

설탕, 소금, 후추, 깨, 기름 등은 매일 사용하는 것이므로 조그만 용기에 담아서 주방에서 사용하도록 하고 나머지는 건조하고 서늘한 곳에 보관한다.

# PART 07 식생활 문화

PART 07

# 식생활 문화

## 7-1 한국의 식생활 문화

### 1. 식생활 문화의 형성 배경

우리나라의 식생활은 자연환경과 사회환경, 통과의례 등의 생활 풍토 속에서 독특한 문화 양식을 이루어 왔다. 사계절의 구분이 뚜렷하고 3면이 바다로 되어 있으며 농경이 주를 이루고 있는 자연환경은 식생활에 영향을 미쳐 계절에 따른 식생활관리를 하게 하였고, 수산 자원을 활발하게 이용할 수 있게 하였으며, 곡물을 상용하고 농경 중심의 제천의식이 발달하게 하였다. 제천의식은 가무 음주(歌舞飮酒)를 하며 하늘에 제사지냈던 것이므로 술과 함께 발전하였으며, 술의 발효법은 음식물을 띄우는 법, 혹은 썩히는 법으로 발전되어 일찍이 장 담는 방법, 김치, 장아찌 등 음식을 장기 보존하는 저장법이 발전하게 되었다.

식기나 조리기구도 식사의 내용이나 식생활 습성과 함께 발전되어 왔는데, 삼국 시대에는 상류층과 서민 계급의 식생활이 이중 구조를 형성함에 따라 상차림과 식기류의 계층화가 이루어졌으며, 고려 시대 청자의 발달은 식기의 고급화를 가져왔다. 조선 시대에는 백자가 만들어져 실용적이며 소박하고 세련된 식기를 사용하게 되었고, 유교문화의 영향으로 공자 시대에 사용했던 숟가락을 사용하는 수저 문화가 정착되어 숟가락으로 죽이나 국물을 먹는 식사법이 발달하게 되었다.

고려 시대의 불교나 조선 시대 유교의 전래 등 종교 생활도 우리나라 식생활 문화에 많은 영향을 미쳐서 고려 시대의 숭불사상은 육식 절제 풍습을 초래하였고 국물김치, 쌈싸기 등 소박한 채소 음식과 차, 과정류를 발전시켰으나 조선 시대에는 유교문화의 영향으로 음다(飮茶) 풍습이 쇠퇴하고 그 대신 숭늉, 막걸리를 마시게 되었다. 또한, 유교문화는 조상에 대한 봉제사, 가부장 제도를 중요시하여 제사 음식을 발달하게 하였고 여러 가지 통과의례 시 식생활을 규정하는 요소가 되어 상차림이나 식사 예절에 독특한 생활관습을 낳게 하기도 하였으며, 향약의 연구 보급으로 음식에 약식동의(藥食同意)의 개념을 토착화시켜 약효가 있는 식품들을 일상 식생활에 자연스럽게 가미하게도 하였다.

우리나라는 중국 대륙이나 남방 해양문화의 교류에 의해서도 식품 유입과 함께 식생활 문화에 영향을 받게 되었다. 고려 중기 이후 숭불사상에 의한 육식 절제 풍습은 몽고의 침입으로 쇠퇴되어 다시 육식이 성행하게 되었고, 설렁탕, 소주, 상화, 포도주, 사탕, 후추 등이 유입되었으며, 우리나라의 상추쌈과 약과가 원나라에 전해지기도 하였다. 조선 시대에는 옥수수, 땅콩(낙화생), 호박, 토마토, 고구마, 고추 등 남방 식품이 일본을 경유하여 유입되었는데, 16세기 말 고추의 전래는 기존의 침채류를 다양한 김치로 발전하게 하여 우리나라 식생활에 대변혁을 일으켰다. 일제강점기에는 식생활이 극도로 궁핍하였지만 가공식품이 제조되어 식생활이 다양해졌고, 19세기 중엽 이후 개화기에는 국제 항쟁의 소용돌이 속에서 외부의 침략을 받으면서 서양의 식생활 문화가 전래되어 커피와 숭늉, 밥과 빵을 같이 먹게 되었고 수저와 포크, 스푼을 혼용하는 등 한식과 양식이 혼합된 이중 구조의 식문화를 이루게 되었다.

현재 우리나라의 식생활은 식품 산업의 발달로 과자류, 라면, 통조림, 장류, 육가공품 등의 가공식품과 청량음료와 알코올음료 등의 기호식품이 많이 생산, 소비되고 있으며, 식생활의 서구화 추세로 쌀 소비량은 감소하는 반면 밀가루 음식의 소비량이 높아지고 있어 쌀 재고를 방지하고 소비를 촉진하기 위한 전통식품의 개발이나 전통적 식생활습관으로의 전환을 도모하고 있다. 또한, 최근의 서구식 식생활은 고단백, 고지방, 고당질 식품의 과잉 섭취에 의한 생활습관병 발병률을 증가시키고 있으므로 건강식품,

자연식품 등에 대한 지나친 관심을 일으키고 있다. 따라서 건강한 식생활을 영위하기 위해서는 한국인 영양섭취기준에 부합되는 합리적이고 균형 있는 식생활을 실천하도록 노력하여야 한다.

## 2. 한국 음식의 특징

### 1) 일반적 특징

① 우리나라 식사는 준비된 음식을 모두 한 상에 차려 놓고 먹는다. 음식을 한 가지씩 차례로 먹는 중국이나 서구(西歐)의 시간 전개형(時間展開形) 식사법과는 달리 모든 음식을 한 상에 차려 놓고 먹는 공간 전개형(空間展開形) 식사법이다.

② 주식과 부식으로 구분된다. 밥을 주식으로 하고 각종 반찬을 부식으로 하며 국물이 있는 음식, 특히 뜨거운 것을 즐겨 먹으므로 식사 시에는 반드시 수저를 사용한다.

③ 조리법이 다양하여 국, 찌개, 전골, 회, 구이, 조림, 볶음, 튀김, 전, 생채, 숙채, 김치, 장아찌, 젓갈 등 다양한 방법으로 음식을 만들어 먹는다.

④ 술, 젓갈류, 장류, 김치류 등 저장식품 및 발효음식이 발달하였고, 특히 장류는 한 가정의 음식 맛을 좌우하며, 그 집안의 길흉을 가늠하는 잣대로도 여겨졌다.

⑤ 궁중 음식과 반가 음식, 서민 음식을 비롯하여 각 지역마다 다른 향토 음식이 발달되어 전승되고 있다.

## 2) 지역별 특징

### (1) 서울 음식의 특징

▌그림 7-1 꼬리곰탕

서울 지방은 자체에서 나는 산물은 별로 없으나 전국 각지에서 생산된 여러 가지 재료가 수도인 서울로 모였기 때문에 이것들을 다양하게 활용하여 사치스러운 음식을 만들었다. 서울은 조선 시대 초기부터 500년 이상 도읍지였으므로 아직도 서울 음식은 조선 시대 음식풍이 남아 있다.

서울 음식의 간은 짜지도 맵지도 않은 적당한 맛을 지니고 있다. 왕족과 양반이 많이 살던 고장이라 격식이 까다롭고 맵시를 중히 여기며, 의례적인 것을 중요시하였다.

양념은 곱게 다져서 쓰고, 음식의 양은 적으나 가짓수를 많이 만든다. 북쪽 지방의 음식이 푸짐하고 소박한 데 비하여 서울 음식은 모양을 예쁘고 작게 만들어 멋을 많이 낸다.

궁중 음식이 양반집에 많이 전해져서 서울 음식은 궁중 음식과 비슷한 것도 많이 있으며 반가 음식도 매우 다양하였다.

### (2) 경기도 음식의 특징

▌그림 7-2 개성무침

경기도 지방은 서해안에는 해산물이 풍부하고, 동쪽의 산간 지대는 산채가 많아 전반적으로 밭농사와 벼농사가 활발하여 여러 가지 식품이 고루 생산되는 지역이다. 개성을 제외하고 경기 음식은 전반적으로 소박하며 양이 많은 편이다. 간은 세지도 약하지도 않은 서울과 비슷하고 양념도 많이 쓰지 않는다.

농촌에서는 범벅이나 풀떼기, 수제비 등을 호박, 강냉이, 밀가루, 팥 등을 섞어서 구수하게 잘 만든다.

주식은 오곡밥과 찰밥을 즐기고 국수는 맑은 장국보다는 제물 칼국수나 메밀칼싹두기와 같이 국물이 걸쭉하고 구수한 음식이 많다. 충청도와 황해도 지방에서 즐겨 먹는 냉콩국은 이 지방에서도 잘 만드는 음식이다.

개성은 고려 시대의 수도였던 까닭에 그 당시의 음식 솜씨가 남아 서울, 전주와 더불어 우리 나라에서 음식이 가장 호화롭고 다양한 지역이다.

### (3) 충청도 음식의 특징

충청도에서는 쌀, 보리 등의 곡식과 무, 배추, 고구마 등의 채소가 많이 생산된다. 또 해안 지방은 해산물이 풍부하며 내륙 산간 지방에서는 산채와 버섯 등이 난다. 옛 백제의 땅인 이 지방은 오래전부터 쌀이 많이 생산되고 그와 함께 보리밥도 즐겨 먹는다. 죽, 국수, 수제비, 범벅 같은 음식이 흔하며, 늙은호박의 사용을 좋아해 호박죽이나 꿀단지, 범벅을 만들기도 하고 떡에도 많이 사용한다. 굴이나 조갯살로 국물을 내어 떡국이나 칼국수를 끓이며 겨울에는 청국장을 즐겨 먹는다.

그림 7-3 청국장

충청도 음식은 사치스럽지 않고 양념도 많이 쓰지 않는다. 국물을 내는 데는 고기보다는 닭 또는 굴, 조개 같은 것을 많이 쓰며 양념으로는 된장을 즐겨 쓴다. 경상도 음식처럼 매운맛도 없고 전라도 음식처럼 감칠맛도 없으며 서울 음식처럼 눈으로 보는 재미도 없으나 담백하고 구수하며 소박하다. 또한, 충청도 사람들의 인심을 반영하듯 음식의 양이 많은 편이다.

### (4) 경상도 음식의 특징

경상도는 남해와 동해에 좋은 어장을 가지고 있어 해산물이 풍부하고, 남북도를 크게 굽어 흐르는 낙동강 주위의 기름진 농토에서 농산물도 넉넉하게 생산된다.

이곳에서는 고기라고 하면 물고기를 가리킬 만큼 생선을 많이 먹고, 해산물회를 제일로 친다. 음식은 멋을 내거나 사치스럽지 않고 소담하게 만든다.

그림 7-4 안동칼국수

싱싱한 바닷고기에 소금간으로 해서 말려서 굽는 것을 즐기고 바닷고기로 국을 끓이기도 한다. 곡물 음식 중에는 국수를 즐기며, 밀가루에 날콩가루를 섞어서 반죽하여 홍두깨나 밀대로 얇게 밀어 칼로 썰어 만드는 칼국수를 제일로 친다.

장국의 국물은 멸치나 조개를 많이 쓰고, 제물국수를 즐긴다. 음식의 맛은 대체로 간이 세고 매운 편이다

### (5) 전라도 음식의 특징

그림 7-5 전주비빔밥

전라도 지방은 기름진 호남평야의 풍부한 곡식과 각종 해산물, 산채 등 다른 지방에 비해 산물이 많아 음식의 종류가 다양하며, 음식에 대한 정성이 유별나고 사치스러운 편이다.

특히 전주는 조선왕조 전주 이씨의 본관이 되고 광주, 해남 등 각 고을마다 부유한 토박이들이 대를 이어 살았으므로 좋은 음식을 가정에서 대대로 전수하여 풍류와 맛이 개성과 맞먹는 고장이라 하겠다.

전라도 지방의 상차림은 음식의 가짓수가 전국에서 단연 제일로 상 위에 가득 차리므로 처음 방문한 외지 사람들은 매우 놀란다. 남해와 서해에 접해 있어 특이한 해산물과 젓갈이 많으며, 독특한 콩나물과 고추장의 맛이 좋다.

### (6) 강원도 음식의 특징

그림 7-6 오징어순대

강원도는 높이 1,000m의 태백산맥이 북에서 남으로 흐르고 있어 그 분수령을 기점으로 동쪽은 영동 또는 관동, 서쪽은 영서로 나뉘고 영동과 영서 지방은 대관령, 진부령, 한계령의 고개를 통하여 서로 연결된다.

기후와 지세가 서로 다르므로 식생활 구조가 차이가 많다. 영동 해안 지방은 싱싱한 해산물의 종류가 풍부하여 어패류를 이용한 회, 찜, 구이, 탕, 볶음, 젓갈, 식해 등의 음식이 많다.

해조류를 이용한 쌈, 튀각, 무침과 밑반찬에서 상비 식품까지 생선을 많이 이용하고 있다. 요즈음은 대관령 부근의 횡계에서는 목축이 성행하고 무, 배추 등의 고랭지 채소와 당근, 샐러리, 씨감자를 공급하고 있다.

영서 지방은 깊은 산이 많으므로 주식으로 감자, 옥수수, 밀, 보리 등의 밭작물을 많이 이용하고 있어서 감자와 옥수수를 이용한 음식이 많다. 또 메밀로 만든 국수, 만두, 떡과 감자가 있으며 옥수수, 조, 고구마 등을 섞은 잡곡밥도 있다.

### (7) 제주도 음식의 특징

제주도는 땅은 넓지 않지만 어촌, 농촌, 산촌의 생활 방식이 서로 차이가 있다. 농촌에서는 농업을 중심으로 생활하였고 어촌에서는 해안에서 고기를 잡거나 잠수어업을 주로 하고 산촌에서는 산을 개간하여 농사를 짓거나 한라산에서 버섯, 산나물을 채취하여 생활하였다. 농산물 중 쌀은 거의 생산하지 못하고 콩, 보리, 조, 메밀, 밭벼 같은 잡곡을 생산한다.

그림 7-7 전복회

제주도는 무엇보다도 감귤이 유명한데 이미 삼국 시대부터 재배하였고, 전복과 함께 임금님께 진상품으로도 올렸던 제주의 특산물이다.

제주도 음식은 바닷고기, 채소, 해초가 주된 재료이며, 된장으로 맛을 내고, 바닷고기로 국을 끓이고 죽을 쑨다. 편육은 주로 돼지고기와 닭으로 한다. 제주도 사람의 부지런하고 꾸밈없는 소박한 성품은 음식에도 그대로 나타나서 음식을 많이 차리거나 양념을 많이 넣거나 또는 여러 가지 재료를 섞어서 만드는 음식은 별로 없다.

각각의 재료가 가지고 있는 자연의 맛을 그대로 살리는 것이 특징이다. 간은 대체로 짠 편인데 더운 지방이라 쉽게 상하기 때문인 듯하다.

## 3. 행사 음식과 절사 음식

우리나라는 예로부터 사람이 태어나서 한평생을 사는 동안 치르게 되는 여러 가지 통과의례가 있었으며, 이때에는 반드시 특별한 음식을 준비하여 기원, 기복, 존경의 뜻을 기리며 지내 왔다. 또한, 일 년을 통해 인간과 자연의 조화를 이룬 절식(節食)과 시식(時食)이 이루어져 왔는데 절식은 다달이 끼어 있는 명절 음식이며, 시식은 춘하추동 계절에 새로 나온 식품으로 만든 음식을 통틀어 말한다. 일 년 열두 달 우리나라의 세시풍속에 얽힌 행사 음식과 절사(節事) 음식은 우리나라 전통 음식의 바탕이 된다.

### 1) 행사 음식(行事飮食)

#### (1) 돌상 차림

아기가 만 1년이 되는 생일을 첫돌이라 하여 돌상을 차리고 아기에게 돌잡이를 시킨다. 돌잡이는 친척과 친지를 초청하여 아기의 앞날을 알아보고 아기의 재롱을 보는 기쁜 시간을 갖게 되는 것으로 장수, 번영, 다복을 기원하는 의미에서 행해지고 있다.

표 7-1 돌상 차림

| 흰밥 | 오복을 갖추기를 기원하는 의미 |
|---|---|
| 떡류 | 백설기, 수수경단, 인절미, 송편, 개피떡 |
| 생실과 | 계절에 알맞은 과일 사용 |
| 대추 | 자손의 번영을 의미 |
| 쌀 | 식복을 의미 |
| 국수, 타래실 | 장수를 의미 |
| 책, 붓, 먹, 벼루 | 재주를 의미 |
| 활, 화살(남자아이의 돌상) | 용맹을 의미 |
| 돈 | 부(富)를 의미한다. |

### (2) 혼례상 차림

우리나라 혼례에 관계된 음식 상차림은 납폐 시의 봉치떡, 초례를 치르기 위한 동뢰상(同牢床) 차림, 현구고례 시의 폐백상, 초례를 치른 신랑과 현구고례를 한 신부에게 차려주는 큰상 차림이 있다.

① 봉치떡

봉치떡은 혼인 전날 신랑집에서 신부집으로 납폐를 함에 담아 가져올 때 함을 받기 위해 신붓집에서 준비하는 떡으로 찹쌀 3되와 붉은팥 1되로 시루떡 2켜를 앉히고 대추 7개를 중앙에 놓는다.

▌그림 7-8 봉치떡

▌표 7-2 납폐 시의 봉치떡

| 찹쌀 | 부부 금슬을 기원하는 의미 |
|---|---|
| 붉은팥 | 화를 피함 |
| 대추 | 아들 자손의 번창을 기원 |

② 동뢰상 차림

동뢰상은 혼례를 행하는 의례상 차림으로 신붓집 안마당에서 목단병풍을 치고 차리며 동뢰상 앞에 작은 술상을 놓는다. 동뢰상 앞줄에는 밤, 대추, 유과를 놓고 다음 줄에 흰 절편(달떡)과 황색 대두, 붉은팥 한 그릇씩을 놓으며 물들인 절편으로 수탉과 암탉 모양을 만들어 놓는다.

▌그림 7-9 동뢰상 차림

▌표 7-3 동뢰상 차림

| 밤, 대추 | 결실과 아들 다산을 기원하는 의미 |
|---|---|
| 달떡 | 둥글게 잘살라는 의미 |

③ 폐백상 차림

신부가 시부모님과 시댁 친지에게 처음으로 인사드리는 예를 현구고례라 하고, 이때 신부 측에서 시부모님, 시조부모님께 드리는 특별 음식을 폐백이라 한다. 폐백을 드릴 때 시어머니는 새 며느리 앞으로 대추를 한 줌 던져주며 자손 번창을 바라는 덕담을 하기도 한다. 폐백은 지방, 가풍에 따라 다르다.

▌그림 7-10 폐백상 차림

지역별 폐백 음식의 종류와 빈도 순위를 조사한 연구보고에 의하면 대추고임, 밤, 닭, 육포, 술 등을 공통적으로 가장 많이 준비하고 있으며, 지역에 따라 잣, 떡, 구절판, 과일, 한과, 산적, 엿 등도 자주 이용되고 있다

④ 큰상 차림

혼례, 회갑, 진갑 또는 회혼례(결혼한 지 61년째) 때에 차리는 상으로 주빈 앞에는 큰 교자상 위에 떡류, 편육류, 전유어류, 건어물류, 숙과, 생실과, 과정류 등을 고이고 색상을 맞춰 배열한다. 괴는 높이는, 높이 치수를 기수로 하는 습관이 있어서 5치, 7치, 9치로 하고 접시의 수도 기수로 하였으나 요즈음에는 가정의례준칙에 의해 간소화되었다. 큰상 차림은 의식이 끝나면 상을 헐어 여러 사람에게 나누게 되므로 흔히 망상으로 불린다. 괴는 음식은 계절, 가풍, 형편에 따라 다르나 대체로 다음과 같은 것을 사용한다.

▌표 7-4 큰상 차림

| 잡과 | 약과, 만두과 |
|---|---|
| 유과 | 빈사과, 세반연사(쌀을 싸라기로 해서 산자 표면에 묻힌 것) |
| 강정 | 깨강정, 세반강정, 계피강정, 실백강정, 매화강정 |
| 다식 | 송화다식, 녹말다식, 흑임자다식, 밤다식 |
| 당속(사탕류) | 옥춘, 팔보당, 온당, 줄병, 원당 |
| 생실과 | 사과, 배, 귤, 감, 생률 |
| 건과 | 대추, 호두, 은행, 실백, 건시(곶감) |

| 전과(煎果) | 연근전과, 생강전과, 모과전과, 동아전과, 밤초, 대추초 |
|---|---|
| 편 | 백편, 꿀편, 신검초편, 화전, 주악, 단자 |
| 어물 | 문어오림, 어포, 육포, 건전복 |
| 편육 | 양지머리편육, 제육 |
| 전유어 | 각색 전유어 |
| 초 | 홍합초, 전복초 |
| 적 | 닭적, 육적, 화양적 |

### (3) 제사상(祭祀床) 차림

제사는 고인의 망일 전날 밤에 고인을 추모하는 뜻에서 모시는 것이며, 제사상 차림은 가정의 전통과 범절에 따라 다르나 정성과 추도의 진의를 표시하는 뜻에서 차리게 되므로 형식에 치우치지 말고 실질적으로 제사상을 차리도록 한다. 제기와 제사상은 보통 기명과는 구별되어 있어 제사상은 키가 크고 서서 진설할 수 있는 높이로 검은 칠을 한 상이며, 제기는 유기, 목기, 사기로 되어 있고, 둥근 접시 밑에 받침이 붙어 있으며 편틀은 네모진 모양으로 되어 있다. 제사를 지낼 때에는 향로, 향합, 촛대, 술잔 등이 준비되어 있어야 한다.

**표 7-5 제사상(祭祀床) 차림**

| 구분 | 상차림 |
|---|---|
| 젯메 | 흰쌀밥을 주발에 소복하게 담는다. |
| 갱(국물이 많은 국),<br>탕(건더기가 많은 국) | 단탕, 3탕, 5탕 중 형편에 맞게 준비하며 국물은 적게 하고 건더기를 소복하게 담는다. 3탕 : 육탕, 어탕, 소탕(두부) |
| 적(炙) | 단적, 3적, 5적으로 구별된다. 3적 : 소적, 어적, 육적 |
| 갈납(고기전) | 생선 전유어, 육전, 간전, 천엽전, 갈납전(우엉, 버섯, 당근, 파, 고기) 등의 전류를 말한다. |
| 나물 | 도라지, 고비, 고사리, 버섯, 미나리, 숙주, 시금치 등 |
| 포 | 육포, 어포, 북어포, 문어, 건전복 |

| 편 | 백편, 꿀편, 신검초편, 주악 |
|---|---|
| 식혜 | 식혜 밥만을 소복하게 담고 대추를 썰어서 위에 얹는다. |
| 숙과 | 강정류, 다식류, 전과 |
| 잡과 | 약과, 다식과, 중백기, 타래과, 매작과 |
| 건과, 생실과 | 밤, 대추, 곶감, 사과, 배, 귤, 참외, 수박 |
| 제주 | 청주(정종)를 쓴다. |
| 기타 | 나박김치, 간장, 초간장, 꿀 등 |

표 7-6 진설법

| 구분 | 진설법 |
|---|---|
| 맨 앞줄 | 과일을 홍동백서(紅東白西)라는 원칙에 따라 진설 |
| 둘째 줄 | 편, 적, 갈납, 포를 진설 |
| 셋째 줄 | 식혜, 김치, 간장류, 제주잔 |
| 영전의 바로 앞줄 | 젯메, 탕, 시접(수저)을 진설한다. 대상(大祥)이 지난 분(돌아가신 지 2년이 지난 분)에게는 젯메와 탕의 위치를 산사람과 반대로 진설 |

## 2) 절사 음식(節事飮食)

### (1) 정월 초하루

정월 초하루는 설날이라 하여 가족이 새 옷을 입고 조상님께 다례(茶禮)로써 새해 인사를 드린 다음 친지, 동네 어른께 세배를 드리는 풍습이 있다. 어른은 설날 세배 손님이오면 세배를 받고 세찬상을 차려내며 새해의 복을 기원하는 덕담을 해준다.

표 7-7 세찬상 차림

| 구분 | 내 용 |
|---|---|
| 주식 | 떡국, 만두국 |
| 부식 | 갈비찜, 전유어, 누름적, 편육, 구절판, 신선로, 나물류 |
| 김치 | 나박김치, 햇깍두기 |
| 떡류 | 인절미, 약식, 단자류 |
| 후식 | 강정, 전과, 식혜, 수정과, 과일 |
| 기타 | 세주 등을 차린다. |

### (2) 입춘 절식(立春節食)

음력 정월 초순경 대문에 '입춘대길(立春大吉)' 등을 써서 붙이는 풍습이 있다. 절식으로는 눈 밑에서 돋아나는 햇나물(산개, 승검초)을 겨자즙에 무쳐 먹는 오신반을 먹었다.

### (3) 상원 절식(上元節食)

음력 정월 14일 저녁에 오곡밥을 짓고 복쌈이라 하여 참취나물, 배춧잎, 김구이 등에 밥을 싸서 먹으며, 묵은 나물 9가지에 두부를 부쳐서 먹는 절식 풍습이 있다. 15일 아침에는 부럼을 깨물어 버리면 부스럼을 면한다고 하여 부럼을 깨고, 아침상에는 '귀밝이술'이라 하여 찬술을 한 잔씩 마시는 풍습이 있었다. 또한, 신라 시대부터 전해 내려온 약식을 쪄서 먹기도 하고 보름을 전후하여 악귀를 쫓는 의미에서 붉은팥으로 죽을 쑤어 문에 제사를 지낸다.

- 부럼 - 밤, 호두, 잣, 땅콩, 곶감

### (4) 중화 절식(中和節食)

2월 초하루를 중화절이라 하며 송편을 만들어 노비들에게 나이 수대로 주었다고 노비일이라고도 한다. 진사술이라 하여 20세 되는 남자들에게 막걸리를 마음껏 마시게 대접하고 콩을 볶아서 먹는 풍습도 있었는데, 이는 농사일을 시작해야 할 계절에 일할 사람에 대한 대접인 것 같다

### (5) 중삼 절식(重三節食)

음력 삼월 삼일은 '삼짇날'이라 하며, 이날 강남 갔던 제비가 돌아와 봄을 알린다고 하여 봄이 됨을 즐긴 날이다. 촌락의 유생들이 산이나 들에 나가 화전, 향애단 등의 음식을 만들어 먹고 노는 '화전놀이'를 하였다. 절식으로는 두견화전, 화면, 수면, 진달래화채, 향애단, 탕평채 등을 먹었다.

▌표 7-8 중삼 절식

| 절식 | 내용 |
|---|---|
| 향애단<br>(쑥경단) | 향기로운 쑥을 데쳐서 찹쌀에 섞어 경단을 만들고 꿀에 버무려 녹두, 팥고물에 무친 것 |
| 화면 | 녹두가루를 반죽하여 익힌 것을 가늘게 썰어 오미자 꿀물에 띄우고 잣을 곁들인 것 |
| 수면 | 녹두로 국수를 만들어 꿀물에 띄운 것 |

### (6) 등석 절식(燈夕節食)

음력 4월 초파일 석가탄생일로 신라, 고려 시대 불교가 성행했던 때의 유속이다. 이날은 집집마다 등을 달아서 연등하고 손님을 초대하여 연한 느티나무 잎을 쌀가루와 섞어서 찐 설기떡인 유엽병, 미나리강회 등을 대접했다. 또한, 검정콩을 깨끗하게 볶아 노상에서 새 사람을 만나면 권하였는데 이로써 불가와 인연을 맺었다고 한다.

### (7) 단오 절식(端午節食)

《삼국유사》에 기록된 오래된 명절의 하나로 수릿날이라고도 한다. 이날 여자는 창포물에 머리를 감고 그네 놀이를 즐겼으며, 남자는 씨름을 하며 즐겼다. 절식으로는 쑥의 일종인 수리취를 뜯어다 데쳐서 절편을 만들고 차바퀴 모양으로 찍은 차륜병을 먹었고, 왕가에서는 여름철 보신의 뜻으로 왕에게 진상하던 제호탕을 시작하며 항간에서는 장을 담근다.

### (8) 유두 절식(流頭節食)

음력 유월 보름날을 유두절이라 하여 동으로 흐르는 물에 가서 머리를 감고 재앙을 푼 다음 음식을 차려서 물놀이를 하였다. 절식으로는 유두면, 떡수단, 보리수단, 밀쌈, 증편, 밀전병, 햇참외, 상화병을 먹는다.

▌표 7-9 유두 절식

| 구분 | 내용 |
|---|---|
| 유두면 | 햇밀가루를 반죽하여 구슬같이 둥글게 빚어 만든 것으로 오색의 물감을 들여 색실로 꿰어 차고 다니거나 문설주에 걸어서 액을 막기도 한다. |
| 떡수단 | 멥쌀가루를 쪄서 가래떡처럼 쳐서 가늘게 비벼 구슬처럼 만든다. 이것을 찬 꿀물에 넣어 먹고 다례에도 썼다. |
| 보리수단 | 햇보리를 삶아서 한 알 한 알에 녹말가루를 묻히고 살짝 데쳐 꿀을 탄 오미자 물에 띄우고 실백을 띄운다. |
| 상화병 | 밀가루에 술 반죽을 하여 부풀게 한 다음 반죽에 팥소, 채소, 고기볶음 등을 속으로 넣고 싸서 찐 것 |

### (9) 삼복 절식(三伏節食)

초복, 중복, 말복에 이르기까지 더위를 이겨 건강을 상하지 않도록 삼복 절식을 장만하여 복날이면 물가나 산에 나가서 복놀이를 하였다. 절식으로 양반가에서는 육개장국을, 일반인은 개장국을 먹었으며 삼계탕, 편수(규아상), 임자수탕 등을 먹기도 하고 팥죽으로 열병을 예방하기도 하였다.

### (10) 추석

음력 8월 15일인 추석은 우리나라에서 가장 큰 명절로 생각되고 있으며, 햇곡식과 햇과일로 선조께 다례를 지내고 성묘하며 춤과 씨름을 즐긴다. 절식으로는 토란탕을 끓이고 누름적을 준비하며 햅쌀과 햇녹두, 청대콩, 깨 등으로 소를 넣어 송편을 만든다. 그 외에 닭찜, 화양적, 각종 나물을 준비하고 배숙, 율란, 밤초, 조란 등을 만들어 절식으로 즐긴다

### (11) 중구 절식(重九節食)

음력 9월 9일을 중양, 중광이라 하며 단풍 구경을 하러 산에 올라간다. 지방에 따라서는 한식, 추석에 성묘를 못 한 5대조 윗대 조상의 산소에 성묘하는 풍습이 있었다 한다. 절식으로는 국화전, 국화주, 배, 유자, 석류, 잣 등을 잘게 썰어 꿀물에 탄 화채를 즐겼다고 한다.

### (12) 동지 절식(冬至節食)

동지에 팥죽을 먹는데 팥죽을 쑬 때 찹쌀가루로 새알 모양의 떡을 빚어 새알심을 만들고 나이만큼 넣어 팥죽을 떠 주었다고 한다. 또한, 장독대와 대문에 뿌리기도 하였는데 이는 상서롭지 못한 것을 제거하기 위함이라 한다.

### (13) 섣달그믐

동지가 지난 다음 셋째 번으로 오는 미일(未日)을 납일(臘日)이라고 하여 제육을 먹는 습관이 있었다. 참새를 잡아 어린이들이 먹으면 마마를 깨끗이 한다고 하여 참새고기 구이를 절식으로 했는데, 이는 겨울철 보신의 뜻이었을 것이다.

현재 지켜지고 있는 우리나라 세시풍속일의 시행 실태에 대하여 지역별로 조사된 결과에 의하면, 지역과 관계없이 설날과 추석 명절은 대부분의 가정에서 시행되고 있었으며, 정월 대보름은 서울과 청주 지역에서만 많은 가정이 지켜나가고 있고 대전, 전주, 대구, 강릉 지역에서는 조사 대상 중 반 정도의 가정에서 시행하는 것으로 나타났다. 정월 대보름 다음으로 많이 지켜지고 있는 세시풍속은 삼복 절식과 동지로 지역에 따라 시행되는 정도의 차이가 크게 나타났다. 청주 지역에서는 삼복 절식과 동지가 아직 많이 지켜지고 있었고 전주, 강릉 지역에서는 삼복 절식이, 서울에서는 동지가 잘 시행되고 있지 않았다. 사월 초파일은 약간의 가정에서만 시행되고 있었으며 대구 지역에서 가장 많이 시행되고 있다. 세시풍속일 중 입춘, 삼짇날, 단오, 유두일, 중양절 등은 대부분의 가정에서 시행하고 있지 않아 거의 잊혀져 가고 있음을 알 수 있다.

우리의 전통적인 세시풍속과 전통 음식이 몇몇 대표적인 명절을 제외하고는 바쁜 현대 문명에 밀려 많이 잊혀가고 있는 현상은 매우 안타까운 일이 아닐 수 없다.

손님 접대나 평상시의 식사에서도 절식을 적극 활용함으로써 자녀들에게 절식을 접할 기회를 만들어 주고 자연스럽게 전통 음식이 계승될 수 있도록 노력하여야 하겠다.

## 4. 한국의 주요 음식

밥, 떡, 김치, 불고기, 삼겹살, 비빔밥, 삼계탕, 갈비탕, 설렁탕, 신선로, 김치찌개, 된장찌개, 순두부찌개, 해장국, 잡채, 냉면 등

## 5. 상차림과 식사 예절

상차림이나 식사 예절은 국가나 지방에 따라 다르며, 한 지역에서도 가정에 따라 그 집안의 가풍에 의해 각기 달라서 음식을 대접하거나 먹을 때에 상이한 점이 많다고 하겠다. 그러므로 국제적인 왕래가 빈번한 오늘날 우리는 우리나라의 상차림과 식사 예절은 물론이며, 다른 나라의 상차림 및 식사 예절을 잘 알아두어 격식에 맞고 결례되지 않으며 유쾌한 식사 시간을 가질 수 있도록 하여야 한다.

### 1) 상차림

여러 가지 음식을 한 상에 모아 차리는 것을 상차림이라 한다. 우리의 상차림은 크게 평상의 생활에서 차려지는 일상식의 상차림, 통과의례와 특별한 행사 때에 차려지는 의례식 상차림으로 나눌 수 있다. 한 상에 차리는 음식의 내용을 적은 것을 음식발기 또는 찬품단자라고 한다. 요즈음은 흔히 식단이라고 하며 서양식에서의 메뉴(menu)에 해당된다고 하겠다.

#### (1) 일상식 상차림

한국의 일상식은 쌀과 잡곡을 재료로 하여 지은 밥과 반찬으로 구성된 밥상차림이며, 조선 시대에 일상식 차림의 구성법이 정착되었다.

우리나라의 식생활 문화는 이미 조선 시대에 식생활의 규범과 조리법, 기명, 식상 등이 체계화되고 완성되었다고 할 수 있고, 식사법은 준비된 음식을 한꺼번에 모두 차려 놓고 먹는 것을 원칙으로 하고 있다. 따라서 식사 예절에서는 상차리기가 매우 중요시되고 그만큼 형식도 까다롭다.

한국 일상 음식의 상차림은 전통적으로 독상이 기본이다. 일상식 상차림에는 상의 주식이 무엇이냐에 따라 평소 아침, 저녁밥을 주식으로 하는 반상과 점심이나 간단한 손님상으로 내는 장국상(면상), 그리고 죽상, 술을 대접하기 위한 주안상, 그리고 다과상으로 나눌 수 있다.

① 반상(飯床) 차림

반상은 밥을 주식으로 하여 여기에 어울리는 반찬을 부식으로 구성한 상차림이다. 보통 어린 사람에게는 밥상, 어른에게는 진짓상, 임금님에게는 수라상으로 칭한다. 반상은 반찬의 가짓수에 따라 3첩, 5첩, 7첩, 9첩, 12첩 반상이 있는데 밥, 국, 김치, 조치, 전골, 간장, 고추장, 초고추장 따위의 장을 제외한 쟁첩에 담는 반찬의 수를 가리킨다. 즉 모든 반상에서 밥, 국, 김치, 청장은 기본으로 놓이고 5첩 반상 이상에는 조치를, 7첩 반상 이상에는 찜을, 9첩 반상 이상에는 전골을 기본으로 놓는다. 찬으로 전, 회, 편육을 놓을 때에는 초간장, 초고추장도 곁들인다. 첩 수가 늘어나면 김치도 두세 가지 종류를 더 놓으며 7첩 반상 이상의 경우 많은 가짓수의 반찬을 한 상 위에 모두 차릴 수 없을 때 보조상으로 곁상을 놓는다. 보통 민가에서는 9첩 반상까지 차릴 수 있었고 궁중에서는 12첩 반상을 차렸다.

첩이란 뚜껑이 있는 반찬 그릇을 말하는 것으로 반찬의 수효를 나타내며, 반찬에는 김치를 기본으로 한다. 반찬은 되도록이면 같은 재료나 요리 방법으로 만든 것이 한 상에 오르지 않도록 유의해야 한다. 또 각 반상에 오른 반찬의 종류에 맞게 장을 선택해 올린다. 반상용 그릇을 반상기라고 하며 밥그릇·국그릇·숭늉대접·김칫보·종지·조칫보·쟁첩·수저·쟁반·토구 등이 있다. 대접 외에는 모두 뚜껑이 있다.

- 3첩 반상
 - 기본 : 밥, 국, 김치, 간장
 - 반찬 : 생채 또는 숙채, 구이 또는 조림, 마른 찬 또는 장아찌나 젓갈 중 택일
- 5첩 반상
 - 기본 : 밥, 국, 김치 2종류, 간장, 초간장, 찌개(조치)
 - 반찬 : 생채 또는 숙채, 구이, 조림, 전유어, 마른 찬 또는 장아찌나 젓갈 중 택일
- 7첩 반상
 - 기본 : 밥, 국, 김치 2종류, 간장, 초간장, 초고추장, 찌개, 찜, 전골
 - 반찬 : 생채, 숙채, 구이, 조림, 전유어, 마른 찬 또는 장아찌나 젓갈 중 택일, 회 또는 편육
- 9첩 반상
 - 기본 : 밥, 국, 김치 3종류, 간장, 초간장, 초고추장, 찌개 2종류, 찜, 전골
 - 반찬 : 생채, 숙채, 구이, 조림, 전유어, 마른 찬, 장아찌, 젓갈, 회 또는 편육
- 12첩 반상
 - 기본 : 밥 2종류, 국 2종류, 김치 3종류, 간장, 초간장, 초고추장, 찌개 2종류, 찜, 전골
 - 반찬 : 생채, 숙채, 더운 구이, 찬 구이, 조림, 전유어, 마른 찬, 장아찌, 젓갈, 회, 편육, 수란

## ▌표 7-10 반상차림

| 반상차림 | 첩수에 들어가지 않는 기본 음식 | | | | | | | 첩수에 들어가는 음식 | | | | | | | | | | | |
|---|---|---|---|---|---|---|---|---|---|---|---|---|---|---|---|---|---|---|
| | 밥 | 국 | 김치 | 장류 | 찌개(조치) | 찜 | 전골 | 나물 | | 구이 | 조림 | 전 | 마른반찬 | 장아찌 | 젓갈 | 회 | 편육 | 수란 |
| | | | | | | | | 생채 | 숙채 | | | | | | | | | |
| 3첩 | 1 | 1 | 1 | 간장 | | | | 택1 | | 택1 | | | 택1 | | | | | |
| 5첩 | 1 | 1 | 2 | 간장<br>초간장 | 1 | | | 택1 | | 1 | 1 | 1 | 택1 | | | | | |
| 7첩 | 1 | 1 | 2 | 간장<br>초간장<br>초고추장 | 1 | 1 | 1 | 1 | 1 | 1 | 1 | 1 | 택1 | | | 택1 | | |
| 9첩 | 1 | 1 | 3 | 간장<br>초간장<br>초고추장 | 2 | 1 | 1 | 1 | 1 | 1 | 1 | 1 | 1 | 1 | 1 | 택1 | | |
| 12첩 | 2 | 2 | 3 | 간장<br>초간장<br>초고추장 | 2 | 1 | 1 | 1 | 1 | 2 | 1 | 1 | 1 | 1 | 1 | 1 | 1 | 1 |

자료출처 : 농촌진흥청 국립농업과학원(농식품종합정보시스템)

## ▌그림 7-11 3첩, 5첩, 7첩 반상

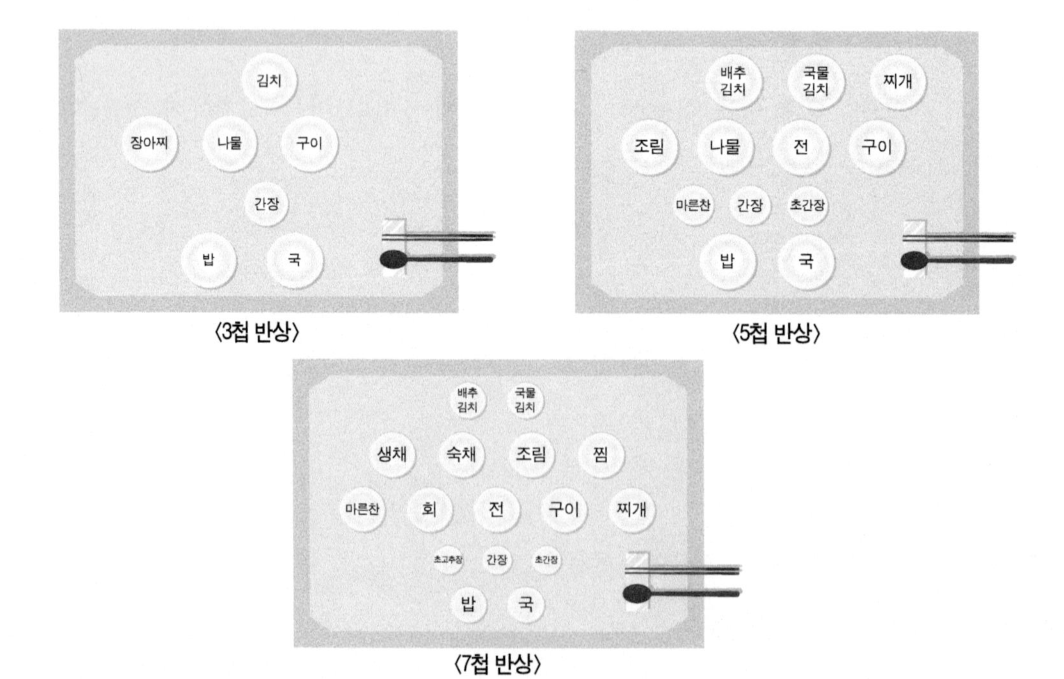


그림 출처 : 농촌진흥청 국립농업과학원(농식품 종합정보 시스템)

원래 반상 차림은 외상(독상)이 기본으로 되어 있으나 점차 변화하여 겸상, 두레상 차림을 하는 가정이 많아졌다. 상을 볼 때 밥그릇은 왼쪽에, 국그릇은 오른쪽에 놓아야 하며, 숟가락, 젓가락은 독상, 겸상일 때는 오른쪽 국그릇 위에, 두레상일 때는 국그릇 옆에 놓는다.

김치는 우리나라 부식 중 중심이 되므로 독상일 때는 뒷줄의 중심에, 두레상일 때는 상 가운데 놓으며 간장, 초간장, 초고추장 등의 종지는 가운데 놓아 음식을 찍어 먹기 편리하도록 놓는다. 또한, 겸상, 두레상을 차릴 때에는 개인 접시를 국그릇 오른 편에 놓아 부식을 덜어 먹을 수 있도록 한다.

② 면상 차림

면상은 국수를 주식으로 차리는 상으로 점심 또는 간단한 식사 때 이용한다. 국수 종류는 온면, 냉면, 비빔면, 만두 등이 있으며 떡국도 이 종류에 포함된다. 부식으로 배추김치와 나박김치를 놓고 간장, 초간장과 전류나 편육, 냉채, 잡채 등을 간단하게 곁들인다. 다과상에는 숙과류(유과, 전과, 다식, 강정 등), 생실과류, 음료(화채류, 식혜, 수정과)를 준비한다.

- 국수장국 상 : 편육(소고기 양지머리, 돼지고기 제육), 무생채, 양념장, 김치
- 비빔국수 상 : 생선전(명태전, 고추전), 호박나물, 물김치
- 떡국 상 : 새우전, 시금치나물, 김치

③ 죽상 차림

새벽에 자리에서 일어나 부담 없이 가볍게 처음 먹는 음식이다. 응이, 미음, 죽 등의 유동식을 주식으로 하여 동치미, 나박김치 같은 국물김치와 젓국찌개, 마른 반찬을 준비한다.

④ 주안상 차림

술을 대접하기 위해 차리는 상으로 술의 종류는 청주, 탁주, 소주, 맥주, 양주 등 다양하다. 술에 따라 적당한 안주를 준비하고 후식으로 생과일과 정과류 등을 낸다.

- 청주상 : 가벼운 회나 편육, 생채, 마른 찬(육포, 어포, 북어포)
- 소주상 : 고기찌개(제육김치볶음), 잡채, 콩나물 무침, 오이생채, 김치

- 탁주 : 두부찌개, 전, 나물
- 맥주 : 육포, 어포, 건어
- 양주상 : 햄 채소말이, 그린 샐러드, 카나페

⑤ 다과상 차림

반상이나 면 등 주식의 음식상이 끝난 식후에 또는 손님이 방문했을 때나 간식으로 내놓는 상이다. 따뜻한 차 한 잔이나 식혜, 수정과에 한식 다과인 유과나 매작과, 다식, 강정 등을 보기 좋게 담아서 내며, 계절 과일을 함께 내놓는 것도 좋다.

- 음청류 : 식혜, 수정과, 화채류 등
- 생실과 : 딸기, 수박, 사과 등 계절 과일
- 한과류 : 약과, 다식, 약식, 강정 등
- 떡 : 시루떡, 각색편, 물편류 등
- 전통차 : 인삼차, 유자차, 녹차 등이다. 손님의 취향에 따라 커피, 홍차나 주스를 케이크나 쿠키와 함께 내기도 한다.

⑥ 교자상 차림

명절, 가정의 큰 잔치 또는 회식 등 많은 사람이 함께 모여 식사를 하는 경우 차리는 상으로, 주된 음식들은 상의 중심에 놓고 국물 있는 음식은 한 사람 분씩 각각 마련한다. 교자상 차림은 차림새의 특성에 따라 주안상 형식의 건교자상, 반상을 겸한 식교자상, 술에 주식을 겸하여 차리는 얼교자상 등이 있다. 교자상은 여러 가지 음식이 그득하게 많이 차려져 있는 것이 하나의 특성이다. 교자상 차림은 주 · 부식 분류형의 것이 아니고 대체로 떡, 과일, 유과, 적 등을 모두 동격의 것으로 차리는 것이다.

#### (2) 의례식 상차림

의례식 상차림은 우리나라의 전통적 통과의례인 출산, 혼례, 상례, 제례 시에 차려지는 상차림과 회갑, 칠순, 회혼을 맞는 부모님께 자손이 차려드리는 큰상 차림을 말한다. 출산과 관련된 상차림으로는 아기와 산모의 건강 회복을 축복하고 산신께 감사하는 의미로 흰밥과 미역국 3그릇씩을 준비하는 삼신상이 차려지며, 출생 후

백일이 되는 날과 첫돌에 아기의 무병장수와 복을 기원하는 백일상, 첫돌 상이 차려진다. 혼례 시에는 납채 의식을 위한 상차림과 초례를 치르기 위한 동뢰상 차림이 차려지며, 신부가 시부모님과 시댁 친지에게 처음으로 인사드리기 위하여 차려지는 폐백상 차림을 차린다.

## 2) 식사 예절

한국 요리의 식사 예절은 중국이나 서양에 비해 매우 관대하고 단순하여서 상식적이라고 생각해도 무관하다. 서양의 경우 매우 까다로운 격식과 복잡한 순서를 지켜야 한다. 스푼이나 포크, 나이프 등의 기구에서부터 갖가지 음식의 하나하나에 엄격한 사용법과 먹는 법이 정해져 있어서 실수할 수가 있다.

물론 우리 음식 문화를 서양 사람이 보면 복잡하고 까다로울 수가 있다. 그러므로 동서양을 막론하고 식사 예절이란 식사를 하는 사람의 입장에서 갖춰야 할 여러 가지의 예절과 준비하는 사람의 입장에서 지켜야 할 예절이 있는 것이며, 그 예절에 맞는 행동으로 임하면 되는 것이다. 우리 전통 식사의 예절에도 식사를 하기 전 준비 과정의 예절과 식사를 하는 도중의 예절과 식사를 끝낸 후 후식의 예절이 있는 것이다.

### (1) 식사 전의 예절

식사 전에는 위생상의 필요뿐만 아니라, 마음을 안정시키고 경건한 태도를 가지기 위해서도 손을 씻는 것이 좋다. 식사 전에 건네주는 물수건은 손만 닦아야 한다. 가볍게 손을 닦은 물수건은 잘 접어서 식탁 옆에 놓아두는 것이 예의이다. 식사하기 위하여 자리를 잡으면 몸치장을 단정히 하고 자세를 바르게 하여야 한다.

### (2) 식사 중의 예절

① 식사는 감사한 마음으로 하여야 한다.

예로부터 우리에게는 음식을 먹을 때에는 준비한 분의 노고와 은혜에 감사하는 마음으로 식사를 하는 것이 예의이다. 음식을 먹으면서 마지못해 먹는 표정으로 먹는다면 대접한 사람의 입장은 어떻겠는가?

그러므로 감사하는 마음으로 즐겁게 식사하는 것이 식사의 기본 예의이다.

② 바른 자세로 식사를 한다.

식사 시간이 다소 길어질 수가 있다. 그렇다고 해서 자세가 바르지 못하다면 예의가 아니다. 고개를 너무 숙이고 먹는 데만 열중한다든지, 몸을 비꼰다든지, 상대방의 다리를 건드리는 것은 상대방을 불쾌하게 할 수가 있으므로 주의하여야 하며 의젓하고도 자연스러운 자세로 식사를 하도록 하여야 한다.

③ 옷차림은 단정히 하여야 한다.

식사 중에 옷을 벗는다든지 넥타이를 풀어헤치는 행동이라든지, 바지를 걷어 올린다든지, 다른 사람이 식사도 끝나지 않은 식탁에서 화장을 고치는 등의 행동은 교양이 없어 보이는 단정치 못한 행동이다.

④ 자기 스스로의 버릇을 기억하여 실수를 하지 않도록 조심하여야 한다.

사람 개개인에게는 습관이 하나 정도는 있기 마련이다. 숟가락과 젓가락을 함께 쥔다든지, 음식을 큰 소리가 나게 먹는다든지, 밥그릇을 돌려가면서 먹는 버릇 혹은 반찬을 헤젓는 버릇 등 예의에 어긋나는 행동의 버릇이 있다면 주의하여 상대방에게 불쾌감을 주지 않도록 한다.

⑤ 큰 소리를 내지 않도록 한다.

식사 중 남의 이목에는 안중에도 없고 자신의 이야기만 큰 소리로 말을 하지 말아야 한다. 국물이나 숭늉을 마시면서도 큰 소리로 후루룩하고 마신다면 역시 교양이 없어 보인다. 밥그릇을 요란스럽게 부딪치는 소리나 숟가락으로 밥그릇 등을 부딪치는 것도 역시 불쾌감을 줄 수가 있다. 그러므로 식사 때에는 항시 불필요한 소리가 나지 않도록 주의해야 한다.

⑥ 음식은 깨끗이 먹는 습관을 갖는다.

음식을 지저분하게 남기는 사람도 있고 국물이나 찌개 등을 지저분하게 남긴다거나 그릇의 가장자리에 묻혀 놓은 사람도 있다. 숟가락 등에도 김칫국물이 묻는다든지 음식 등을 흘려서 지저분한 느낌을 준다면 예의에 어긋난다.

⑦ 윗사람보다 먼저 숟가락을 들지 않는 것이 우리의 식사 예절이다.

부모님이나 윗분들과의 식사 때는 물론 손님을 초대했을 때에는 손님이 먼저 수저를 들고 식사를 시작하면 따라서 식사를 하는 것이 예의이다.

⑧ 식사 중에 자리를 뜨는 것은 예의에 어긋난다.

식사 중에는 자리를 뜨지 않는 것이 원칙이며 식사 중의 전화도 거절하는 것이 예의이다. 혹 식사 중에 다른 볼일로 손님이 왔을 경우에도 응접실이나 거실에서 기다리게 하고 식사를 모두 마친 후에 다른 볼일을 처리하는 것이 예의이다.

⑨ 식사를 마칠 때에도 단정하게 마칠 때에도 단정한 모습으로 마쳐야 한다. 숟가락이나 젓가락도 나란히 놓아두고 깔고 앉은 방석이나 의자도 가지런하게 정돈하고 일어나는 것이 예의이다.

⑩ 잘 먹었습니다, 감사합니다, 인사를 하는 것이 교양 있는 사람의 예절이다.

⑪ 이쑤시개는 사용하지 않는다.

특히 잘 모르는 사람 앞에서는 절대로 금지하는 것이 옳은 일이다.

### (3) 식사 후의 예절

원래의 우리 식사 문화는 반상에만 신경을 쓰고 후식에는 별다른 신경을 쓰지 않은 것이 사실이나 지금은 많이 달라져서 거의 후식이 나온다. 우리나라의 후식은 여러 가지가 있으며 각기 독특한 특징과 조리 방법 등이 있다.

후식은 반상을 치우고 다시 상을 차리는 것이 예의이며, 탁자의 경우 깨끗이 닦아낸 다음 다시 차리는 것이 원칙이다. 이 시간에는 대화와 서로의 인사를 물어보는 정도의 대담이면 족하고, 후식은 각기 취향대로 준비하는 것이 좋으므로 미리 물어보고 준비하는 것이 예의이다. 또한, 후식 시간이 너무 길면 좋지 않다. 적당한 시기에 일어나는 것이 치우는 사람의 입장에서 예의이다. 이와 같은 예절은 일상적이고 상식적이라고 할 수 있는 것들이기 때문에 조금만 주의하면 얼마든지 지킬 수 있는 것들이다. 올바른 식사 예절로 교양 있고 아름다운 우리의 식사 예절을 이어가도록 한다.

# 7-2 중국의 식생활 문화

## 1. 식생활 문화의 형성 배경

중국은 광대한 영토와 다양한 기후로 인하여 다양한 지역적 특징과 문화를 내포하고 있으며 수천 년의 역사와 더불어 전통과 문화를 지닌 세련된 조리기술로 맛과 풍미를 내어 세계인이 즐겨 찾는 음식 문화를 이루어 왔다. 양쯔 강을 경계로 한 북방과 남방, 대륙의 동서로 분류되어 지역별로 조리법에 차이가 있게 발달된 음식이 북경요리(北京料理), 광동요리(廣東料理), 사천요리(四川料理), 상해요리(上海料理)로 구분된다.

역사적으로는 은 시대부터 수수와 쌀이 재배되었고 상아 젓가락과 옥배가 제작되었으며, 주 시대에는 이모작이 보급되었고 전문 요리법이 완성되었다. 후한 시대에는 떡, 만두 등 가루 음식이 만들어졌고 술, 식초, 장, 누룩이 제조된 것으로 《제민요술》에 기록되었다. 수와 당 시대에는 운하 건설로 남북 교류 및 주변 세계와의 교역이 활발해져 인도의 요리법이 도입되었고 유럽에서 양배추, 페르시아에서 사탕수수, 피스타치오가 수입되었다. 송 시대에는 전매품으로서 차가 재배되었고, 원 시대에는 중국요리가 서방 세계로 전달되기 시작하였으며, 명 시대에는 벼의 품종 개량 및 농업기술이 진보되었고 외래 작물인 서류, 옥수수, 땅콩, 해바라기, 담배 등이 보급되었다. 중국요리의 집대성기인 청 시대에는 호사스러운 산해진미의 궁중 요리가 만들어짐으로써 이 시대에 오늘날의 중국요리가 거의 완성된 것으로 여겨진다. 중국요리의 진수라고 할 수 있는 '만한전석'은 청대의 화려함과 호사스러움의 극치를 이루는 것인데 상어지느러미, 곰 발바닥, 낙타의 등고기, 원숭이 골 등 중국 각지에서 준비한 희귀한 재료들을 이용하여 100종 이상의 요리를 만들어 이틀에 걸쳐 먹는 것으로 얼마나 음식 문화가 화려하게 꽃피웠는가를 짐작할 수 있게 한다.

## 2. 중국 음식의 특징

중국 음식은 세련되고 다양한 조리기술로 여러 가지 식품 재료를 사용하여 만들어진다. 영양이 풍부하고 부드럽고 기름진 음식으로 알려져 있으며 세계 여러 나라 사람들이 즐겨 먹는 음식이다. 중국 음식의 특징을 일반적 특징과 지역적 특징으로 살펴보면 다음과 같다.

### 1) 중국 음식의 일반적 특징

① 재료가 매우 다양하다. 중국요리에는 일반적인 식품 외에 닭 껍질, 닭 날개 끝, 닭벼슬, 돼지의 내장, 오리의 피, 집오리 혓바닥 등 식용 가능한 모든 동식물 재료를 요리에 이용한다.

② 조미료와 향신료의 종류가 많고 다양하게 사용하여 음식의 맛이 다양하고 풍부하다. 단맛, 짠맛, 신맛, 매운맛, 쓴맛의 오미를 복잡 미묘하게 배합하여 요리의 맛을 다양하게 창출해 낸다.

③ 조리기구가 간단하고 사용이 용이하다. 중국 냄비, 볶음 및 튀김 냄비, 그물 조리, 찜통 외에 식칼, 뒤지개, 국자 등이 전부라 할 정도로 조리기구의 수가 적다.

④ 숙식 위주의 식습관으로 조리법이 다양하게 발달되었다. 츄이(오래 끓여 조림), 탕(국), 차오(기름에 볶음), 자(튀김), 젠(팬에 지짐), 루(여러 가지 향신료를 넣고 삶음), 카오(직화구이), 둔(주재료에 액체를 부어 쪄냄), 류(튀긴 후 달콤한 녹말 소스를 얹음), 쉰(훈제), 정(쪄내는 법) 등 조리 방법이 다양하다.

⑤ 기름을 합리적으로 많이 사용한다.

⑥ 음식의 외양이 풍요롭고 화려하다. 중국 음식은 한 가지 요리를 한 그릇에 전부 담아내고 화려한 장식들을 곁들이므로 하나하나의 요리가 풍요롭고 화려하게 보인다.

⑦ 음식으로 보신한다는 '식의 합일'의 정신이 일상 식생활 습관에 깃들여져 있다.

## 2) 중국 음식의 지역별 특징

### (1) 북경요리(베이징차이, 징차이)

▌그림 7-12 베이징 덕

청 시대의 궁중요리가 기본이 되어 발달되었다. 북방의 유목민들에 의해 소, 양, 오리를 이용한 요리가 발달하여 오리 통구이인 베이징 덕이 유명하며, 한랭한 산악 지대로 고칼로리 음식이 요구되므로 육류의 튀김과 볶음요리가 발달되었고, 화북 평야에서 생산되는 소맥으로 면, 만두, 떡 등의 가루 음식이 발달하였다.

### (2) 사천요리(쓰촨차이, 촨차이)

양쯔 강 상류의 내륙지(청두)에서 발달하여 해산물보다 육류, 채소 요리가 많다. 채소의 염절임(엔차이, 센차이), 건물 등 보존식이 발달하였고 파, 마늘, 고추 등의 향신료나 조미료 배합에 변화가 많아 맛이 농후하고 매운 요리가 많다. 주요 요리로 마파도우프(두부요리), 간사오샤(새우케첩볶음), 양로루꿔쯔(양고기요리) 등이 있다.

### (3) 상해요리(쑤차이)

따뜻한 기후인 양쯔 강 하류 일대의 도시에서 발달하여 풍부한 농산물과 해산물로 만든 요리가 다양하다. 간장과 설탕으로 달콤한 맛을 내고 기름기가 많은 진한 맛이 특징이다. 바닷게, 꽃 모양의 빵, 만두의 일종인 탕바오 등이 유명하다.

### (4) 광동요리(광둥차이, 위엔차이)

식재광주(食在廣州) : 광동요리가 천하제일이라고 할 정도로 아열대 기후의 풍부한 생산물과 뱀, 개, 고양이, 개구리 등의 창자, 간, 귀, 입술 등 네 발 달린 동물은 무엇이든 요리가 가능하여 다양한 요리가 발달하였다. 또한, 해외 각국을 연결하는 주요 통로로 식생활도 서양요리의 재료와 조미료를 받아들여 매우 화려하고 서구화되었다. 주요 요리로는 상어지느러미요리, 어린 통돼지구이 등이 있다.

## 3. 중국의 주요 음식

식재료가 풍부하여 딤섬, 춘권, 월병, 베이징 덕, 탕수육, 상어지느러미수프, 둥포러우, 피단, 탕바오, 홍사오러우, 마파두부, 새우칠리소스볶음, 누룽지탕, 라조기, 양장피, 팔보채, 류산슬 등 다양한 맛의 요리가 발달하였으며 모양이 화려하다.

▌그림 7-13 누룽지탕

## 4. 상차림과 식사 예절

### 1) 상차림

중국 음식의 식단은 채단(菜單)이라고 하며, 가정에서의 채단은 차이(菜)와 덴신(點心)으로 구성되나 연회의 채단은 대체로 전채요리(前菜料理), 대채요리(大菜料理 : 중요 요리), 덴신(點心), 죽 또는 밥으로 구성된다. 중국 음식은 주요 재료와 조리법에 따라 요리의 명칭이 있고, 그 주요 재료를 중심으로 조화된 식단을 구성한다. 중국요리의 개념은 사람 수에 따라 음식의 분량을 정하는 것이 아니라 한 가지 요리를 한 그릇에 담을 만큼만 만들어 나누어 먹으므로 먹을 사람이 많아지면 요리의 가짓수를 늘려서 식탁에 앉을 인원수보다 1가지 더 많은 요리를 준비한다. 음식은 큰 접시나 오목한 그릇에 담아내면 각자 개인 접시가 마련되어 먹을 수 있는 양만큼 덜어다 먹게 된다. 식탁은 대체로 원형으로 되어 있고 회전대가 있어 돌려가면서 각자 덜어 먹으며 한 식탁의 인원수는 8~12명의 짝수를 표준으로 한다. 음식은 손님이 자리에 앉은 후 주방에서 운반하게 되므로 식탁에는 조미료인 간장, 식초, 덜어다 먹을 수 있는 접시와 젓가락만을 놓게 된다.

표 7-11 채단

| 구분 | 내용 |
|---|---|
| 전채요리 | 냉채와 열채로 구성된다. |
| 대채요리 | 특수 재료를 이용한 고급요리. 일반적으로 8품이 상례이다. 옌시(제비둥지요리), 치시(상어지느러미요리), 선시(해삼요리)가 들어간다. |
| 뎬신 | 주식 대용의 면류, 만두, 교자 등으로 식사 중간쯤에 짠맛과 단맛의 2가지로 내놓는 것이 상례이다. |
| 죽 또는 밥 | 뎬신이 끝난 뒤에 셴차이, 엔차이(장아찌류)와 함께 나온다. |

그림 7-14 중국의 상차림 예

#### (1) 전채

해파리냉채, 양장피잡채, 말라황과

#### (2) 주식

사천식 새우볶음, 사천식 채소절임, 광동식 탕수육, 깐풍기, 닭고기 당근찜, 돼지고기 짜장볶음, 누룽지탕, 중국풍 달걀국, 팔보밥

### 2) 식사 예절

손님이 자리에 앉으면 주인은 술잔에 술을 따르고 일어나서 잔을 들어 인사를 하면 먹기 시작한다. 음식이 나오면 덜어다 먹을 수 있는 큰 숟가락으로 자기 앞쪽에서 조금씩 덜어 놓는데 음식을 덜어갈 때에는 음식을 뒤적거리거나 흐트러지게 해서는 안 된다. 담는 분량은 인원수에 대한 할당량을 참작해서 약간 적다 싶을 정도로 담고, 회전대를 돌릴 때에 요리나 식기를 떨어뜨리지 않게 하고 튀어나온 접시에 의해 술병이 넘어지지 않도록 주의한다. 새로운 음식이 나오면 주인은 손님에게 먼저 권한다. 음식을 먹는 동안에는 팔을 상 위에 올려놓거나 소리를 내어 먹어서는 안 되며, 숟가락은 사기사시로 된 것을 사용하므로 사시 앞쪽만을 입에 대고 음식을 흘려 넣는 식으로 먹어야 한다. 음식을 덜어다 먹는 접시가 더러워지면 주인은 주의하여 가끔 바꾸어 놓도록 해야 한다.

## 7-3 일본의 식생활 문화

### 1. 식생활 문화의 형성 배경

일본의 자연환경은 남북으로 긴 4개의 섬을 이루고 있으며 국토의 70%가 산간 지역으로 평야가 적다. 해양성 온대몬순기후로 비가 많아 연중 쌀, 채소가 원활하게 공급되

고 사계절이 뚜렷하여 계절마다 다양한 작물이 수확되며, 나라 전체가 좋은 어장에 둘러싸여 신선한 어류 공급이 가능하므로 생선의 이용법도 다양하다.

일본은 식생활 형성기인 헤이안 시대에 불교의 영향으로 육류를 멀리하였고 생선을 상용하였으며, 가마보코도 이 시대부터 연구되었다. 가마쿠라 시대에는 사원을 중심으로 세이진요리(精進料理)가 발달하였으며, 두부가 수입되었고 송에서 차가 들어와 재배되었다. 막부 시대인 무로마치 시대에는 일본요리의 주류가 되는 혼젠요리(本膳料理)가 등장하였고 식기에 큰 발전이 있어 오늘날의 고급 일본요리 형식을 이루게 되었다. 아츠치, 모모야마 시대에는 차의 생활화에 따른 가이세키요리(懷石料理)가 확립되고 튀김과 같은 난반요리(南蠻料理)와 호박, 감자 등이 스페인, 포르투갈로부터 들어왔다. 에도 시대에는 서민이나 도시 일반인의 문화적 영향이 크게 작용하였으며 각 시대의 여러 요리를 흡수, 소화시켜 가이세키요리(會席料理)로 발전시키는 등 일본요리가 대성한 시기였으나 농촌에서는 기근으로 고구마 같은 구황작물이 재배되었다. 메이지 이후에는 소고기, 우유 및 유제품, 빵, 커피 등이 널리 보급되고 서양요리가 증가하게 되었다.

## 2. 일본 음식의 특징

일본의 음식은 대체로 식품 재료 자체가 가지고 있는 담백한 맛을 충분히 나타내고 색채를 아름답게 하기 위하여 특별히 배려를 하며 채소를 썰 때에도 기교 있게 썰어서 섬세한 감각을 주고 식욕을 돋운다. 음식은 1인분씩 담는 것을 원칙으로 하며 종류가 간단하고 양도 적다. 일본에서 가장 중요한 음식 재료는 쌀과 콩이며, 콩을 이용한 콩제품이나 신선한 과일과 채소를 많이 이용하고 식사 때마다 녹차를 마신다. 일본의 음식은 사계절 언제나 생선이 많아서 생선요리를 잘 다루고 있으며 국물의 맛은 가쯔오부시(생선 가다랭이를 훈제하여 말린 것)를 주재료로 한다.

### 1) 세이진요리(精進料理)

불교 사원에서 발달한 요리로 어육이나 비린 것은 쓰지 않고 곡물, 채소, 마른 버섯, 두부, 초류 등 식물성 재료만 쓰며 소금간을 하고 설탕은 넣지 않는다.

### 2) 혼젠요리(本膳料理)

주로 관혼상제 때에 쓰여진 정식 식단이며 격식을 차려야 할 중요한 연회나 혼례요리 등 의식 요리로서 차리기가 매우 복잡하다. 상을 다섯 개 차리는 것이 정식이며, 제1의 상을 혼젠이라 하며, 두 번째 상부터 2젠, 3젠, 4젠, 5젠으로 부른다.

### 3) 차가이세키요리(茶會席料理)

다도에서 나온 요리로 차를 들기 전에 내는 요리이다. 양은 적은 대신 계절의 신선한 재료를 사용하여 손님이 먹는 시기에 적절하게 요리를 낸다.

### 4) 가이세키요리(會席料理)

혼젠요리, 가이세키(懷石)요리의 형식을 따서 일반인이 이용하기 편하게 간략하게 한 요리로 현재 일본의 음식점, 호텔에서 이용되는 요리이다.

## 3. 일본의 주요 음식

### 1) 주식

① 밥 : 스시(초밥) - 니기리즈시(생선초밥), 이나리즈시(유부초밥), 마키즈시(김초밥), 돈부리(덮밥) - 규돈(소고기덮밥), 가쓰돈(돈까스덮밥), 오야꼬돈부리(달걀과 닭고기가 들어간 덮밥)

② 면류 : 우동, 소멘(소면-가는 국수), 소바(메밀국수)

## 2) 부식

① 시루모노(국) : 스마시시루(맑은국), 미소시루(된장국)

② 야키모노(구이) : 시오야키(소금구이), 데리야키(간장양념구이)

③ 니모노(조림) : 후쿠메니(국물을 많이 붓고 오래 끓인 조림), 아게니(튀긴 후 조림), 미소니(된장조림), 니쓰케(설탕을 넣고 단단하게 바싹 조림)

④ 무시모노(찜) : 사카무시(술이 첨가된 찜), 오키나무시(다시마와 가늘게 채 썬 무를 백발처럼 얹어 찐 것), 신슈무시(소바를 준비하여 찐 요리에 얹음)

⑤ 아게모노(튀김) : 가라아게(껍질 없이 튀김), 고로모아게(껍질 입혀 튀김)

⑥ 나베모노(찌개나 전골류) : 스키야키, 샤부샤부

⑦ 스노모노(초무침) : 생선, 조개, 채소류의 초무침

⑧ 아에모노(무침)

⑨ 히타시모노(나물) : 엽채류를 끓는 물에 데쳐 물기를 짠 다음 양념을 뿌리거나 무침

⑩ 사시미

▌그림 7-15 일본의 주요 음식

# 4. 상차림과 식사 예절

## 1) 상차림

### (1) 혼젠요리(本膳料理)

혼젠요리 식단은 관혼상제 때에 격식에 따라 차려지는 식단으로 상의 크기가 50×50cm 정도로 작고 낮은 상이며 많은 음식을 놓을 수 없어 상을 다섯 살까지 차린다. 상차림은 국물의 숫자와 요리 숫자에 따라 1즙(汁) 3채(菜), 1즙 5채, 2즙 5채, 2즙 7채, 3즙 7채, 3즙 9채로 차려지는데 생일이나 졸업, 입학 등 즐거운 날에는 3개의 상에 2즙 7채의 상차림이 차려지고, 결혼 요리는 5개의 상에 3즙 7채의 상차림이 차려진다. 국 종류를 말하는 즙이 2가지인 경우에는 하나는 맑은국, 하나는 된장국으로 하고, 반찬을 말하는 채는 술안주, 조림, 구이, 무침, 튀김, 찜요리 등이 된다.

표 7-12 혼젠요리

| 구분 | 내용 |
|---|---|
| 혼젠(本膳, 첫째 상) | 된장국, 밥, 고노모노(香物), 무코즈케(초회), 쓰보(채소, 어묵조림) |
| 2젠 | 된장국, 밥, 고노모노(香物), 무코즈케(초회), 쓰보(채소, 어묵조림) |
| 3젠 | 된장국 또는 생선국, 무코즈케, 다키아와세(재료별로 조려 예쁘게 담은 것) |
| 4젠 | 야키모노(도미통구이) |
| 5젠 | 다이히키(손님이 가져갈 수 있는 요리, 과자) |

### (2) 가이세키요리(會席料理)

혼젠요리의 형식을 따서 일반인이 이용하기 편리하게 간략화한 요리로 음식의 수를 품으로 나타내며, 혼젠요리처럼 처음부터 요리를 전부 내놓지 않고 맑은국과 생선회를 먼저 내고 다음에 요리를 낸다.

▌표 7-13 가이세키요리

| 구분 | 내용 |
|---|---|
| 3품 식단 | 밥, 국, 니모노(조림), 야키모노(구이) |
| 5품 식단 | 밥, 맑은국, 고노모노(香物), 니모노, 무코즈케, 야키모노, 쵸쿠 |
| 7품 식단 | 5품 식단 외에 아이우오(찜, 튀김), 스노모노(초무침) |
| 9품, 11품 식단 | 7품 식단 외에 튀김, 찜, 무침 등 |

## 2) 식사 예절

일본의 식사 예절은 매우 엄격하고 복잡하며 우리의 식사 예절과 다른 점이 많다.

① 식사 전후에는 반드시 인사를 정중하게 한다.
② 자세를 바르게 하고 먹는 소리를 내지 않는다.
③ 밥공기와 국그릇에는 뚜껑이 있으며, 왼손으로 그릇이 움직이지 않도록 쥐고 오른손으로 뚜껑을 열어 놓는다.
④ 상이 낮으므로 식사할 때 밥공기와 국그릇을 들고 먹어도 실례가 되지 않는다.
⑤ 음식을 먹을 때에는 주로 젓가락만 사용하는데, 젓가락을 국 국물에 넣어 적신 후 국물을 한 모금 마신 다음 밥을 먹는다.
⑥ 국물 음식은 그릇을 직접 입에 대고 마신다.
⑦ 밥을 더 먹고 싶을 때에는 밥공기에 밥을 한 젓가락쯤 남긴 상태에서 더 청한다.

## 7-4 서양의 식생활 문화

서양의 식생활 문화는 아시아 여러 나라를 제외한 유럽과 미국에서 발달한 식생활 문화의 총칭이다. 서양요리는 프랑스를 비롯하여 이탈리아, 스페인 등 라틴 계열의 요리와 영국, 미국, 북유럽의 앵글로 색슨계 요리 등 수많은 나라의 요리를 편의적으로 표현하는 것이며, 나라마다 각기 내용을 달리하는 특징적인 식생활을 구축하고 있다. 서양요리라 해도 나라마다, 지역에 따라 자연환경과 오랜 역사, 기후, 풍토 및 민족의 차이가 많은 영향을 미치기 때문에 지형적 여건이 요리 문화에 반영된다. 서양요리의 대표적인 요리는 프랑스요리인데, 조리법이 이론적 기초를 가지고 맛의 조화를 고려하여 만들어진 요리로 그 미묘한 맛이나 아름다운 모양은 프랑스의 풍부한 예술과 함께 전 세계의 음식 문화를 주도해 왔다.

로마가 전성시대였을 때에 프랑스 궁중 음식이 전파되고 보편화되면서 서민들도 먹기 시작하였다.

서양인들은 유목민이었기에 육류를 많이 먹었다. 따라서 소고기, 돼지고기 이외에 양고기 등의 육류 재료가 다양하며 그 외 다른 조리법도 발달하였다. 특히 유제품인 우유와 버터, 치즈, 요구르트 등이 발달하였다. 또한, 유지를 많이 사용하여 맛을 높였다. 육류의 많은 섭취로 인해 식생활에서 술이 일반화되었다. 즉 와인이나 포도주와 같은 종류의 술이 그 예이다.

서양 음식에서는 향신료를 빼놓을 순 없다. 향신료가 발달되었고 많이 사용된다. 쓰이는 향신료와 양념이 바로 그 나라의 특징이 되는 것이다.

서양 음식에서 육류에 끼얹어 먹는 소스가 발달하였다. 소스는 다른 사람들의 의견을 들은 후 자기 스타일에 맞게 만들어 먹기 때문에 소스가 매우 다양하다.

# 1. 프랑스의 식생활 문화

## 1) 식생활 문화의 형성 배경

프랑스는 맛과 멋을 즐기는 식도락의 나라로 지중해와 대서양에 면하고 있어 기후가 온화하고 국토의 2/3가 평야와 구릉으로 되어 있어 넓은 평야와 적정한 강수량에 의해 농업이 성하다. 대부분의 식량을 자급자족하고도 남아 수출하고 있으며, 특히 밀의 생산은 세계 5위이며 포도주는 양과 질이 모두 세계 제일이다. 또한, 국토의 25%가 목초지이므로 목축이 발달하여 우유와 버터 생산이 많으며, 대서양과 지중해에서 수산업이 발달하여 대구, 연어, 고등어, 새우, 굴, 조개 등이 풍부하다.

골(gaule)족이 살던 곳으로 이동해 온 프랑스는 음식 맛이 거친 골인의 조리법을 이어받았으나 로마제국의 지배를 받은 후 로마의 요리 기술을 빌려 프랑스요리가 시작되었다.

이탈리아의 카드린느 메디시스가 앤드류 4세에게 출가하면서 요리 솜씨가 뛰어난 조리사를 데려가 궁중의 조리사들에게 배우게 하였고, 파리에 요리학교가 생겨 많은 요리사가 양성되었다. 프랑스 혁명 후 궁중과 귀족을 위해 요리하던 요리사들이 시중에 나와 먹고 살기 위해 음식점을 차린 것이 오늘날과 같은 세계적인 음식으로 발전하게 되었다.

## 2) 프랑스 음식의 특징

풍부한 농·축·수산물이 요리에 좋은 재료를 제공하고 있는 프랑스는 재료의 맛을 충분히 살리고 포도주, 향신료, 소스를 이용한 고도의 조리기술을 구사하여 음식의 섬세한 맛을 자아낸다. 일반적인 프랑스 음식의 특징을 살펴보면 다음과 같다.

① 프랑스요리는 포도주가 없어서는 안 된다. 포도주는 마시는 목적 외에도 맛을 돋우는 조미료로 이용된다.

- 비프 부르기뇽(소고기를 붉은 와인으로 찐 것)

- 코크 오뱅(수탉을 포도주로 찐 것)
- 므르 마리니에르(므르조개를 흰 와인으로 찐 것)

② 향신료는 프랑스요리를 풍부하게 한다. 파슬리 줄기, 후추, 로리에, 샐러리, 너트맥, 사프란 등

③ 프랑스요리는 조화의 미를 찾는다. 요리의 내용만큼 그릇의 선택, 식탁의 조화를 찾는 테이블 문화에 비중이 크며, 순서를 갖춘 격식 있는 식사 예절도 중요하다.

④ 프랑스는 빵(바게트) 문화가 발달하였다. 맛있는 빵을 먹기 위해 하루에 3번 빵을 굽는다. 거리에서도 자연스럽게 빵을 먹고 다니며 레스토랑에서는 음식값이 싼 집이라도 빵을 무료로 얼마든지 먹을 수 있다.

### 3) 프랑스의 주요 음식

세계적으로 잘 알려진 프랑스의 3대 요리로는 달팽이요리, 거위 간으로 만든 푸아그라(foie gras), 철갑상어알(caviar)을 들지만, 그 외에도 개구리 뒷다리요리, 토끼요리, 송로버섯요리(truffle), 석화(굴)요리, 부이야베스(생선수프), 스테이크 샤토브리앙, 프티 푸르(petits fours), 오믈렛, 꼬꼬뱅(닭고기), 빵, 그리고 다양한 치즈를 이용한 요리, 샐러드 등 많은 요리가 알려져 있다.

### 4) 식단 구성과 식사 예절

#### (1) 식단 구성

▌표 7-14 식단 구성

| 식단 구성 | 내용 |
|---|---|
| 고적적인 식단 | 차가운 전채요리 → 수프 → 뜨거운 전채요리 → 생선요리 → 주요리 → 뜨거운 앙트레 → 셔베트 → 토스트와 샐러드 → 채소요리 → 달콤한 요리 → 사부뢰 → 디저트 |
| 현대적인 식단 | 오르되브르 → 수프 → 생선요리 → 앙트레 → 로스트 요리 → 채소요리 → 디저트 → 음료 |

① 오르되브르 : 달팽이요리, 생굴(석화)요리, 프아그라(foie gras : 거위 간으로 요리), 흑갈색의 송로버섯으로 만드는 트러플(truffle)요리
② 수프 : 콘소메수프, 감자크림수프, 오뇽 그라티네수프, 부이야베스(여러 가지 생선과 노란색이 나는 향료 사프란을 넣고 끓인 마르세이유의 향토 음식)
③ 생선요리 : 바닷가재요리, 솔뮤니에르, 모레마리니에르, 식용개구리요리
④ 앙트레 : 샤토브리앙(안심 중에서도 가장 부드러운 부분) 스테이크
⑤ 로스트요리 : 소, 돼지, 닭 외에 오리, 토끼, 양, 송아지, 비둘기, 노루, 청둥오리, 꿩 등 종류가 다양하다.
⑥ 채소요리 : 레터스, 앤디브, 양배추, 오이, 토마토, 샐러리 등
⑦ 디저트 : 사부뢰('한입의 요리'로 주로 치즈요리), 크레이프, 푸딩
⑧ 와인 : 보르도(bordeaux), 브르고뉴(bourgogne), 보졸레(beaujolais) 지역에서 생산되는 포도주가 유명하다.

#### (2) 식사 예절

음식을 이해하는 마음으로 즐기며 풀코스 세팅의 원칙을 알아두고 예약하는 습관을 길러 둔다. 음식을 먹을 때는 강약을 조절하여 전채요리, 빵, 수프 등은 입맛을 돋우는 정도로 즐기고 본요리가 나왔을 때 제대로 먹는다. 음식을 먹을 때에는 소리를 내지 않도록 조심하고 일류 레스토랑에서 식사를 할 때에는 정장을 하고 간다.

## 2. 이탈리아의 식생활 문화

### 1) 식생활 문화의 형성 배경

남부 유럽의 알프스 산맥에서 지중해로 굽이 높은 장화 모양을 한 이탈리아는 산이 많은 반도로 뻗어 있으며, 반도 끝부분에 시칠리아 섬을 비롯한 수많은 작은 섬들로 이루어져 있다. 기후는 한서의 차가 적고 1년 내내 온난한 지중해성 기후이며, 기독교의 직접적인 지배를 통해 성숙된 음식 문화는 신선한 육류와 해산물 그 자체에 이탈리아

요리의 맛이 담겨 있고 요리법과 재료가 지방에 따라 달라 특색 있게 발달해 왔다. 북부 이탈리아는 밀과 쌀의 산지로 파스타가 발달하여 스파게티, 마카로니가 세계적으로 유명하고, 남쪽에서는 버터 대신 올리브유를 많이 쓰고 향신료로서 마늘을 많이 사용하며 풍부하게 생산되는 토마토를 이용하는 요리가 많다.

## 2) 이탈리아 음식의 특징

### (1) 이탈리아 음식의 일반적인 특징

① 파스타는 이탈리아의 음식을 대표한다.

이탈리아에서는 파스타를 수프 대신 먹는 것이 특징인데, 파스타란 밀가루를 반죽한 것을 말하며 파스타를 원료로 하여 만들어진 식품의 총칭으로도 쓰인다. 건조된 파스타는 스파게티, 관 모양의 마카로니, 길고 얇은 막대 모양의 타리아텔레 등이 있고 건조되지 않은 파스타로는 치즈, 갈은 고기, 채소 등을 넣어 만두처럼 속을 채운 라비올리(rabioli)를 비롯하여 토트텔리니, 라자냐, 카넬로니 등이 있다. 또한, 11세기 이후 나폴리에서는 둥근 모양의 빵을 불에 굽기 전에 색색의 여러 가지 음식이 첨가된 피체아(picea)라는 것이 등장하였는데 이것이 후에 피자로 불리게 되었다.

② 육류요리와 다양한 생선요리가 발달하였다.

석쇠나 숯불에 굽거나 오븐에 굽는 것, 마늘과 로즈메리를 곁들여 오븐이나 숯불에 굽는 어린 양고기(아바치오), 토끼고기 전골요리(아그로돌세) 등의 육류요리가 있으며, 모든 생선을 잡아서 튀기거나 토마토소스를 곁들이는 다양한 생선요리가 있으며, 작은 대합조개는 어느 지역에서나 수프와 소스에 사용된다.파르마 햄과 같은 가공 육류와 모르타델리와 같은 강하게 양념한 돼지고기를 젖먹이 새끼돼지의 껍질로 싼 볼로나 소시지가 유명하다.

③ 지방 특유의 다양한 와인이 있다.

생선요리에 적합한 베로나 지방의 '소아베', 시칠리아의 '코르보', 사르디니아의 '에르나차' 등이 있으며, 피렌체식 스테이크에 알맞는 토스카나의 '칸티', 그밖에

라초의 '에스트 · 에스트 · 에스트', 나폴리의 '라크리마크리스티' 등이 있다.

#### (2) 이탈리아 음식의 지역별 특징

▌표 7-15 지역별 특성

| 지역 구분 | 음식 특징 |
|---|---|
| 베네치아 | 운하 도시로 생선요리가 유명하여 대하요리인 스캄피, 문어와 오징어가 들어간 생선 스튜인 부리다 등이 있다. |
| 피렌체 | 올리브기름이 음식의 기본 재료이며 피렌체식 스테이크, 버터와 파마산 치즈가 곁들여지는 시금치 파스타가 유명하다. |
| 나폴리 | 피자와 스파게티의 발생지이며, 모짜렐라 치즈가 유명하고 생선을 구워 만든 요리, 새우요리가 일품이다. |
| 시칠리아 | 참치나 정어리가 풍부하여 정어리 파스타가 유명하다. 요리에 새끼 양과 새끼 염소 고기를 주로 사용한다. |

### 3) 이탈리아의 주요 음식

#### (1) 스파게티

볼로냐식은 미트소스, 나폴리식은 토마토소스, 카르보나라는 베이컨, 생크림, 파마산 치즈가, 봉골레식은 모시조개, 아리오 에오리오 페페론치노는 마늘, 고추, 올리브유가 주된 재료이다.

#### (2) 라자냐

넓게 민 판형의 파스타 사이에 소스와 치즈를 켜켜로 놓아 오븐에서 구운 것

#### (3) 라비올리

두 장의 파스타 사이에 새우, 간 고기, 치즈 등으로 만든 소를 일정한 간격으로 놓고 소와 소 사이를 눌러 붙여 네모난 만두 모양으로 만든 것

#### (4) 피자

피자 반죽이 얇으며 토핑 재료로 토마토소스와 치즈, 살라미(페퍼로니), 앤초비(기름에 절인 멸치), 각종 채소나 해물(연어, 조개, 홍합) 등이 이용된다.

#### (5) 리조토

이탈리아인들이 자랑하는 쌀 요리로 기름에 쌀과 채소를 넣고 볶다가 포도주로 향을 내고 닭 육수를 넣어 익히는데 많은 재료가 어우러진 맛이 좋다.

### 4) 식단 구성과 식사 예절

#### (1) 식단 구성

전채(햄, 어패류 샐러드, 채소) → 수프, 파스타, 쌀요리 → 고기, 생선요리 → 채소샐러드, 따뜻한 삶은 채소 → 치즈(고르곤졸라, 리코타, 모짜렐라 등) → 디저트(과일) → 커피(에스프레소, 카푸치노)

① 식사 대용으로 먹는 피자와 스파게티를 이탈리아에서는 메인 요리를 먹기 전에 소량을 먹는다.

② 이탈리아식 정식 상차림은 어패류나 생 햄을 이용한 요리 등을 먹는 전채요리(안티파스토), 스파게티나 라자니아 같은 파스타 또는 피자 등을 먹는 첫째 접시(프리모 피아또), 여러 가지 소스를 뿌린 생선, 해물, 고기요리 등의 메인 요리(세콘도 피아또)로 나눈다.

③ 다른 서양요리와 틀린 점은 이탈리아에서는 다른 서양 나라들과는 달리 샐러드를 메인요리와 함께 먹는다는 점이다. 그래서 샐러드를 딸림 음식(콘도르노)이라고 한다.

④ 콘돌르노에는 샐러드 외에 채소구이, 시금치 볶음 등이 있다.

⑤ 이탈리아 정식 상차림에서 빠질 수 없는 것이 와인이다. 이탈리아인들은 식사를 시작할 때 따라서 마시기 시작한 와인을 식사가 끝날 때쯤이면 거의 다 마실 정도로 즐긴다.

⑥ 마늘을 우리만큼이나 요리에 많이 사용하는 이탈리아 음식은 새롭게 가미하지 않아도 우리 입맛에 잘 맞는다.

### (2) 식사 예절

유럽인들의 식탁 문화는 서로가 영향을 미쳐 왔으므로 대개 유사한 점이 많다.

① 식사 도중 팔꿈치를 식탁에 대거나 식탁 밑으로 손을 내리지 않는다.

② 대부분의 요리는 포크와 나이프로 먹으나 감자튀김이나 뼈를 빼지 않은 고기, 빵 등은 손으로 먹기 때문에 손을 청결하게 유지하고 있어야 한다.

③ 음식을 서빙할 때 고르거나 뒤적거리는 일이 없도록 한다.

④ 음식은 공동의 큰 접시에 담겨 나와 돌아가면서 각자가 서빙을 하게 되는데, 좋은 부위를 고르거나 뒤적거리는 일이 없도록 한다.

⑤ 식탁 위의 기름과 소금은 직접 집어다가 뿌려 먹는 것이 좋다.

⑥ 샐러드는 개인의 소스에 대한 취향을 존중하여 반드시 각자의 접시에 던 후 뿌려 먹고, 한꺼번에 버무리지 않는다.

⑦ 식탁이나 식탁을 떠나서도 트림을 하는 것은 예의에 크게 어긋나나, 큰 소리를 내서 코를 푸는 것은 그렇게 수치스럽게 느끼지 않는다.

## 3. 영국의 식생활 문화

### 1) 식생활 문화의 형성 배경

영국은 잉글랜드, 스코틀랜드, 웨일스, 북아일랜드로 이루어진 섬나라로 국토의 대부분이 구릉 지대이며, 북위 50~60°에 위치하면서도 북대서양 해류와 서안해양성 기후의 영향으로 겨울에도 춥지 않고 여름에는 서늘하여 축산에 적합하며 밀이 풍부하게 생산된다. 또한, 세계 2대 어장으로 꼽히는 북동 대서양 어장을 가까이 두고 있어 어족자원이 풍부하다.

영국의 음식 문화는 단순하고 소박하며 역사와 전통을 소중히 여기는 반면에, 대영제국으로 오대양을 지배하면서 열대의 각종 향신료가 유입되어 요리의 종류가 다양해

졌는데, 인도의 카레나 실론티같이 영국인의 기호에 맞는 음식은 받아들여 왔다.

### 2) 영국 음식의 특징

- 영국의 아침 식사는 풍성하여 커피와 빵만을 주로 하는 대륙식 아침 식사에 비해 실속 있게 상을 차려 먹는다.
- 영국의 빵은 주로 베이킹파우더를 이용하여 부풀린 것으로 제조 공정이 간단하다. 그래서 영국에서는 빵이나 케이크, 쿠키, 크래커 등을 통칭하여 '비스킷'이라고 한다.
- 조리 방식에 자연스러움을 강조하여 음식 자체의 맛과 향을 중요시하고 향신료를 많이 쓰지 않는다.
- 다양한 감자요리가 많다. 서늘한 기후로 인하여 감자 생산이 많으므로 감자를 이용한 스튜와 파이, 팬케이크, 감자튀김, 으깬 감자 등 다양한 감자요리가 발달하였다.
- 커피보다 차를 마시는 문화가 발달했다. 영국인은 아침 5시와 오전 11시경, 점심 직후, 오후 3~4시경의 애프터눈 티(afternoon tea)와 5시경의 하이 티(high tea), 저녁 시간 등 대개 하루에 6번의 차를 마시게 된다.

### 3) 영국의 주요 음식

영국의 대표적이고 전통적인 주요 음식들은 다음과 같다.

#### (1) 로스트비프와 요크셔푸딩

① 로스트비프 : 소고기의 가장 연한 안심 부위를 통째로 소금, 후추를 뿌린 후 버터를 발라 오븐에 구운 것으로 소스는 서양 고추냉이 소스가 제격이다.

② 요크셔푸딩 : 로스트비프에서 나온 육즙에 밀가루, 물, 소금, 달걀, 우유로 반죽하여 오븐에 익힌 것으로 고기와 곁들인다. 후식과 같이 달지 않다.

#### (2) 생선 프라이와 감자튀김(fish and chips)

영국인이 즐겨 먹는 생선은 대구, 명태, 청어, 가자미, 고등어 등이다.

**(3) 스코치 에그(scotch egg)**

스코틀랜드에서 완숙 달걀을 껍데기를 벗기고 통째로 반죽한 소시지 고기로 다시 싸서 빵가루를 입혀 튀긴 음식. 간단한 점심으로 인기가 있다.

**(4) 해기스(haggis)**

스코틀랜드 전통 음식으로 양, 송아지의 염통, 허파, 간 등에 소기름, 오트밀을 섞고 소금, 후추, 양파로 양념하여 그 동물의 위장에 다시 넣어 큰 소시지처럼 삶아낸 것

**(5) 라이스 푸딩(rice pudding)**

영국의 전형적인 후식으로 쌀을 불려 우유와 설탕을 넣고 오븐에서 익힌 것

**(6) 홍차, 오롱차, 블렌디드 티**

① 홍차 - 인도산(아삼, 다르질링, 닐기리), 실론산
② 오롱차 - 중국산
③ 블렌디드 티 - 여러 가지 차를 혼합한 것

### 4) 식단 구성과 식사 예절

**(1) 식단 구성**

영국인들은 하루에 네 번의 식사(breakfast, lunch, tea, dinner)를 한다.

① 아침 식사

과일주스, 시리얼, 베이컨(소시지)과 달걀, 훈제한 청어와 토마토, 토스트, 요구르트와 과일, 커피 또는 홍차 등 매우 실속 있는 아침 식사를 한다.

② 점심

주중에는 직장이나 학교에서 식사를 하므로 주로 메인과 후식 두 코스로 간단하게 구성되어 있다. 후식은 주로 푸딩 종류나 타트(tart : 과일이 든 파이)를 먹는데 이는

과일이 흔하지 않아 비싸기 때문이다.

③ 애프터눈 티 또는 하이 티

애프터눈 티는 보통 오후 3~4시경에 간단한 간식으로 차와 함께 비스킷 또는 샌드위치, 케이크, 머핀 등을 먹으며, 하이 티는 '미트 티'라 하여 따뜻하게 조리한 햄, 소시지와 달걀프라이, 튀긴 생선, 포그 파이, 스테이크와 키드니 파이 등이 나오고 다양한 샌드위치가 나오므로 저녁에 일찍 자는 어린이에게는 이것이 저녁 식사가 된다.

④ 저녁 식사

점심을 정찬으로 먹는 경우에는 서퍼(supper)라 하여 비교적 간단한 저녁 식사를 하나, 점심을 가볍게 먹는 경우에는 디너(dinner)라 하여 정찬을 먹게 된다.

### (2) 식사 예절

① 저녁 식사 파티에 초대되었을 때, 먹지 않는 특정 음식이 있거나 특별히 필요한 사항이 있으면 며칠 전에 미리 말해 주는 것이 좋다.

② 손님으로 방문했을 때 상대방이 식사하기를 권하거나 먼저 먹기 시작했을 때까지 기다려 준다.

③ 다른 음식을 먹거나 음료수를 마시기 전에 먼저 입에 넣은 음식을 씹고 삼키도록 한다.

④ 바비큐 요리나 패스트푸드 등과 같이 비형식적인 자리에서는 손가락으로 치킨이나 피자를 먹을 수도 있지만, 그 외에는 나이프와 포크를 사용한다.

⑤ 식사를 마쳤을 때는 식사를 끝냈다는 표시로써 사용한 나이프와 포크는 접시 위에 가지런히 올려놓도록 하고, 이때 포크는 뒤집어 놓지 않도록 하고 손잡이 방향이 나를 향하도록 한다.

⑥ 다른 사람의 접시 위로 팔 또는 물건이 지나가지 않도록 하고, 멀리 있는 것은 건네 달라고 요청한다.

⑦ 후루룩 소리를 내며 마시거나 소리를 내면서 음식을 먹지 않는다.

## 4. 독일의 식생활 문화

### 1) 식생활 문화의 형성 배경

독일은 유럽 대륙의 중심부에 위치하여 북부는 평원, 중부는 고지대, 남부는 알프스 산맥을 끼고 있다. 프랑스에 비하여 다소 추운 편이나 남쪽으로 내려가도 산맥에 가까워지므로 추워져서 남북 간의 기온 차가 많지 않은 편이다. 햇볕은 매우 적은 편으로 라인 강변의 한정된 지역에서만 포도를 재배한다.

역사적으로 독일은 프랑스, 오스트리아, 네덜란드, 독일 등과 같은 강대국과 인접해 있어 이들의 침입을 받아 항상 괴롭힘을 받고 살았지만 문화적으로 많은 영향을 받았다.

중세 후기 이전 게르만족의 야성미를 갖고 있던 식생활습관에서 탈피하여 16세기부터 이탈리아의 음식 문화를 모방하기 시작하여 18세기 무렵에 전형적인 독일의 식생활 문화를 형성하였다.

### 2) 독일 음식의 특징

#### (1) 독일 음식의 일반적인 특징

① 독일인의 주식은 감자와 소시지

- 독일의 대표적인 음식으로 맥주를 곁들임
- 감자는 19세기에 들어 독일 인구수가 급격히 늘어나면서 식량 부족이 우려되었던 시기에 독일인들의 건강을 지켜주었던 작물

② 따뜻한 음식을 선호하는 독일인

- 독일인들은 찬 음식보다는 더운 음식을 즐기며 특히 점심 때 따뜻한 음식을 먹는 것을 선호
- 냄비에 채소, 콩, 고기 등을 넣고 어우러지게 끓여 따뜻하게 먹는 음식인 아인토프는 영양 면에서도 좋고 근면하고 검소한 독일인들에게 잘 맞는 음식

③ 환경을 중시하는 습관

- 자연환경 보존에 대해 관심이 많은 독일인들은 물건의 포장을 최소화하고 포장 재료도 환경친화적인 것을 사용
- 최근 독일인들은 식사 시 여러 코스를 즐기며 그릇을 몇 개씩 버리는 것도 환경오염을 초래한다고 생각하여 한 접시에 여러 음식을 담아 먹고 끝내는 간편한 식생활습관이 정착됨

④ 맥주 소비량이 많음

- 전 세계에서 맥주 소비량이 최고인 나라

⑤ 프랑크푸르트 소시지(Frankfurter Wurst)

### (2) 독일 음식의 지역별 특징

조리 과정은 단순하지만 다양한 종류의 음식들은 풍부한 맛을 가지고 있다.

또한, 독일은 예로부터 각 지방의 특색이 강한 나라로, 이러한 특성은 음식에도 그대로 나타난다.

각 지방마다 즐기는 음식은 물론 먹는 법과 요리법이 각각 달라 독일의 대표적인 음식인 소시지와 맥주도 지방마다 맛의 차이가 뚜렷하다.

**표 7-16 지역별 특성**

| 지역 | 특징 |
|---|---|
| 동부 지역 | 파프리카(서양고추)와 캐러웨이 등의 강한 향신료를 많이 사용 |
| 서부 지역 | 와인이 많이 나며, 다른 지방처럼 양념이 강하지 않은 것이 특징 |
| 남부 지역 | 소시지와 맥주, 감자를 이용한 요리가 다른 지역에 비해 많아 우리가 일반적으로 생각하는 독일요리에 가장 가깝다고 할 수 있다. |
| 북부 지방 | 스칸디나비아 반도의 영향으로 청어와 생선을 많이 먹는다. |

### 3) 독일의 주요 음식

① 육류를 이용한 음식 : 부르스트(Wurst), 슈바인스 학센(Schweins haxen), 슈바인스 브라텐(Schweins braten), 자우어브라텐(Sauerbraten)

② 밀을 이용한 음식 : 호밀빵(Rye bread), 브레첼(Bretzel), 브레첸(Broetchen), 슈틀렌(Stollen)

③ 감자를 이용한 음식 : 라이베쿠헨(Reibekuchen), 브라트카르토펠른(Bratka-rtoffeln), 카토펠주페(Kartoffelsuppe)

④ 생선을 이용한 식사 : 포렐레뮐러린(Forelle Mullerin), 게브라테네 숄레(Gebratene Scholle)

⑤ 후식 및 주류 : 아펠쿠헨(Apfel Kuchen), 맥주(Beer)

⑥ 소시지, 햄, 베이컨

### 4) 식단 구성과 식사 예절

#### (1) 식단 구성

독일 사람들의 생활이 대부분 그렇듯 먹는 것 또한 단순하고 소박하다. 음식을 차릴 때도 종류에 따라 각각 다른 그릇에 담는 것이 아니라 커다란 접시 하나에 모든 종류의 음식을 다 담아 남기지 않고 깨끗이 먹는다.

독일 음식 하면 가장 먼저 떠오르는 것은 단연 소시지와 맥주다. 맥주를 마실 때는 안주로 소시지를 먹지만 독일인들은 소시지를 밥처럼 맥주를 국처럼 마신다. 그리고 또 하나의 주식인 감자도 이에 속한다. 소시지 요리의 가짓수가 1,500종이 넘는다. 또 맥주의 종류도 6,000여 가지가 넘는다. 감자 또한 구운 감자, 삶은 감자, 으깬 감자, 튀긴 감자 등 모든 조리법이 총동원되어 그 종류도 헤아릴 수 없을 정도다.

소시지는 각 지방별로 개성적인 맛을 내는데, 들어가는 재료와 향료, 크기, 조리법 등에 따라 그 종류가 구분된다. 특히 다른 나라와 비교되지 않을 만큼 맛이 뛰어나고 육질이 쫀득쫀득하여 특별한 맛의 경험을 할 수 있다. 이는 화학조미료와 방부제를 전혀 사용하지 않고 고급의 돼지고기만을 이용한 결과라고 한다. 또 소시지를 주로 빵에 끼워서 먹는 다른 나라에 비해 독일인들은 소시지만을 즐기며 소시지 본래의 맛을 음미한다. 그리고 호밀빵을 따로 손으로 뜯어먹는데, 요리는 그 요리 자체의 맛만을 즐겨야 한다는 것이 독일인들의 생각이다. 이렇게 소시지와 감자요리, 맥주, 호밀빵, 그리고 우리의 김치와도 같은 양배추 절임인 '자우어크라우트'가 일반적인 독일 가정의 상차림이다

#### (2) 식사 예절

① 식사할 때는 소리를 내지 않는다. 입을 다물고 조용히 음식을 먹어야 한다.
② 식사 중이든 식사 후든 코를 푸는 것은 당연하게 생각하지만 트림은 절대 하면 안 된다.
③ 음식 준비 시 고기는 한 명당 한 덩어리씩 수에 맞춰 준비하고, 먹는 사람도 한 덩어리씩만 가져다가 먹는다. 대신 감자나 채소를 넉넉하게 요리하여 양이 부족한 사람은 이것으로 보충한다.
④ 식사가 시작되면 가능한 한 빨리 먹고, 가급적 말도 삼가는 것이 좋다.
⑤ 스테이크와 같은 고기를 각자 썰어 먹어야 할 때, 미리 다 썰어 놓지 말고 먹을 때마다 썰어 먹는다.
⑥ 한 접시에 자신이 먹을 만큼만 가져다가 남기지 말고 먹는다.

## 5. 미국의 식생활 문화

### 1) 식생활 문화의 형성 배경

개척 초기의 음식 문화는 원주민과 스페인, 프랑스 음식 문화의 영향을 받았으나, 그 후 세계 강자로 부상한 영국의 음식 문화가 미국 음식 문화의 기초가 되었고, 여기에 중국, 일본, 태국, 한국의 음식 문화가 섞여 다민족 음식 문화가 모두 존재하면서 혼합되었다. 식량 자원이 풍부하고 식품산업이 발달하여 식생활은 매우 풍요로우나 특징적인 음식은 많지 않다. 그러나 전 세계의 음식 문화를 잘 소화하여 새로운 음식 문화를

만들어 내기도 하였는데, 1890년경 주스와 샐러드가 미국 음식으로 처음 출현하였고, 제1차 세계대전을 계기로 만들어진 통조림 및 다양한 가공식품, 햄버거와 핫도그, 통닭구이인 캔터키치킨 등은 간편하게 먹을 수 있어 전 세계인의 음식이 되었으나 근래에는 건강을 고려하여 옥수수를 원료로 한 새로운 형태의 감미료 개발, 콩 제품의 소비 증가 등 세계 음식 문화를 선도하고 있다.

### 2) 미국 음식의 특징

① 다민족 국가이기 때문에 거의 전 세계 음식이 모여 있고, 여러 음식 문화가 혼합된 퓨전 음식이 자리 잡고 있다.

② 먹는 양이 많고 단맛이 강한 후식과 음료를 좋아하여 열량 섭취 과잉으로 인한 극도의 비만 환자가 많다.

③ 육류 위주의 식생활로 고혈압, 뇌질환 등 생활습관병 발병률이 높다.

④ 식생활에서도 실용성을 중요시하여 간편한 식사를 지향한다. 일에 중점을 두고 식생활에 소비하는 비용, 시간, 노력을 절약하기 위해 간편하게 먹을 수 있는 즉석식품, 냉동식품, 반조리식품 및 통조림, 일품요리가 발달하였다.

⑤ 최근에는 건강을 고려하여 건강식으로 알려진 동양의 식생활에 관심을 많이 갖고 쌀, 두부, 채소 등의 섭취를 증가시키고 있다.

### 3) 미국의 주요 음식

미국을 대표하는 음식으로 햄버거 · 피자 · 핫도그 · 프라이드치킨 · 스테이크 · 통조림 · 콜라 · 커피 · 파이 · 칠면조요리 등이 있다. 햄버거는 독일요리인 햄버거 스테이크를 들여와 토마토케첩을 뿌려 먹는 음식으로 프라이드치킨과 함께 전 세계적인 음식이 되었다. 토마토케첩을 흔히 사용하는 것은 미국 음식의 특징으로 유럽에서 토마토 소스를 사용하는 것과 대조적이다.

## 4) 식단 구성과 식사 예절

### (1) 식단 구성

**표 7-17 일상식**

| 구분 | 내용 |
|---|---|
| 아침 식사 | • 과일 및 과일주스<br>• 곡류 가공품 및 빵류 : 시리얼, 식빵, 오트밀, 팬케이크와 와플, 베이글(샌드위치처럼 훈제연어나 크림치즈, 햄, 피클 등을 끼워 먹는다.)<br>• 달걀요리와 육가공품 : 달걀프라이, 스크램블드에그, 삶은 달걀, 햄, 베이컨, 소시지 |
| 점심 식사 | • 햄버거, 핫도그, 샌드위치 등이 일반적이나 프라이드치킨, 타코, 피자, 크레이프, 중국 음식, 일본 음식 등을 먹기도 한다. 일품요리로 식사를 할 경우에는 수프, 고기요리, 생선요리, 샐러드, 후식, 차 등을 먹는다. |
| 저녁 식사 | • 가벼운 저녁 식사 : 대중적인 식사로는 비프스테이크, 해물요리가 자주 이용된다.<br>• 정찬 : 육류와 채소로 이루어진 스프류, 생선요리, 고기요리, 샐러드, 빵, 후식, 음료 |

**표 7-18 파티 상차림**

| 구분 | 내용 |
|---|---|
| 티파티 | 커피나 홍차, 쿠키, 케이크, 샌드위치, 페이스트리류, 머핀 등 |
| 칵테일파티 | 여러 가지 칵테일과 청량음료, 카나페, 햄, 훈제연어, 오르되브르, 과일 |
| 뷔페파티 | 차가운 소고기 필레, 가운데 구멍이 있는 단 빵, 튀긴 닭고기, 마니코티, 카레 맛의 바닷가재 요리와 해산물 요리, 소고기 꼬치 요리, 닭고기 무스, 양념이 진한 소고기 요리, 라사니아, 구운 햄, 소혀 요리, 비프스튜, 저민 칠면조 요리, 차가운 연어, 둥글게 세워서 구운 소고기 갈비, 조개껍데기에 익힌 새우 요리 등으로 구성된다. |

▌표 7-19 축제일 음식

| 구분 | 내용 |
| --- | --- |
| 부활절 (3월 20일경 일요일) | 예쁘게 색칠한 삶은 달걀, 사탕 바구니 |
| 추수감사절 (11월 4째 목요일) | 구운 칠면조, 크랜베리소스, 감자, 호박파이 |
| 할로윈(Halloween) | 10월 31일을 기념하는 축제. 10월 마지막 주 금요일 저녁에 열린다. 어린이들을 위한 명절로 가정마다 속을 파낸 둥근 주황색 호박을 도깨비 얼굴로 만들어 그 속에 촛불을 켜두고, 아이들이 무서운 도깨비, 마녀, 해적 등의 의상을 입고 이웃집의 문을 두드리면 사탕이나 초콜릿을 대접한다. |

### (2) 식사 예절

미국의 식사 예절은 영국의 식사 예절과 비슷하나 미국인은 식생활 속에서도 간편함, 능률, 자유로움을 추구하기 때문에 영국의 식사 예절보다 편하다. 스테이크를 먹을 때 포크는 왼손, 나이프는 오른손에 잡고 고기를 자르나, 왼손의 포크를 오른손으로 옮겨서 잘라진 고기를 먹어도 된다. 중류 이상의 레스토랑에서 식사할 때에는 반드시 예약해야 하며, 식사 중 큰 소리를 내면 안 되고 후식이 나올 때까지 꼭 기다린다. 식사 후에는 서비스 요금이 포함되어 있지 않을 경우 식사 금액의 15%에 해당하는 팁을 테이블 위에 올려놓는다. 팁은 지폐를 사용하고 동전을 주는 것은 실례가 된다.

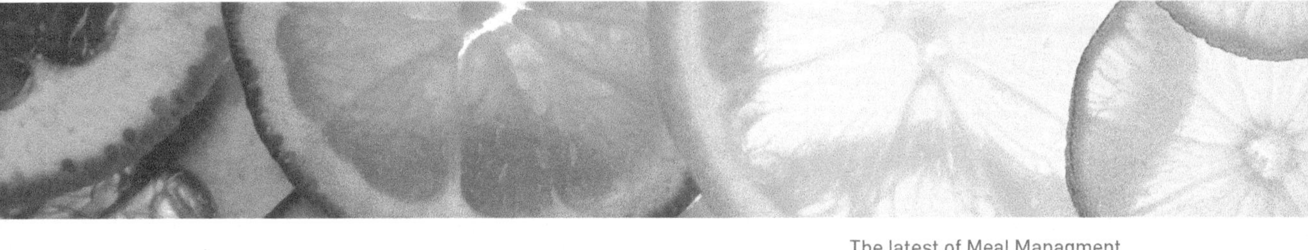



PART
# 08
# 21세기 식생활

PART 08

# 21세기 식생활

미래의 식생활상은 인간의 구체적인 의도가 반영되기 때문에 자연 현상에 의한 법칙성만으로 추정하는 것은 곤란하다.

따라서 먼저 환경과 식량 사정, 다음으로 현재 식생활 실태와 그 변화가 어떠한 요인에 의한 것인가를 고찰하고, 마지막으로 21세기의 식생활상을 전망해 보고자 한다.

## 8-1 자연환경과 식량 사정

각 나라의 식량 사정은 그 나라의 환경 조건 및 기후와 밀접하게 관계되어 있다. 농산물, 축산물, 수산물 등의 식량 자원은 종류에 따라서 생육과 번식 조건이 다르다. 인간이 생활하고 있는 여러 곳의 지표도 고장에 따라서 토양, 기온, 습도 등 자연환경의 조건이 각기 다르다. 그림 8-1에 보이는 바와 같이 세계의 기후를 구분할 수 있으며, 이에 따라 식량 분포도도 다르게 나타난다.

▍그림 8-1 세계의 기후

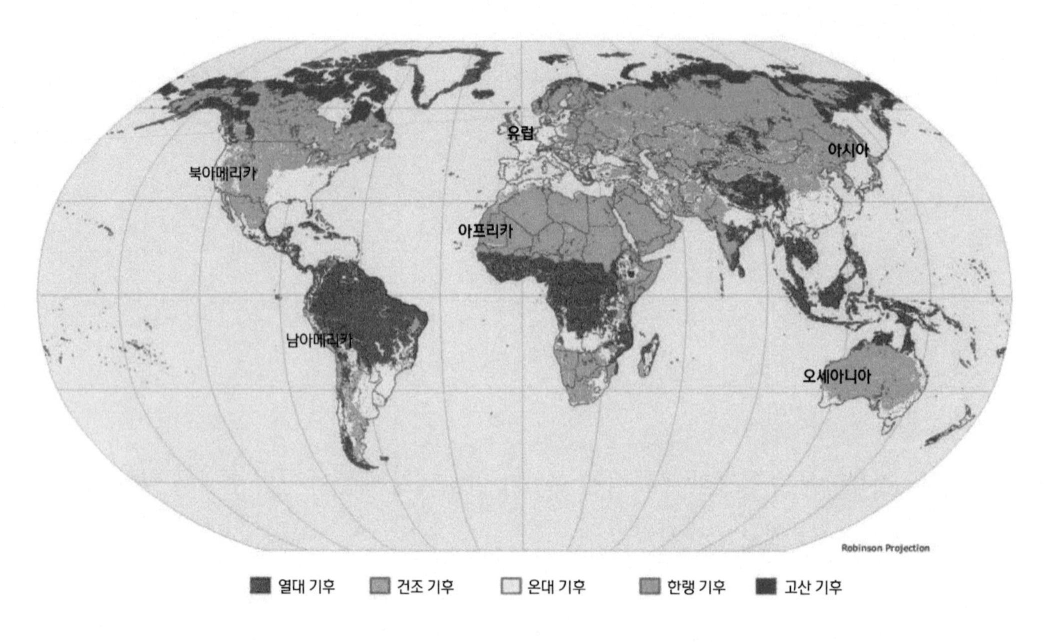


세계 여러 고장의 사람들이 자연 조건에 의존하면서 생활하던 때의 주요 식량 분포는 그림 8-2와 같이 대체로 잡곡, 근채류, 맥류, 쌀로 구분되었다. 그러나 현대 과학기술이 식량의 생산 기술에 작용한 후로 오늘에 이르러서는 밀이나 쌀이 다른 잡곡이나 근채류에 비하여 영양, 저장, 가공, 재배와 수확률 등에서 인간에게 유리하기 때문에 대체적으로 세계적인 주요 식량이 되었다.

세계 곡물 생산량은 그림 8-3에 보여지며, 주요 식료품의 연간 생산량은 그림 8-4와 같이 쌀이 약 4억 9,000만 톤, 밀이 약 5억 4,000만 톤으로 1970년의 생산량에 비하면 쌀은 30%, 밀은 60%의 증가율을 보이고 있다. 콩의 생산량은 1억 톤으로 곡류에 비해 생산량이 낮으나 1970년 때보다는 많이 증가되었다. 이 외에 육류, 우유, 달걀, 어획량, 설탕 등의 생산량이 모두 증가 일로에 있다. 이들 식량을 여분으로 생산하여 수출하고 있는 나라는 미국, 캐나다, 아르헨티나, 뉴질랜드, 오스트레일리아 등 여러 나라로 한정되고, 대부분은 식량의 수입국이다. 세계의 식량 사정은 최근 보이는 기후 변화에 상당히 영향을 받고 있다. 그림 8-5에서 보이는 바처럼 지구온난화 영향으로 옥수수 · 밀의 생산 감소로 세계 식량 현황은 영향을 받고 있는 실정이다.

▌그림 8-2 세계의 4대 주요 식량 분포표

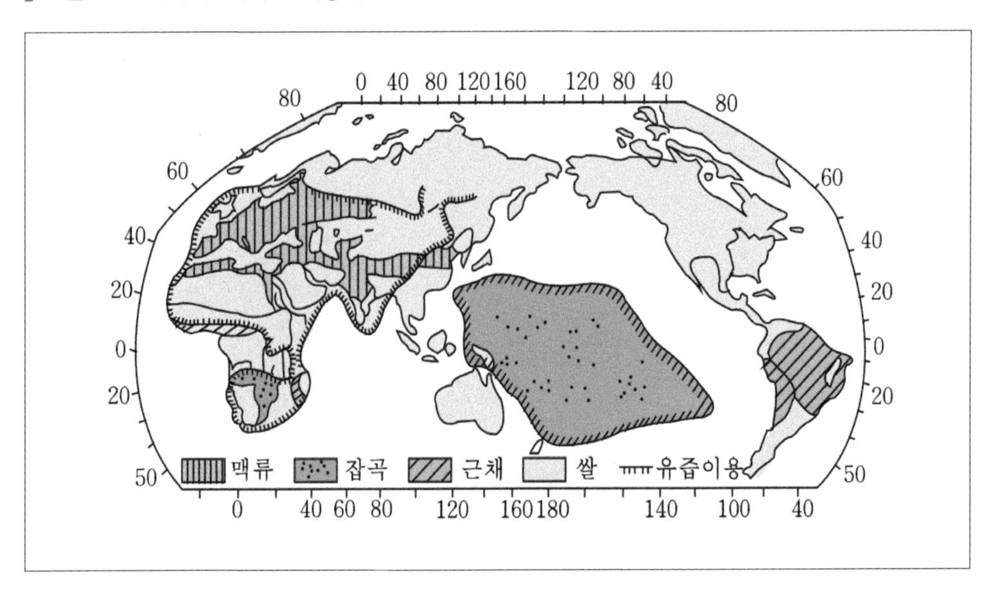


▌그림 8-3 세계의 곡물 생산량

(kg당 헥타르)

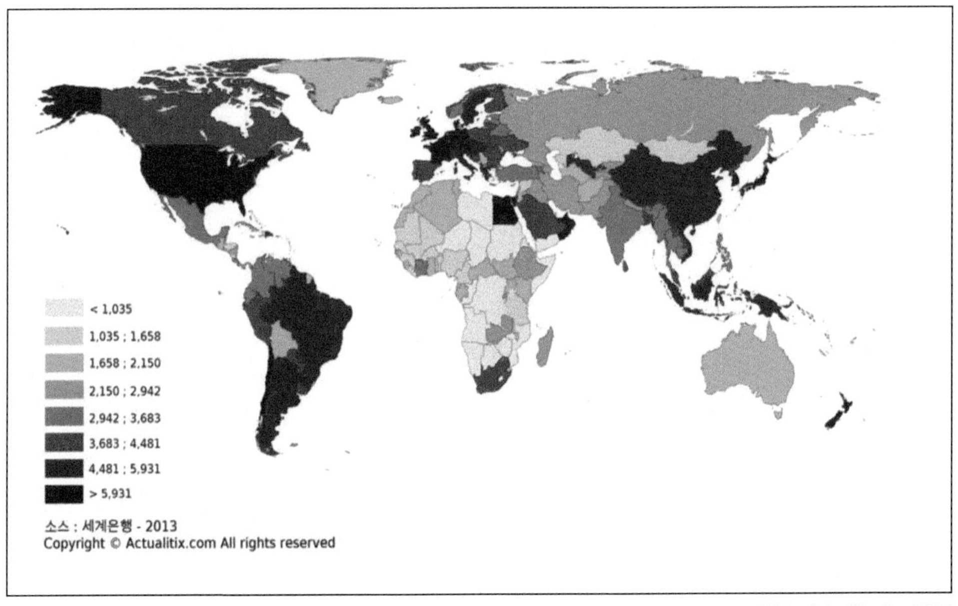


(참조 : Actualitix.c0m,2013)

▌그림 8-4 세계의 주요 식료품의 연간 생산량

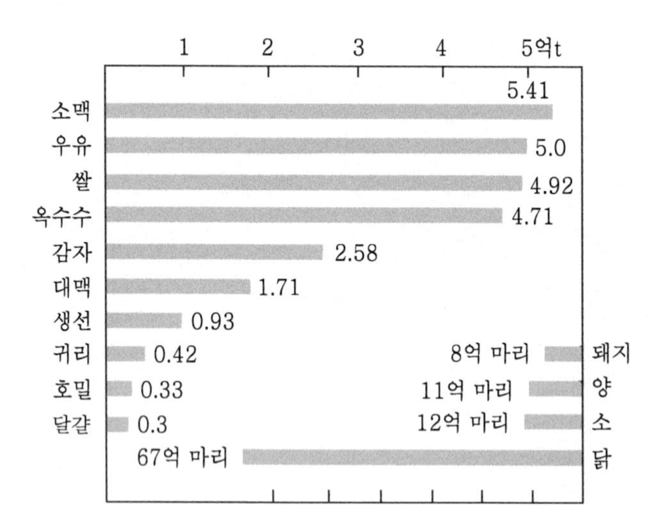


▌그림 8-5 세계의 환경 영향

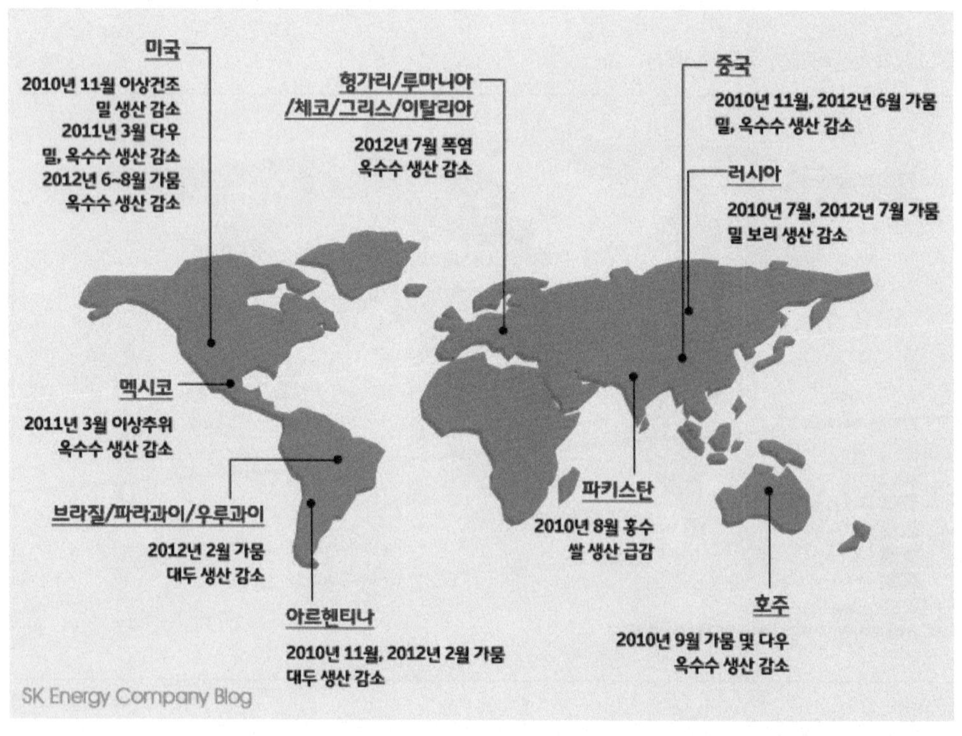


출처 : SK Energy company Blog

# 1. 우리나라의 식품 수급

식품 공급 실태는 주로 농림수산 주요 통계나 식품 수급표를 통해서 파악되며, 국민 건강·영양조사에서 나타나는 식품 소비량을 참고할 수 있다. 식품 수급표는 국제연합 식량농업기구(FAO)의 주도로 우리나라에서도 1962년부터 매년 작성하고 있다. 산출 방법은 각종 식품의 품목별 총생산량(생산량+수입량+이입량)을 계산한 수치에서 1년간의 식용 공급량만을 추산하고, 다음에 국민 1인당 식품 및 영양소 공급량으로 산출한 것이다. 식품 수급표의 자료는 공급량이므로 폐기량이 고려되지 않아 개략적인 수치에 불과하지만, 국민 전체의 식량 수급을 파악하는데 유용하게 활용되고 있는 간접적인 평가 방법이다.

식품 수급표는 1999년부터 에너지 자급률 산정 방식을 새로 정립하여 발표하고 있으며, 2011년도 수급표부터는 2011년도 식품 성분들(제8 개정판)이 적용되었다.

## 1) 1인 1인당 주요 식품군 공급량 실태

### (1) 곡류

우리나라의 식품 공급량의 변화를 보면 곡류의 공급량은 1975년에 528.6g에서 1980년대에 500g대를 유지하다가 1990년 480g으로 더욱 감소하였고, 2007년도 곡류 공급량은 408.9g, 2014년은 373.7g으로 감소하였다.

### (2) 설탕류

설탕류의 공급량은 1975년 14g대에서 계속해서 증가하는 추세이며, 1990년에는 42g에서 2004년에는 57.9g으로 증가되었다. 2007년도 국민 1인당 설탕류의 공급량은 1인 1일당 55.28g으로 약간 감소되었으나, 2014년도에는 66.4g으로 증가하였다.

### (3) 두류

두류 공급량은 1995년까지 계속 증가하여 30.3g이었으나 그 후 약간 감소하여 2007년도 국민 1인당 두류 공급량은 1인 1일당 24.8g으로 전년도의 29.5g보다 4.7g

감소하였다. 2014년도에는 28.5g으로 나타났다.

#### (4) 채소류와 과실류

채소류와 과실류의 공급량은 조금씩 상승하여 2014년도에 1인 1일당 채소류는 421.9g, 과일류는 137.4g으로 나타났다.

#### (5) 육류

육류의 공급량은 1972년에는 1인 1일당 25.2g이었으나 1995년도에 89.5g이 되었고, 2007년에는 111.96g으로 1972년보다 약 5배 정도 증가하였으며, 계속 증가되는 추세에 있다. 2014년도에는 141.97g으로 나타났다.

#### (6) 달걀류

달걀류의 공급량은 1972년에는 1인 1일당 9.6g으로 매우 적었으나 계속 증가하는 추세이며, 1990년 이후 21.6g으로 꾸준히 증가하였고, 2007년에는 26.06g, 2014년도에는 30.57g으로 증가하였다.

#### (7) 우유류

한국인의 우유류 공급량은 1972년에는 7.0g이었고, 계속 증가하여 1990년대에는 87.1g이었고, 이후 계속 늘어서 2007년에는 1인 1일당 151.23g으로, 2014년도에는 170.11g으로 크게 증가하였다.

#### (8) 어패류

우리나라 사람들의 동물성 식품 공급량에서 중요한 위치를 차지하는 어패류는 1972년에는 51.3g이었으나 계속 증가하여 1985년 이후 84g을 상회하였고, 계속 증가하여 2007년 국민 1인 1일당 어패류의 공급량은 111.2g으로, 2014년도에는 114.77g으로 나타났다.

#### (9) 유지류

유지류의 공급량도 크게 증가하여 1972년에는 1인 1일당 5.5g이던 것이 2007년에는 49.87g으로 약 9배 증가하였고, 2014년도에는 56.35g으로 증가하였다.

## 2. 연도별 식품류별 1인 1년간 식품 공급량 추이

연도별 식품류별 1인 1년간 식품 공급량 추이는 그림 8-6과 표 8-1에서 보는 바와 같다. 곡류, 서류의 연평균 식용 공급량은 감소 추세를 나타내고 있으며 채소류, 과실류, 육류, 유지류는 증가 추세를 나타내고 있다.

**그림 8-6 식품류별 1인 1년간 식품 공급량 추이**

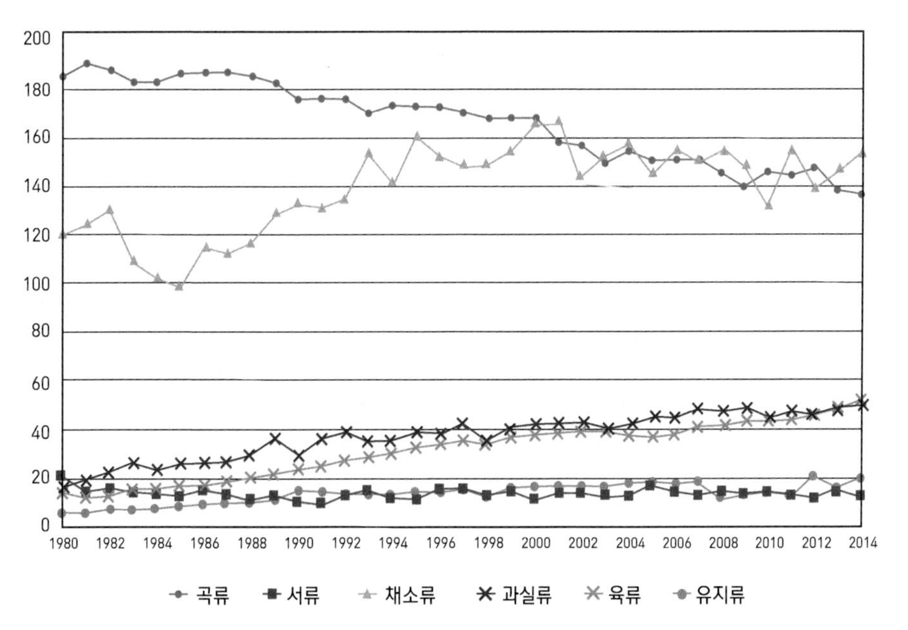


(출처 : 식품 수급표, 2014)

### (1) 곡류

2014년도 국민 1인당 연간 곡류 공급량은 136.4kg(1일당 373.7g)으로 전년도보다 1.32%가 감소했으며, 과거 가장 많이 공급된 1979년도의 192.4kg에 비하면 56kg(29.1%)이나 감소하였다.

① 쌀 : 2014년도 국민 1인당 연간 쌀 공급량은 75.3kg(1인 1일당 206.4g)으로 전년도의 77.8kg보다 2.5kg(3.1%)이 감소하였다. 1979년도의 136.0kg에 비해서는 60.7kg(44.6%)가 감소한 수치이다.

② 보리 : 2014년도 국민 1인당 연간 보리 공급량은 1.31kg(1인 1일당 3.6g)으로 전년도의 1.02kg보다 28.4% 증가하였다.

③ 밀 : 2014년도 국민 1인당 연간 밀 공급량은 32kg(1인 1일당 87.6g)으로 전년도의 31.6kg보다 1.3% 증가하였다.

④ 옥수수 : 2014년도 국민 1인당 연간 옥수수 공급량은 25.1kg(1인 1일당 68.7g)으로 전년도의 25.11kg과 비슷한 수준을 유지하였다.

⑤ 기타 곡류 : 2014년도 국민 1인당 연간 기타 곡류 공급량은 2.7kg(1인 1일당 7.4g)으로 전년도보다 2.5% 감소하였다.

▌표 8-1 1인 1년간 식품 공급량(2002~2014)

(단위 : kg)

| 식품명 | 2002 | 2003 | 2004 | 2005 | 2006 | 2007 | 2008 | 2009 | 2010 | 2011 | 2012 | 2013 | 2014 |
|---|---|---|---|---|---|---|---|---|---|---|---|---|---|
| 곡류 | 155.4 | 150.3 | 153.5 | 150.5 | 151.2 | 150.2 | 145.3 | 138.9 | 145.1 | 144.5 | 146.8 | 138.2 | 136.4 |
| 쌀 | 91.1 | 87.8 | 88.6 | 83.2 | 84.1 | 82.8 | 83.2 | 80.5 | 81.5 | 80.6 | 79.4 | 77.8 | 75.3 |
| 밀가루 | 34.6 | 32.4 | 33.5 | 31.6 | 32.4 | 33.0 | 31.8 | 32.2 | 33.3 | 34.0 | 34.1 | 31.6 | 32.0 |
| 보리 | 1.6 | 1.1 | 1.5 | 1.2 | 1.2 | 1.0 | 1.1 | 1.2 | 1.3 | 1.3 | 1.3 | 1.0 | 1.3 |
| 기타 | 28.1 | 29.1 | 30.4 | 34.5 | 33.5 | 33.5 | 29.1 | 24.9 | 29.0 | 28.5 | 32.0 | 27.9 | 27.8 |
| 서류 | 13.7 | 12.5 | 12.5 | 17.0 | 14.5 | 12.9 | 14.0 | 13.6 | 13.8 | 12.6 | 11.7 | 14.8 | 12.5 |
| 설탕류 | 20.9 | 20.9 | 21.1 | 21.2 | 21.2 | 20.3 | 23.7 | 23.6 | 22.7 | 22.7 | 22.4 | 23.7 | 24.2 |
| 두류 | 10.5 | 10.3 | 10.8 | 11.4 | 11.0 | 10.7 | 9.7 | 9.7 | 10.4 | 9.9 | 10.0 | 9.8 | 10.3 |
| 견과류 | 1.1 | 1.2 | 1.2 | 1.3 | 1.5 | 1.5 | 1.4 | 1.5 | 1.5 | 1.5 | 1.8 | 1.8 | 2.0 |
| 종실류 | 0.7 | 0.9 | 0.7 | 0.7 | 1.0 | 0.7 | 0.7 | 0.8 | 0.7 | 0.8 | 0.7 | 0.8 | 0.8 |
| 채소류 | 144.6 | 152.6 | 156.8 | 145.5 | 153.8 | 149.9 | 154.2 | 148.9 | 132.2 | 154.6 | 139.2 | 146.2 | 154.0 |
| 과실류 | 42.0 | 39.5 | 41.6 | 44.7 | 44.6 | 48.3 | 46.9 | 48.3 | 44.2 | 46.7 | 46.2 | 47.5 | 50.1 |
| 육류 | 39.2 | 39.0 | 36.9 | 36.6 | 38.4 | 40.9 | 40.7 | 42.9 | 43.5 | 44.4 | 46.0 | 49.2 | 51.8 |
| 달걀류 | 9.5 | 8.9 | 8.9 | 9.1 | 9.4 | 9.5 | 9.4 | 10.0 | 9.9 | 9.9 | 10.3 | 10.3 | 11.2 |
| 우유류 | 52.8 | 50.8 | 53.8 | 54.0 | 53.9 | 55.2 | 52.8 | 51.8 | 57.0 | 59.3 | 54.9 | 61.4 | 62.1 |
| 어패류 | 36.3 | 38.5 | 41.1 | 39.9 | 43.5 | 42.1 | 39.0 | 36.1 | 36.5 | 37.1 | 38.2 | 37.1 | 41.9 |
| 해조류 | 8.4 | 6.4 | 7.9 | 9.6 | 13.0 | 14.4 | 15.8 | 14.4 | 14.7 | 15.7 | 15.9 | 17.4 | 17.0 |
| 유지류 | 17.5 | 16.8 | 17.7 | 18.7 | 18.1 | 18.2 | 12.3 | 18.9 | 20.1 | 21.1 | 22.2 | 18.2 | 20.6 |

(자료 : 농촌경제연구원, 식품 수급표, 2014)

### (2) 서류

2014년도 국민 1인당 연간 서류 공급량은 12.5kg(1인 1일당 34.3g)으로 전년도의 14.8kg보다 15.4%가 감소하였다. 감자는 연간 국민 1인당 8.0kg(국민 1인 1일당 22.0g)이 공급되어 전년도 10.1kg보다 20.8% 증가하였다. 고구마는 국민 1인당 연간 4.51kg(1인 1일당 12.3g)이 공급되어 전년도보다 4.1% 감소하였다.

### (3) 설탕류

2014년도 국민 1인당 설탕류 공급량은 연간 24.2kg(1인 1일당 66.4g)으로 전년도보다 0.5kg(2.2%)이 증가하였다.

### (4) 두류

2014년도 국민 1인당 연간 두류 공급량은 10.3kg(1인 1일당 28.3g)으로 전년도의 9.8kg보다 4.9% 증가하였다. 콩의 공급량은 국민 1인당 연간 8.3kg(1인 1일당 22.7g)으로 전년도의 8.0kg보다 3.1kg 증가하였다. 팥은 국민 1인당 연간 0.61kg이 공급되어 전년도와 비슷한 수준이다. 기타 두류의 국민 1인당 연간 공급량은 1.44kg으로 전년도보다 0.22kg 증가하였다.

### (5) 견과류

2014년도의 국민 1인당 연간 견과류 공급량은 1.96kg으로 전년도의 1.81kg보다 0.15kg(8.3%)이 증가하였다.

### (6) 종실류

2014년도 국민 1인당 연간 종실류 공급량은 0.78kg으로 전년도의 0.8kg과 유사한 수준이다. 참깨는 0.34kg이 공급되어 전년도와 같았고, 기타 종실류도 0.44kg이 공급되어 전년도 0.46kg과 비슷한 수준을 유지하였다.

### (7) 채소류

2014년도 국민 1인당 연간 채소류 공급량은 154.0kg(1인 1일당 421.9g)으로 전년도의 146.2kg보다7.8kg(5.4%)이 증가하였다.

### (8) 과실류

2014년도의 국민 1인당 연간 과실류 공급량은 50.1kg(1인 1일당 137.4g)으로 전년도의 47.5kg보다 5.5% 증가한 수준이다.

### (9) 육류

2014년도의 국민 1인당 연간 육류 공급량은 51.88kg(1인 1일당 142.0g)으로 전년도의 49.2kg보다 2.6kg(5.4%)이 증가하였다. 품목별로 살펴보면

① 소고기는 국민 1인당 연간 10.4kg(1인 1일당 28.5g)이 공급되어 전년도의 10.0kg보다 0.4kg(4.1%) 증가하였다.

② 돼지고기의 국민 1인당 연간 공급량은 21.8kg(1일 1인당 59.7g)으로 전년도의 20.4kg보다 6.6% 증가한 수준이다.

③ 닭고기는 국민 1인당 연간 10.0kg(1인 1일당 27.5g)이 공급되어 전년도의 9.0kg보다 1.0kg(11.1%) 증가하였다.

④ 육류 부산물의 국민 1인당 연간 공급량은 9.6kg(1인 1일 26.4g)으로 전년도의 9.7kg보다 1.1% 감소하였다.

### (10) 달걀류

2014년도 국민 1인당 연간 달걀류 공급량은 11.2kg(1인 1일당 30.6g)으로 전년도의 10.3kg보다 8.5% 감소하였다.

### (11) 우유류

2014년도 국민 1인당 연간 우유류 공급량은 62.1kg(1인 1일당 170.1g)으로 전년도보다 0.7kg(1.1%)이 증가하였다. 우유의 국민 1인당 연간 공급량은 61.1kg으로 전년도의 60.4kg보다 1.1% 증가하였다.

### (12) 어패류

2014년도의 국민 1인당 연간 어패류 공급량은 41.9kg(1인1일당 114.8g)으로 전년도의 37.1kg보다 4.8kg(12.9%)이 감소하였다. 어류의 공급량은 국민 1인당 연간 24.1kg(1인 1일당 65.9g)으로 전년도의 22.4kg보다 7.5% 증가하였다. 패류의 공급량은 국민 1인당 연간 17.8kg(1인 1일당 48.9g)으로 전년도의 14.7kg보다 21.2% 증가하였다.

### (13) 해조류

2014년도 국민 1인당 연간 해조류 공급량은 17.0kg(국민 1인 1일당 46.6g)으로 전년도의 17.4kg보다 2.2% 감소하였다.

### (14) 유지류

2014년도 국민 1인당 연간 유지류 공급량은 20.6kg(1인 1일당 56.4g)으로 전년도의 18.2kg보다 2.4kg(13.2%)이 증가하였다. 식물성 유지류의 공급량은 국민 1인당 연간 20.3kg으로 전체 공급 유지류의 98.5%를 차지하고 있으며, 전년도의 17.9kg보다 13.2kg가 증가하였다. 동물성 유지의 국민 1인당 연간 공급량은 0.32kg으로 전년도의 0.28kg보다 0.04kg(14.3%) 증가하였다. 동물성 유지류 생산량은 통계자료가 발표되고 있는 어유가 주종이고, 공식 통계가  집계되고 있지 않은 우지와 돈지는 현재 산정되지 않고 있다.

### (15) 주(酒)류

2014년도 국민 1인당 연간 주류 공급량은 88.7kg(1인 1일당 242.9g)으로 전년도의 82.6kg보다 6.1kg이 7.3% 증가하였다.

## 8-2 사회적 환경과 식생활

과학이 발달하여 식량의 생산 기술이 발전되면서 식량 생산에 영향을 주는 자연적인 제약 조건을 줄이게 되고, 나아가 환경을 농산물이나 축산물의 생육 조건에 맞추어 인위적으로 조성할 수 있게 되었다. 그뿐 아니라 주요 식량의 종자 개발에 관한 연구가 적극 추진되면서 세계적으로 식량의 생산 분포가 확대 증산되었으며 식품의 저장, 가공기술이 발달되고 유통 체계가 세계로 확대되어 식량 사정이 풍요해지고 있다.

따라서 각 고장에서 자연 조건의 제약 아래에서 형성되었던 전래의 식생활 내용이 현대적인 생산 기술 진보의 영향을 받아 많은 부분이 변동과 발전을 거듭하고 있다. 또한, 식량의 소비 양식은 식품의 생산, 수요, 식품의 가격, 식품에 대한 지식 및 기호, 식생활습관, 개인의 소득 수준, 정부의 식량 정책 등에 의해 결정된다. 그러므로 식생활관리의 여러 문제를 결정할 때 식량 사정과 사회적 환경 사이에 내재하는 관계성을 인식하는 일이 필요하다.

최근 식생활 개선 범국민 운동본부에서 발표한 '우리나라 국민의 식생활 의식구조 조사 보고서'에 의하면 한국인은 주식으로 세 끼 모두 밥을 먹던 전통적인 방식에서 벗어나 서서히 다른 식품으로 대체하는 실정이며, 주로 선택하는 대용 식품의 종류로는 국수나 라면류가 가장 많고, 그 외 빵과 우유, 햄버거 순이라 하였다. 또한, 대용식은 경제 수준, 교육 수준이 높을수록 그 이용 비율이 높았고, 대용식을 이용하는 이유는 간편하기 때문이라 하였다.

우리나라의 전통 식사는 1일 3식을 원칙으로 하며, 아침 식사와 저녁 식사를 중요시하였고, 특히 아침 식사를 중요시하여 손님 초대 등은 아침에 하였다. 그러나 최근 우리나라 사람들이 하루 중 가장 중점을 두는 식사는 저녁 식사로 종래의 아침 식사를 중시했던 양상에서 변화되었고, 한편 가장 소홀히 여기는 식사는 점심으로 보고되었다. 즉 이와 같은 아침 식사의 경시는 간식의 섭취량을 증가시키고 점심의 소홀 역시 저녁 식사의 과다한 섭취를 유도한다. 또한, 활동량에 따른 에너지 소모량의 변화는 주로 점심을 전후해서 절정을 이루고, 저녁 식사 시간을 기점으로 하여 차츰 감소하기 때문에 현재의 저녁 식사에 중점을 두고 있는 식사 형태는 하루 영양소 필요량의 불량을 초래할 뿐만 아니라 영양소의 섭취량과 소모량의 불균형이 되는 요인으로 지적되고 있다.

우리나라는 경제개발 추진 과정에서 산업이 발달하여 농촌 인구가 도시로 이동하면서 1세대, 2세대의 가족 형태가 증가하고, 주거가 아파트 주거로 대거 확대되는 한편 여성의 사회 진출이 증가되면서 식생활관리의 내용도 변하게 된다. 더욱이 근간 30여 년 사이에 정치·경제·문화 여러 면으로 국제 간의 교류가 급격하게 확대되었으며 여러 나라의 음식이 상호 교류되었다. 이러한 여러 가지 실태에 대한 인식을 가지고 여기에 합리성 있게 식생활을 관리해야 할 필요가 있다.

**표 8-2 연대별 시대적 배경 및 식생활 정책 수행 내용**

| 시대 구분 | 내용 |
|---|---|
| 고조선~삼국 시대 | • 주·부식 분리형 식생활 |
| 통일신라 ~ 고려 시대 | • 숭불사상에 의한 다류·한과류 채소 음식 발달<br>• 제례·연회 등의 음식 문화 발달<br>• 몽고 침입으로 고기 요리법 발달 |
| 조선 시대 | • 유교사상을 중심으로 공동체 의식 고조<br>• 대가족 제도와 식생활 규범 정착<br>• 김치의 발달과 상용 필수 식품화 |
| 해방 후 시대 | • 식생활 궁핍 • 초근목피로 생계 유지 • 미곡수집령 제정<br>• 미곡법 공포 • 미곡수집령 폐기 • 양곡매입법 공포 • 양곡관리법 제정 |
| 1950년대 | • 춘기아 생활 • 학교급식 시작 • 미국의 잉여 농산물 도입 |
| 1960년대 | • 곡물의 공급량 절대 부족 • 가공식품 시작 형성<br>• 분식 장려 운동 전개 • 전국 절미 운동, 양곡 소비절약 운동 전개<br>• 소맥분의 공장별 생산 책임제도 • 미곡 소비 억제를 위한 행정 명령 고시<br>• 한국 잠정 영양기준 마련 • 국민영양조사 시작 |
| 1970년대 | • 풍요로운 식생활로 변화 • 쌀 소비량 감소<br>• 식생활에서 편의식품의 비율 증가 • 혼분식 장려 운동 전개<br>• 식생활 개선 운동 전개 • 쌀 소비 억제책 완화<br>• 빵 식중독 사건으로 학교 급식 폐지, 급식 실험학교 설치 운영 |
| 1980년대 | • 식품산업, 식품 서비스산업, 외식산업 등의 발전<br>• 인스턴트식품 및 가공식품의 섭취 증가<br>• 주문식 단체 보급 추진<br>• 학교급식법 제정, 공포 |
| 1990년대 | • 국민의 식품·영양 섭취 증가<br>• 식생활 지침 작성 발표<br>• 좋은 식단제 실시 |
| 2000년대 | • 음식에 대한 가치관 변화<br>• 식생활의 외부화, 레저화, 가공식품화 |
| 2010년대 | • 합리적 식생활 모색 시대<br>• 치료의학에서 예방의학으로 건강에 대한 인식 변화로 식생활의 중요성 증가 |

## 8-3 우리나라 식량 정책의 시대적 변화

우리나라 식량 정책의 시대적 배경과 식생활 정책 수행 내용을 표 8-2에 나타내었다. 삼국 시대 후기부터 주·부식의 일상식 구조가 확립되어 곡물로 밥을 짓고 장·젓·포 등의 가공이 이루어지면서 밥을 주식으로 기타 식품을 반찬거리로 하는 한국의 기본 식품 구조가 형성되었다. 통일신라 시대와 고려 시대에는 불교 문화의 발달과 더불어 다류와 한과류가 발달하고, 채소를 이용하여 나박김치 같은 김치가 시작되었으며, 일상식과는 다른 제례, 연회 등으로 인하여 상차림의 구조가 다원화되었다. 고려 중기 이후에는 몽고 침입의 영향으로 숭불사상이 쇠퇴하고 육식이 다시 숭상되었으며 육류 요리법이 발달하였다. 그 후 조선 시대에 확립된 한국 전통의 반상 차림은 3, 5, 7, 9, 12첩 등으로 밥, 국, 김치를 제외한 반찬의 수에 따라 구분되었으며, 가장 일반적으로 사용하는 것은 5첩과 7첩이라 여겨진다. 반상은 한 상에 모두 모아 차리는 공간 전개형의 식사 형식으로 정착되었고 밥과 반찬은 영양, 맛, 그리고 시각적 다양성과 조화성 아래 균형을 꾀하였다. 그러나 우리 선조들의 식생활은 음식의 질보다는 양에 치중하였으며 생명의 기본적 욕구를 해결하기 위한 식의 단계였다.

해방 후부터 현재까지 정부에서 추진하였던 식생활 관련 정책들은 그 시대의 식생활 배경과 밀접하게 연관되어 있다. 시대별로 살펴볼 때 수행되었던 정책 내용들이 단지 식 형태로서의 욕구 충족의 목적에서 벗어나 점차로 건강 유지를 위해 올바른 식생활의 정립을 목적으로 변화해 가는 과도기에 놓여 있다고 볼 수 있다.

한편, 서울 88올림픽 이후 현재까지 경제성장과 산업화 추세에 따른 경제·사회적 요인의 변화로 음식에 대한 가치관이 변화되었으며, 영양소의 섭취 양상이 서구인과 비슷해지고 다른 나라의 식품이나 음식에 대한 기호가 높아지는 등 식생활의 서구화가 나타나게 되었다. 또한, 식생활이 안정된 시기로 국민 영양이 질적·양적으로 향상되고 식생활을 통해 건강을 지키고 낙을 찾는 경향으로 변화하였고, 시간과 인력이 덜 소비되는 가공식품이나 편이 식품을 요구하고 있어 이에 부응한 식품산업, 외식산업 등이 발전하게 되었다. 즉 식생활의 외부화, 가공식품화, 레저화, 세계화가 이루어진 것으로 볼 수 있다.

표 8-3 연도별 공급 단백질 구성비

| 구분 \ 연도 | | 1970 | 1980 | 1990 | 2000 | 2010 | 2013 | 2014 |
|---|---|---|---|---|---|---|---|---|
| 총단백질 공급량, g | (A) | 65.1 | 72.6 | 89.4 | 97.0 | 97.4 | 99.2 | 103.0 |
| 동물성 단백질, g | (B) | 10.6 | 20.1 | 33.2 | 41.2 | 47.2 | 50.9 | 54.4 |
| B/A | % | 16.3 | 27.4 | 37.1 | 42.4 | 48.6 | 51.3 | 52.9 |
| 식물성 단백질, g | (C) | 54.5 | 53.5 | 56.2 | 55.9 | 50.1 | 48.3 | 48.5 |
| C/A | % | 83.7 | 72.6 | 62.9 | 57.6 | 51.4 | 48.7 | 47.1 |

또한, 1970년대 이후 산업의 발달과 함께 농촌 인구가 도시로 대거 이동하게 되고 농업 국가에서 산업 국가로 변화되었다. 농촌 인구 감소와 함께 농지도 줄게 되면서 식량이 자급자족되지 못하고 외국으로부터의 식량 수입이 꾸준히 증가하면서 식량의 수입 의존도가 높아지고 있다.

곡류, 두류, 유지류 등의 자급률은 크게 낮아지고 있다. 곡물 자급률이 급속하게 감소된 이유는 축산물에 대한 수요가 증가함에 따라 사료용 곡물의 수입량이 증가했기 때문이다. 1990년대 이후 농산물 시장 개방으로 농산물 자급률, 특히 곡물 자급률이 급속히 떨어지고 있다.

1970년도부터 2007년까지의 주요 식품군별 자급률을 보면 1970년대는 곡류(77.2%)를 제외하고 모든 식품군의 자급률이 90~100%에 이르렀으나 이후 크게 감소하였다. 1990년대 이후 곡류는 42%, 두류는 23% 정도로 감소하였고, 이후 2007년에는 곡류 27%, 두류 11% 정도로 더욱 감소하였다. 유지류의 경우는 1990년 8% 정도에서 2007년에는 1.7%로 거의 수입에 의존하고 있는 실정이다.

주식인 쌀의 자급률은 1997년 이후 95% 이상을 유지하고 있다. 쌀의 자급률이 높은 이유는 품종 개량으로 생산성이 높은 품종의 벼가 개발되어 생산량이 늘었기 때문이다. 그러나 밀과 옥수수는 전량을 수입에 의존하고 있는 실정이며, 대두 자급률은 1990년 20%에서 2005년 9.8%로 크게 감소하였다.

식생활이 서구화될수록 단백질 소비량은 증가하는데 2014년 단백질 총공급량은 국민 1인당 103.0g으로 전년도에 이어 3.8g 증가하였다.

그중에서 식물성 단백질은 48.5g으로 총공급 단백질량의 47.1%이다. 동물성 단백질은 표 8-3에 보이듯이 54.4g으로 전년도보다 3.5g 증가하였다.

우리나라 가정에서의 외식비는 증가 추세에 있다. 1985년도 이후부터 식비 중 외식비가 차지하는 비율이 높아지면서 88올림픽 등을 대비하여 정부에서는 식찬별 고객 주문 식단제를 보급하였으나 지속적으로 추진하지 못하였다.

또 1989년도에는 학교급식 업무가 체육부로 이관되면서 아동들의 전반적인 체력 향상을 위한 실질적 의미의 영양 급식으로 전환되는 계기를 맞게 되었다.

한편, 가공식품 소비율이 미국의 경우 96%에 이르고 있으며, 일본의 경우에도 1991년에 58.3%인 것으로 보고되었다. 우리나라 가공식품 소비 지출비가 1970년에 18.0%였으나 1990년에 26.6%로 증가하였고, 1990년대에도 식품가공산업은 크게 신장되어 우리의 식생활에서도 가공식품의 이용이 급증하고 있음을 알 수 있다.

인스턴트식품의 개발과 산업화는 요리에 따른 수고와 시간을 절감하려는 주부들의 욕구에 따라 촉진되고 있다. 가공식품 이용의 확대는 먼저 주식을 밥 대신 빵이나 면으로 먹는 데서 나타나고 있다. 면류의 이용도 수제비 · 칼국수에서 인스턴트 면(라면), 냉동 면으로 그 형태가 바뀌었다. 밥조차도 최근에는 무균 포장 백반, 레토르트 백반과 같은 가공식품을 이용한다. 부식인 국과 찌개류도 동결 건조 방법으로 복원이 용이한 인스턴트식품이 나와 있다. 간장 · 된장 · 고추장 및 김치 등을 담그는 것도 우리 식생활의 가장 큰 주요 행사였지만 최근에는 구매하는 가정이 많아지고 있다.

# 8-4 미래의 식품과 21세기 식생활의 특징

## 1. 식생활의 변화 요인

'음식은 3대(三代)'라 불리는 것처럼 식생활은 매우 보존적이고 간단히 바뀌기 어려운 것이라 했다. 그것은 식생활은 개인의 수준에서 보면 기호가 있고, 집단의 수준에서 보면 식생활습관이 있기 때문일 것이다. 이 두 가지는 지리적 조건, 역사적 조건, 사회적 조건 등에 둘러싸여 있기 때문에 쉽게 바뀌지 않는 것이다. 그렇게 바꾸기 힘든 식생활습관이 보다 큰 사회 안에 살게 되면서 각각이 다양한 생활을 영위하게 되었을 뿐만 아니라 기술의 진보가 생활을 뒤흔들고 있다. 그러나 생활을 영위하는 주체는 인간이며, 인간이 변하지 않는 한 생활은 변할 수 없다. 따라서 결국 식생활 변화의 주원인은 인간이 변했기 때문이다. 그리고 거기에는 제도 개혁, 경제성장, 기술 혁신 등이 복잡하게 얽혀 있다. 또한, 사회의 변화에 영향을 받아서 사람들의 생활 가치관이 변했다고 보는 것도 옳을 것이다.

인간 생활의 가치관에는 인간이 본질적으로 갖추고 있는 가치관과 외부의 영향을 받아서 변화하는 가치관이 있다. 그 양자를 구별해서 생각하는 것이 식생활의 미래상을 생각할 경우 필요하다고 생각된다.

### 1) 생리적 요인

인간의 식생활은 식욕, 기호, 그리고 건강 상태에 의해 지배된다.

#### (1) 식욕

식욕은 시상하부에 위치한 식욕중추(섭취중추와 만복중추)에 기인하여 일어난다. 식욕은 식욕중추에 의해 생리적으로 일어나는 것뿐만 아니라, 인접해 있는 상위 중추인 대뇌의 영향도 받는다. 즐거운 정서는 식욕을 북돋워 주고 불쾌한 정서는 식욕을 감퇴시킨다. 그러나 스트레스는 식욕을 높이는 경우가 많다.

#### (2) 미각

미각은 섭취 행동을 생명 유지의 목적에 맞도록 조절하는 경우가 있다. 미각은 식욕을 자극하고 만족시켜 저작작용을 촉진한다. 미각의 수용기인 미뢰나 미세포의 발달은 미각의 기관(생리적 미각) 발달에만 그치지 않는다. 유아기(幼兒期)를 지나면 생리적 미각은 서서히 퇴화하고 이것이 변하여 마음(의식, 심리)이 움직여서 생기는 인간다운 미각이 발달해 간다. 상상력과 미의식, 미적 감각이 그 이후의 미각을 키워나가기 때문에 아동의 정서나 감정을 풍부하게 키우는 것이 미각을 건전하게 발달시켜 한층 더 인격을 발달시키는 데 도움을 줄 것이다.

#### (3) 건강 상태

건강한 것이 식생활의 기본이다. 건강을 해치면 식욕이 감퇴한다. 또 치료를 목적으로 식욕이 있다 하더라도 식사 조절을 하지 않으면 안 되는 경우도 있기 때문에 식생활은 크게 변하게 된다. "행복은 무엇보다도 건강함 안에 있다."라는 말은 건강하기 때문에 맛있게 먹을 수 있다는 것을 의미한다.

### 2) 자연적 요인

우리들은 평소 아무 생각 없이 먹고 있지만, 가만히 생각해 보면 우리나라에 태어났기 때문에 이런 식생활을 하고 있는 것이다.

① 풍토 : 한랭지나 사막 등에 따라 자라는 작물이 다르다.
② 날씨 : 기온, 풍량 등에 따라 자라는 작물이 다르다.

한국인이 쌀에 깊은 애착을 가지고 있는 것은 우리나라가 온난다습한 토지이고 쌀 재배에 적합하기 때문에 역사적으로 쌀을 주식으로 해 왔기 때문이다. 만약 한랭건조한 나라에 태어났다면 빵을 주식으로 하고 있었을 것이다.

## 3) 사회적 요인

### (1) 종교

종교에 의해 세계관이 달라지기 때문에 독자적인 식생활이 형성되기도 한다. 특히 육식에 대한 금기로, 예를 들면 회교도는 돼지고기를 먹지 않고, 힌두교도는 소고기를 먹지 않는다.

인간은 선사 시대에 다른 동식물과 공존해서 생활했기 때문에 살아남기 위해서 다른 생존권을 침해하는 이기적인 행위를 해야만 했다. 여기에 대한 죄악감이 이런 세계관을 만들었으며, 채식주의자들의 사고도 어느 정도 이것과 통하는 면이 있다.

### (2) 전통과 관습

평준화되었다고 생각되는 현대의 식생활도 호남과 영남 지방의 기호가 다른 것처럼 향토적인 기호가 남아 있다. 이것을 작은 범위에서 말하면 각 가정에서 각각 다른 '어머니의 손맛'이 있는 것과 같다. 이것은 관습으로 몸에 익숙해져 부모에서 자녀로 전승되어 왔다. 현대는 핵가족화에 의해 도중에서 전승이 단절되었고, 이것이 식생활의 급격한 변화를 가져왔다고 볼 수 있다.

### (3) 국제화

무역의 자유화 등 경제사회의 국제화가 식생활에 미친 영향을 빼 놓아서는 안 된다. 현재의 식품 시장에는 신선한 식품, 가공식품을 불문하고 지구상의 모든 식품이 유통되고 있다. 또 도시에는 세계 각 국의 민속 요리점이 즐비하게 세워져 있기도 하고, 외국 여행을 통해서도 쉽게 외국인의 식생활에 접할 수 있게 되었다.

### (4) 공업화

1970년대 이후, 사회의 공업화가 값싸고 편리한 식품을 만들어 내었고, 또 이들이 편하고 값도 싸면서 저장이 잘되기 때문에 현대인의 요구에 잘 맞는다.

#### (5) 도시화

식생활의 변화는 경제성장과 함께 생활 전체의 도시화, 특히 농촌의 도시화를 빼놓고는 생각할 수 없다. 슈퍼마켓의 보급, 외식산업의 대두, 자동판매기 등이 식생활에 큰 영향을 미쳤다.

#### (6) 정보화

정보 미디어의 발달에 의해 국민 대중은 식생활 정보를 풍부하게 손에 넣을 수 있게 되었고, 그것이 식생활의 향상에 도움이 되고 있다. 그러나 너무 급격한 정보사회의 도래에 망설이기만 하고, 정보 선택 능력이 동반되지 않은 단계에서는 정보에 과잉 반응을 보여 거식증이나 거식증 상태에 빠지기도 한다. 이것은 모두 식생활의 혼란에서 온 것으로 정보 사회에서 정보를 바르게 인식하고, 활동하는 능력이 요규된다고 할 수 있다.

### 4) 경제적 요인

#### (1) 소득 수준, 생활 수준

우리나라는 과거 혼란기를 거치면서 소득 수준이 낮았기 때문에 빈곤한 식생활을 할 수 밖에 없었고, 그 결과 평균 수명이 낮고 생활 만족감도 적었다. 그 때문에 최저 생활 수준을 유지할 수 있는 소득 수준의 획득이 오랫동안의 바람이었다. 놀랄만한 경제성장을 이룩한 원동력도 여기에 있다고 생각한다. 세계적으로 보더라도 소득 수준이 극단적으로 낮기 때문에 과거 우리나라의 경우처럼 만족한 식생활을 영유할 수 없는 나라들이 많이 있다.

#### (2) 소비 수준

현재의 국제사회에서는 소득 수준이 높다고 해서 반드시 소비 수준도 높다고는 말할 수 없다. 일인당 국민 총생산이 곧 세계적인 수준을 차지할 것이라고 예측하고 있음에도 불구하고 '윤택함'을 실감하지 못하는 것은 사회·경제적인 불안 등이 원인일 것이다.

### (3) 노동 시간

노동 시간이 길고 여가가 짧은 것은 '윤택함'이 뒤따르지 못하는 것이 주요 원인일 것이다. 가족이 다 함께 식탁에 앉을 수 없는 상황이 얼마나 식생활을 빈곤한 것으로 만드는 것인지는 설명할 필요도 없다. 이것이 해결되지 않는 것은 제도 개혁의 절차 문제도 있겠지만, 여가의 도래를 방해하는 여러 가지 논리나 장해에 대항할 여가에 관한 의견 일치가 되지 않기 때문일 것이다.

### (4) 고용의 안정

여성의 사회 진출이 늘어나고 여성의 취업률이 증가하고 있지만 가정의 식생활을 안정시키기 위해서는 고용의 확대와 고용 조건을 한층 더 개선할 필요가 있다.

### (5) 지가(地價)

도시의 땅값 상승이 엄청나기 때문에 도시의 많은 노동자는 어쩔 수 없이 직장과 주거가 분리된 생활을 하고 있다. 그 때문에 통근 시간이 길어져서 가정에서의 자유 시간이 줄어들고 피로도 쌓여, 단란한 저녁 식사의 실현을 곤란하게 만들고 있다.

### (6) 경제 협력

식량이 넘치는 개발국이 있고, 또 한편으로는 식량이 부족한 도상국이 있기 때문에 국제적인 협력이 필요한 것이 바로 현대 사회의 특색이다. 세계의 식량 문제는 식량의 절대량의 문제보다 오히려 분배에 문제가 있다. 선진제국은 도상국들이 식량 생산의 기반을 정비하도록 경제 협력, 기술의 공급을 도모하지 않으면 안 되지만, 그것과 동시에 식량 유통상의 손실을 줄이려는 마음과 식량을 소중히 여기는 가치관을 가질 필요가 있다.

### 5) 사회 · 인구학적 요인

사회적인 요인과 인구학적인 요인이 중복된 사회 · 인구학적 요인도 식생활에 적지 않은 영향을 미치고 있다.

#### (1) 세대 차

인간은 그 인격 형성기에 어떤 사회적 환경에서 자라는가에 따라 그 세대 특유의 가치관을 형성하기 쉽다. 따라서 코호트(cohort : 같은 시기에 태어난 출생 집단)는 세대 특유의 개성을 가지고 있다. 경제성장 후의 풍부한 시기에 성장한 사람과 전쟁 중에 학교 교육을 받은 사람, 전쟁 전 · 후의 혼란기에 성장한 사람은 식생활에 대한 가치관이 미묘하게 다르다.

#### (2) 핵가족화

전통 사회 가족의 기본 원리는 가부장 제도였으나 현대의 핵가족화는 국민 생활의 정신적인 면에 큰 영향을 주게 되어 사회의 움직임을 활성화하고 경제성장을 촉진하는 힘이 되었다. 식생활 면에서 이전에는 2세대, 3세대가 모여 사는 대가족 형태로 할아버지, 할머니 사이에서 전통을 계승, 관습의 존중 등을 배웠다. 그리고 '음식은 삼대(三代)'라 불릴 정도로 식생활을 보존적인 것으로 보아 왔다. 그것은 '어머니의 손맛'이나 '생활의 지혜'를 전하는 데에 효과가 있었다. 여기에 비해 핵가족화는 쉽게 새로운 식품이나 식생활 습관의 도입을 가능하게 하고 급속도로 빠른 현대 음식의 서양화 · 간단화 · 외부화를 촉진하게 되었지만, 한편으로는 가족 생활을 힘들고 불안정한 쪽으로 이끌고 있는 것인지도 모른다.

#### (3) 직업의 차이

현대는 다양화의 시대이다. 같은 코호트라도 노동 형태를 달리하면 식사에 대한 생각, 식사의 내용, 식사 시간이나 식사하는 장소가 완전히 틀려지게 된다. 개개인이 직업에 맞는 가장 합리적인 식생활을 스스로 편성해야 한다.

### (4) 고학력화

남녀 평등과 고학력화의 결과, 상급 학교 진학률이 높아지고, 민주주의적인 사고와 생활 태도가 국민들 사이에 침투하여 생활이 평준화되게 되었다. 그리고 사물을 총합적이고 논리적으로 사고하는 힘을 일반 국민이 획득하게 되었다. 영양 지식의 보급도 이것과 무관하지 않다. 그 반면, 고도성장의 중심이 되는 일류 회사로의 취업을 유리하게 만드는 명문대학에 집중하는 입학 경쟁, 학력 획득 경쟁이 전개되어 자칫하면 교육의 본질을 잃어버리게 되고, 주입식 교육에 의해서 창조적 능력이 떨어지게 되었다. 특히 유아기부터 학원에 다니는 등 과잉 경쟁에 의해 아동이 편식을 하게 되고, 가정과 사회의 일원으로서의 생활습관을 훈련하는 것이 소홀히 되고 있는 것은 그들에 의해 세워질 미래 사회 건설의 꿈을 망치는 것이 아닐까 하고 우려가 된다.

### (5) 초고령화

앞으로의 고령화 사회에 대비해 고령자에 대해서는 가족에 의한 지원, 국가에 의한 공적 지원을 생각해야 하지만, 노인의 식생활에 대해서는 사회 전체가 관심을 기울여야 할 문제라 여겨진다.

## 6) 기술적 요인

수렵 · 채취 시대의 인간은 손에 넣은 음식을 오랫동안 먹는 것이 최대의 바람이었을 것이다. 일찍부터 개발된 식품의 저장법은 태양 건조, 소금 저장, 훈제였다. 이것은 모두 그저 언제든지 먹을 수 있다는 것뿐으로 신선함이나 맛과는 거리가 멀었다. 19세기 후반이 되어서 통조림, 인공 건조, 냉장 저장법이 이루어졌다. 그러나 신선하고 맛있는 상태를 형태도, 성분도 변함없이 그대로 저장하고 싶어 하는 인류의 궁극적인 바람이 실현되기 시작한 것은 20세기 말부터이다.

### (1) 식품 생산 기술

인간은 맛있는 식품을 계절에 관계없이 신선한 상태로 먹기 위해서 품종을 개량하고, 기술에 의해 계절을 극복하여 더욱 신선도를 길게 유지하려고 했다. 그러기 위해서는 비료 기술, 품종 개량의 성과를 근거로 시설 원예, 속성 재배, 억제 재배 등이 행해지게 되고 채소, 과일의 공급이 계속해서 가능하게 되었다. 또 최근 bio-technology의 진보에 의해 유전자 조합을 바꾸고, 세포 융합, 대량 배양 등의 기술이 식품의 생산에 적응될 가능성이 높아지고 있다.

### (2) 식품 가공 및 저장 기술

저장에 앞선 식품 가공의 제1 목적은 식품의 안전성과 영양성의 개선이다. 자연식품은 무해하다고 오해하고 있는 경우가 일부 있지만, 자연 식물은 해충이나 미생물의 공격에 대해 자기를 방어하기 위해서 독성 물질을 포함하고 있는 것이 대부분이다.

예를 들면 열대지방의 주식인 '캇사바'라는 감자에는 청산 배당체가 포함되어 있기 때문에 적당한 방법으로 제거하기도 하고, 옥수수를 주식으로 하는 지대에서는 석회의 알칼리성에 의해 딱딱해진 조직을 부드럽게 해서 소화 흡수를 좋게 하기도 한다. 영양성에 대해서는 우유의 성분을 가능한 한 모유에 가깝도록 만든 조제분유가 있다. 식품 가공의 제2 목적은 식품에 저장성을 부여하는 것이다. 식량은 대부분의 경우 수확 시기가 한정되어 있기 때문에 수확된 것을 여러 가지 방법으로 저장해서 식량을 확보할 필요가 있다.

현대와 같이 도시가 발달하면 식량의 저장과 수송은 아주 중요한 문제가 되어 도시 생활의 발전과 함께 저장 기술 또한 급속한 속도로 발달하였다. 특히 냉동 저장 기술, CA 저장 기술(환경 기체의 산소, 이산화탄소 농도를 조절해서 식물의 호흡작용을 억제하는 기술)의 진보는 눈에 띄게 나타났고, 채소 공급의 길이 열리고 있는 중이다. 또 냉동 기술이 발달하여 해동을 하더라도 천연의 맛에 가깝게 만들게 되었다. 현재 살균 기술이나 포장 기술의 진보에서 생각하면, 앞으로는 식품 저장에서 식품첨가물 의존의 정도는 꽤 경감해 갈 것이다.

식품 가공의 제3 목적은 간편성 · 즉석성 · 경제성으로, 인스턴트식품이나 조리가 다 된 식품이 바쁜 현대 생활에서 시간의 절약이라는 면에서 소비자의 요구를 충족시킬 것이다. 최근 소비자는 가공식품에 대해 고급스러운 맛, 안정성, 영양성에 대해서도 강한 요구를 하고 있기 때문에, 가공식품은 이러한 방향으로 더욱 진보해 나갈 것으로 기대된다.

미생물이나 효소의 작용은 biotechnology에서 다루고 있는데, 이 학문의 체계화에 의해 식품 가공은 더욱 큰 진보를 이룩할 가능성이 크다. 식품 가공의 진보는 현대의 식생활에 큰 영향을 미치고 있다.

#### (3) 식품 포장 기술

최근의 포장 재료, 포장 기술의 진보가 식품의 유통을 일변시켰다. 예를 들면, 우유의 포장이 병에서 종이 팩으로 바뀜으로써 가벼워지고 가격적으로도 싸진 것이 우유의 소비를 확대시키고 있다. 최근의 라미네트 포장 기술은 진공 팩, 무균 충전, 레토르트식품 등 새로운 식품을 만들어 내었다. 이것들은 상온 유통이 가능하다든지, 식품첨가물을 사용하지 않게 되어 있다든지, 식품의 담백한 맛을 가능하게 한다든지, 조리시간을 단축시킨다든지 하여 식생활 패턴의 변화를 촉진하고 있다.

#### (4) 식품 가공에 대한 반성과 새로운 동향

식품 가공의 목적을 요약하면 식품에 안전성, 영양성, 기호성, 저장성, 편리성 등 여러 가지 가치를 부여하는 조작이라 할 수 있을 것이다. 그러나 저장성의 부여를 생각한 나머지 식품첨가물에 지나치게 의존하든지, 유효한 성분까지 정제·제거해 버릴 경향이 있다. 앞으로의 식품 가공은 가능한 영양소의 손실을 적게 해서 자연의 풍미를 손실하지 않도록 식품첨가물에 대한 의존에서 벗어나 식품의 안전성을 유지하는 기술이 개발될 것이다.

### 7) 다른 생활에서 온 요인

#### (1) 주거 상태

주택 내 식당이나 부엌의 구조, 내구 소비재의 보급이 식생활을 변화시켜 간다. 현대식 입식 부엌 구조, 스테인리스·스틸의 보급이 기름을 사용하는 요리의 보급을 도왔다.

#### (2) 여가 상황

주부의 취업, 여가 활동, 지역사회 활동 등이 식생활을 변화시켜 간다.

이상으로 식생활을 변화시키는 요인을 열거했는데, 과거에 비해 현대는 개인을 둘러싼 사회가 엄청나게 확대되었기 때문에 외부에서 영향을 주는 요인의 수가 매우 많아졌다. 그러나 중심에 위치하는 개인이 과거와 달라서 자유스럽고 개성대로 살아가게 되었기 때문에 사회 규범에 대해 강한 영향을 받는 의식은 적고 저마다 다양한 생활을 보내고 있다.

## 2. 미래의 식품

식품산업의 발달에 따라 최근에는 여러 가지 형태의 식품들이 나와서 식생활을 풍요롭게 하고 있다. 한편, 세계의 식량 부족 현상은 심각하며, 특히 개발도상국에서는 인구 증가율에 비해 식량의 증산이 이에 미치지 못해 심각함을 더해 가고 있다. 식품산업계에서는 세계의 식량 문제를 해결하기 위해서 새로운 식량 자원의 개발, 새로운 품종 개발에 힘쓰고 있어 앞으로 새로운 형태의 식품들이 등장할 예정이다.

따라서 변모하는 현대의 식생활에 대응하여 출현한 식품들과 앞으로의 식량 문제에 대처할 수 있는 식품들에 대하여 살펴본다.

### 1) 냉동식품

냉동식품이란 제조 또는 조리, 가공한 식품을 장기 보존할 목적으로 동결 처리하여 용기 포장에 넣어서 냉동 보관(-18°C 이하)하는 식품이다. 냉동식품은 콜드 체인(cold chain)이 완비되어야 유통이 가능하기 때문에 구미 선진국에서 그 성장이 빨라진다. 미국의 경우 냉동식품의 1인당 소비량이 연간 50kg(1989년)이 넘는데, 이는 총식품 소비량의 80% 이상이다. 일본의 냉동식품 소비량은 미국의 1/5 수준으로 연간 10kg(1989년)인데, 그중 조리 냉동식품이 차지하는 비율은 75%에 달한다. 우리나라의 냉동식품 산업은 1980년대에 들어서면서부터 냉동 만두를 중심으로 한 조리 냉동식품의 생산이 시작되었고, 최근에는 조리 냉동식품의 시장 규모가 급격히 성장하고는 있으나 아직은 우리나라의 냉동식품 소비는 선진 외국에 비하면 미미한 실정이다.

냉동식품은 다른 가공식품에 비해 맛과 조직 및 영양적인 측면에서 우수할 뿐 아니라 저장성이 높고 사용하기 간편한 식품이므로 우리나라의 냉동식품은 콜드 체인 시스템의 발전과 주방기구(특히 전자레인지 등)의 보급과 더불어 앞으로 더욱 급격한 신장을 보일 것으로 생각된다.

### 2) 완전 조리식품

현대 생활에서는 생활 양식의 변화와 함께 식생활도 변화하여 가정에서 하는 조리 조작이 점점 줄어들고 있다. 조리 조작이 완료되어 가공도가 높은 식품을 완전 조리식품이라 하는데, 여기에는 조리 냉동식품, 레로르트식품, 반찬류, 도시락 등이 있다. 완전 조리식품의 장점은 간편성에 의한 조리 시간의 단축, 가사 노동으로부터의 해방이다. 그러나 간편성이 커지는 것과 비례하여 가공도가 높아지기 때문에 식품첨가물 등의 사용이 많아지고 안전성의 문제가 생긴다. 또 많은 사람의 기호에 맞추다 보니 맛의 획일화 문제도 일어난다. 완전 조리식품의 지나친 사용은 조리 기능의 퇴보와 함께 식생활의 경시에 따른 여러 문제점을 일으킨다. 완전 조리식품을 많이 사용하는 사람일수록 영양소 섭취가 불량했다는 보고도 있고, 식염의 과잉 섭취, 칼슘, 철분 등의 미량 영양소의 섭취 부족이 특히 우려되는 점이다. 현대 생활은 취업 주부 수의 증가, 남편들의 바쁜 사회생활, 아이들의 수험공부 등으로 식생활을 생활의 중심에 둘 여유는 없다. 밥만 집에서 짓고 완전 조리식품의 반찬을 구매하여 한 끼의 식사를 해결하기도 한다. 외국의 경우 아예 부엌이 없는 가정도 있다고 한다. 완전 조리식품의 범람은 바람직한 현상이 아님에도 불구하고 앞으로 더욱 심화될 전망이다.

### 3) 건조식품

식품 속의 수분을 제거함으로써 저장성을 부여하는 건조는 옛날부터 실시해 왔던 가공법으로 이것을 이용한 식품에는 건조 채소, 건조 과일, 건조 육제품, 건조 어패류 등이 있다. 그러나 최근에는 기호 변화 등으로 전통적인 건조식품의 섭취는 점점 감소하는 추세에 있고, 동결 건조식품을 중심으로 하여 즉석식품으로 편리하게 사용할 수 있는 식품의 섭취가 늘어나고 있다.

동결 건조식품은 식품을 -30~(-40)℃에서 급속 동결한 것을 진공도 1~0.01mmHg의 감압하에서 얼음을 승화시켜 건조한다. 동결 상태에서 건조시키므로 향미, 영양가의 보존이 우수하고 복원성이 좋으나 조직 변화가 일어나기 때문에 고형 식품에서는 복원했을 때 조직감이 다소 변화한다. 처음에는 커피와 같은 향미를 중요시하는 식품에 주로 적용되었으나 요즘 각종 수프, 과즙, 채소, 육류 등 즉석식품용의 건조에 광범위하게 이용되고 있다. 그밖에 동결 건조식품의 보존성이 좋은 점을 이용하여 비축용, 혹은 비상용 식량(survival foods)으로도 사용된다.

### 4) 새로운 형태의 가공식품

전통적인 가공법인 건조, 염장, 훈제 등은 시간이 많이 걸리고 식품 중의 성분 변화가 커 품질 유지가 어려운 점 등으로 현대 식생활에서 멀어져 가고 있다. 또한, 생활 양식 및 식성의 변화, 폭발적 인구 증가에 따른 식량 자원의 부족도 새로운 형태의 가공식품의 등장을 촉구하는 요인이 되고 있다.

새로운 형태의 가공식품에는 지금까지의 식품과는 무엇인가 색다른 것을 원하는 소비자의 요구에 부응하기 위한 것과, 값이 비싸고 귀한 것을 싼값으로 많은 사람에게 제공하려는 것이 있다. 이러한 형태에 속하는 것으로 압출(extruder) 가공식품, 가압식품(pressure processed food), 모방(imitation)식품 등이 있다.

먼저 압출 가공식품은 압출 성형공법(extrusion cooking)에 의한 것인데, 미래의 공업적 식량 생산의 중심 역할을 담당할 것으로 기대되는 가공 기술이다. 이것을 이용한 가공식품에는 전분을 주체로 하는 팽화식품인 스낵과자, 비스킷 등과 콩에서 분리한 식물성 단백질로부터 제조한 조직화 식물단백(textrued vegetable protein) 등이 있다. 조직화 식물단백은 소고기 등의 조직감과 모양을 갖는 것으로 육류 대용품으로 여러 가지 식품에 첨가하여 이용되고 있다.

다음 가압식품은 식품에 열 대신 압력을 가함으로써 단백질의 변성이나 전분의 호화를 유도하여 조리하는 것이다. 압력을 이용하는 조리법에는 압력솥이 있으나 압력솥은 물의 비등점을 올려주기 위하여 압력을 사용하므로 이것은 가열에 의한 조리이다. 가압 조리에서는 상온에서 5,000~6,000기압의 높은 압력을 가해서 조리하게 된다. 따라서 가압 조리에서는 차가운 상태에서 조리가 되므로 향미의 변화, 영양소의 파괴 등이 없다. 이것은 장점인 동시에 단점으로도 작용한다. 즉 가열에 의한 독특한 향미 생성이 없으므로 적용할 수 있는 식품에 한계가 있다. 현재는 잼류 정도가 가압식품으로 시도되고 있으나 앞으로 가열과 조합시킨다든지, 조미 기술 등의 개발에 의해 새로운 향미와 texture를 가진 식품을 창출해 낼 수 있을 것이다.

마지막으로 모방 식품은 copy 식품이라고도 하는데, 귀하고 값이 비싼 식품의 대용품이다. 그 종류로는 냉동 대구살에 아미노산류, 게맛 향미, 게맛 진액, 난백 등을 첨가하여 만든 게맛살, 램프 생선의 알을 흑갈색의 색소로 염색한 염장품을 통조림으로 만든 캐비아, 우유 카제인에 식물성 기름과 유화제를 섞고 물을 가하여 혼합・유화시킨 후 가열하여 포장, 냉각한 analog cheese, 식물성 지방과 유고형분을 혼합해 놓은 imitation milk, 주로 커피에 사용하는 유지방 이외의 지방을 유고형분과 혼합하여 만든 filled milk 등이 있다.

그 밖에 조직화 식물단백 같은 인조육, 초콜릿의 원료인 천연 코코아 버터와 성상이 비슷한 대용 코코아 버터 등도 모방 식품에 속한다. 모방식품은 제조 기술의 진보에 따라 다양한 제품이 나오게 되어 있고, 그중에는 마가린과 같이 모방 식품이라기보다는 하나의 새로운 식품으로 볼 수 있는 것도 있다. 앞으로 이런 제품이 더욱 많이 나올 것으로 생각된다.

### 5) 새로운 단백질 소재

인구 증가에 따른 식량 자원의 부족과 세계 각지에 오늘날까지도 존재하고 있는 기아 문제의 해결을 위해서 자원의 유용한 이용은 대단히 중요하다. 그중에서도 단백질 소재의 개발은 부족한 단백질 자원의 문제를 해결하기 위해서 특히 중요하다.

지금까지 새로운 단백질 소재의 동물성, 식물성, 미생물의 단백질이 개발되어 일부

실용화되고 있다.

먼저 동물성 단백질 소재로는 어육 농축 단백질(FPC, fish protein concentrate)이 대표적이다. 생선의 경우 식용으로 하지 않고, 사료 등으로 사용되는 양이 상당량 있는데, 이것은 단백질의 유효 이용률 면에서 바람직하지 못하다. 생선에서 단백질을 추출하여 농축 건조 분말로 하면 식품 소재로써 이용하기 쉽다. 그러나 FPC는 맛, 색깔, 그리고 냄새도 없는 분말로써 기호적인 가치가 없어서 현재까지는 그다지 이용되고 있지 않다. 따라서 FPC의 기호성을 개량하는 것에 대한 연구가 많이 진행되고 있다.

다음 식물성 단백질 소재로는 대두 단백질, 밀 단백질 등이 있다. 대두는 '밭에서 나는 고기'라고 불릴 만큼 단백질 함량이 높으며, 유지 함량도 높음에도 불구하고 대두유를 짜고 남은 탈지대두가 사료로 이용되었다. 따라서 탈지대두에서 단백질을 추출하여 분말상 대두 단백질, 입자상 대두 단백질, 섬유상 대두 단백질, 효소 변형 대두 단백질과 같은 종류를 만들었다. 특히 대두 단백질은 유화성, 기포성, gel 형성 등과 같은 많은 기능성을 가지므로 여러 가지 가공 식품의 물리적 성상 개량제로도 이용되고 축육 제품(햄, 소시지, 햄버거 등), 어육 제품(어묵류) 등에 대용품으로서도 이용되고 있다. 밀 단백질은 밀가루에 물을 넣어 반죽한 도우(dough)로부터 글루텐을 분리하여 얻는 것으로 이용 식품은 국수, 빵, 햄버거, 어육 제품 등이다.

마지막으로 미생물 단백질 소재로는 석유 중의 n-파라핀을 이용하여 증식하는 효모와 세균의 균체 단백질을 말한다. 석유 이용 효모와 세균은 탄소, 수소원으로 n-파라핀을, 질소원으로 값싼 암모니아를, 산소원으로 공기를 써서 탱크 배양되므로 계절과 관계없다. 또 넓은 토지도 필요 없이 공장 생산될 수 있다. 이것은 필수아미노산이 풍부한 새로운 단백질원으로 기대를 모으고 있으나, 석유 중에는 미량의 발암물질이 포함되어 있어서 안전성에 대한 위험 등으로 아직까지 실용화되고 있지는 않다.

### 6) 기능성 식품

어떤 특정의 생체 조절 기능을 가지는 식품의 3차 기능을 생체에 대해서 작용할 수 있도록 가공한 식품을 기능성 식품이라 한다. 여기에는 특정의 기능성 성분을 농축하여 함유한 것과 특정 성분을 제거한 것, 두 가지 형태가 있다. 전자는 올리고당, 식이섬유 등을 첨가한 것이고, 후자는 페닐케톤 요증 환자용의 페닐알라닌 제거 식품, 알레르기 환자용의 알레르겐 제거 식품 등이다. 기능성 성분과 영양소와의 차이는, 영양소는 부족하면 결핍증을 일으키는 성분인 데 비해서 기능성 성분은 섭취하지 않아도 결핍 증상은 나타나지 않지만 섭취함으로써 생체 기능을 높여줄 수 있는 것이다.

식이섬유의 기능은 그림 8-6과 같이 성인병의 예방과 건강 증진에 큰 영향이 있다.

**그림 8-6 식이섬유의 기능**

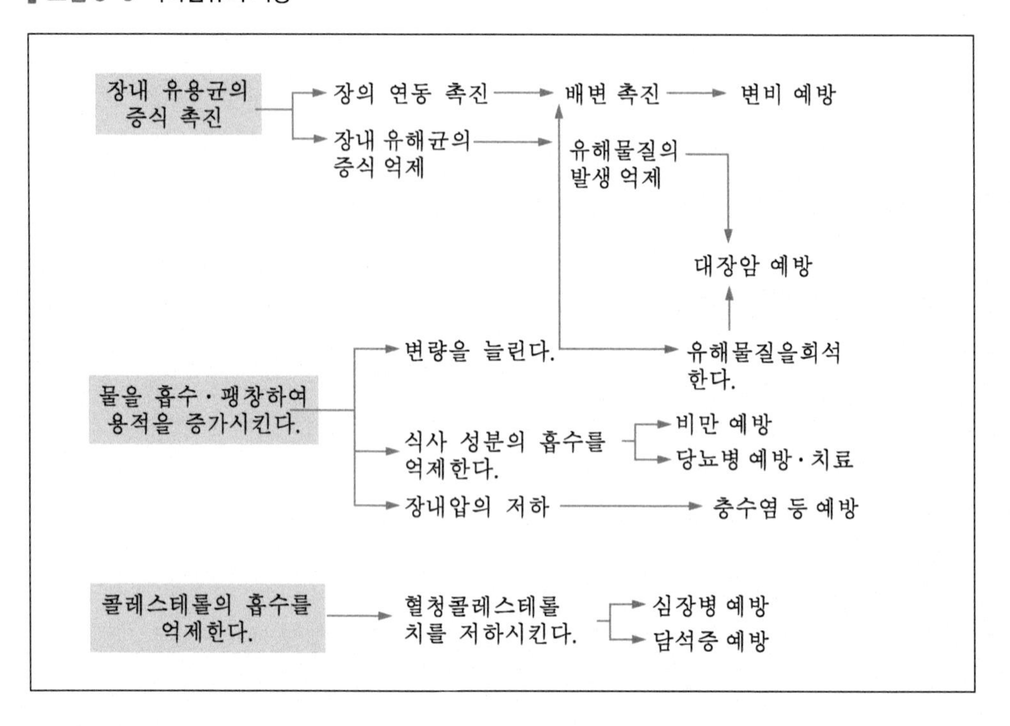


그러나 과잉 섭취는 무기질 등의 미량영양소의 흡수 저해를 일으키므로 가공식품에의 이용에는 충분한 배려가 필요하다. 현재 많은 식이섬유 제품이 시판되고 있으며 음료, 과자류, 빵 등에 첨가되어 있다.

다음 올리고당은 천연 식품에 존재하기도 하고 효소에 의해서 합성하거나 다당류를 가수분해하여 얻는 것으로 단당류가 2~10개 정도 glycoside 결합한 당류를 가리킨다. 단당의 수로부터 이당류, 삼당류 등이 있고 자당, 유당, 맥아당 등은 잘 알려진 이당류이다. 올리고당이 가지고 있는 기능성에는 식품의 물성 개선, bifidus균 증식 인자, 저칼로리, 충치 예방 등이 있다. 올리고당이 건강 지향적 식품 소재로 각광을 받고 있는 것은 버피더스(bifidus) 증식 효과에 의한 정장 효과가 크기 때문이다.

현재 우리나라에는 여러 종류의 올리고당들이 생산되어 각종 식품에 첨가되고 있으며, 앞으로 올리고당의 생산은 더욱 신장될 전망이다. 주요 올리고당의 종류와 특성은 표 8-11과 같다.

**표 8-4 올리고당의 종류와 특성**

| 종 류 | 구성원 당 | 원 료 | 특 성 |
|---|---|---|---|
| 이소말토 올리고당 | 2~ | 전분 | 저감미, 보습성, 전분 식품의 노화 방지, 충지 방지, bifidus 증식 인자 |
| 갈락토 올리고당 | 2~6 | 유당 | 난소화성, bifidus 증식 인자로써 bifidus drink, 요쿠르트 등에 첨가하여 사용 |
| 팔라티노스 | 2 | 설탕 | 충치 예방, 소장에서 서서히 분해 |
| 프락토 올리고당 | 3~5 | 설탕 | 난소화성, bifidus 증식 인자, 충치 방지, 지질대사 개선 |
| 락토슈크로스 | 3 | 설탕·유당 | 난소화성, bifidus 증식 인자, 설탕과 유사한 물성 가짐 |
| 대두 올리고당 | 2~4 | 대두 | stachyose, raffinose, sucrose 등의 소당류가 주성분, 난소화성, bifidus 증식 인자 |
| 키틴 올리고당 | | 갑각류 | 면역 증강, 항암작용 |

## 7) 특수 식품

현대인의 식생활 현황에 대한 불안 심리와 건강 지향적 성향으로 식품 중의 일부 성분을 조정한 식품을 다수가 찾게 되었고, 이러한 식품의 주체를 이루는 것이 저염 식품과 저열량 식품이다. 그러나 진정한 영양 개선은 일상의 식생활 전반에서 이루어진다는 것을 잊어서는 안 되겠다.

우리의 식생활은 식염이 과잉 섭취 되기 쉬운 형태이다. 따라서 우리의 경우 저염 식사에 대한 관심은 특별히 나트륨 섭취 제한을 필요로 하는 환자가 아니더라도 일반인도 매우 높다. 저염 식품에는 간장, 된장 등의 조미료와 그 밖의 일반 식품 등이 있는데, 여기에는 단순히 식염 함량을 줄여준 경우와 식염 대용 물질을 넣어준 것이 있다. 식염 대신의 조미료로는 KCl이 그 맛이 식염과 비슷하기 때문에 쓰이고 있다. KCl을 사용한 조미료(무염 간장 등)는 처음에는 의료용의 저나트륨 식품으로 사용되었는데, 최근에는 일반 식품에도 KCl을 식염 대용으로 사용한 것이 많이 나오게 되었다. 그러나 저염 식품을 사용하더라도 양적으로 많이 사용하면 무의미한 일이며, 기본적인 식생활 방식을 검토하여 개선하는 것이 필요하다.

저열량 식품은 우리나라에서는 아직 보편화된 단계는 아니지만 구미 여러 나라에서는 중요한 일상 식품으로서 인식되고 있으며, 저열량 식품의 섭취 목적도 체중을 조절하기 위한 것보다는 건강한 생활을 유지하기 위해 애용하는 경향이다. 우리나라도 식생활의 변화와 의식 변화로 가까운 장래에 이런 종류의 식품이 대중화될 것으로 생각된다.

### 8) Biotechnology 이용 식품

Biotechnology는 생체와 그 기능을 직접 또는 모방하여 이용하는 물질 생산 기술을 뜻한다. 즉 생체 이용 기술과 생체 모방 기술이 있다. 최근 biotechnology는 차세대 기술로서 주목을 받고 있지만, 갑자기 출현한 기술은 아니다. 효모의 작용으로 술을 발효시키는 것, 치즈와 버터 등의 유제품, 간장, 된장 등의 대두식품의 제조는 모두 미생물의 작용을 이용한 것으로 biotechnology 이용 식품이라 할 수 있는 것들이다. Biotechnology에 사용되는 방법을 표 8-5에 나타내었다.

이중 유전자 재조합 기술을 이용하여 제조될 수 있는 식품으로는 토마토, 옥수수, 대두, 감자, 채종, 면실 등 다양하므로 유전자 재조합 농작물을 주원료로 사용하는 식용유, 두부, 장유, 마가린뿐만 아니라 부 원료로 사용하는 경우까지 포함하면 모든 가공식품에 이용이 가능하다고 할 수 있으며, 표 8-6은 미국에서 승인된 유전자 재조합 기술을 이용하여 개발된 식품이다.

표 8-5 Biotechnology에 사용되는 방법

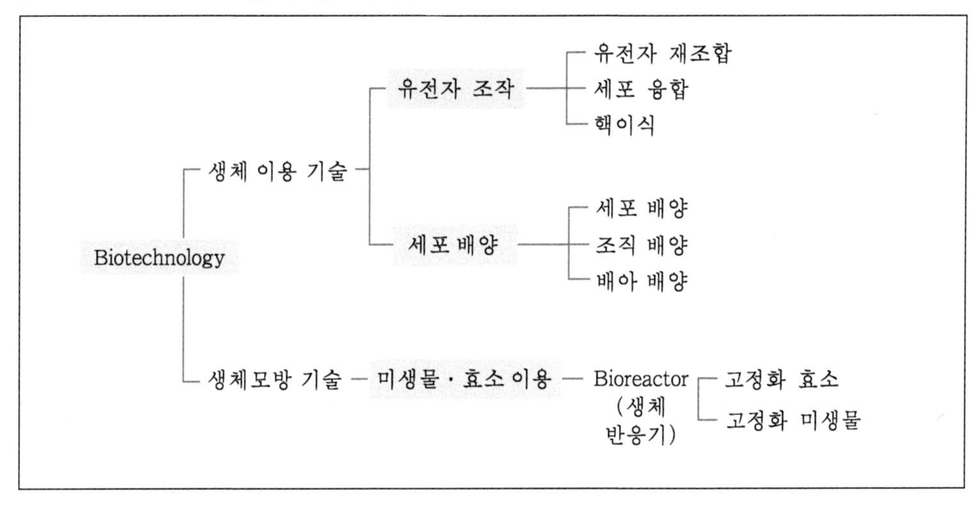


표 8-6 미국에서 승인된 유전자 재조합 기술을 이용하여 개발된 식품

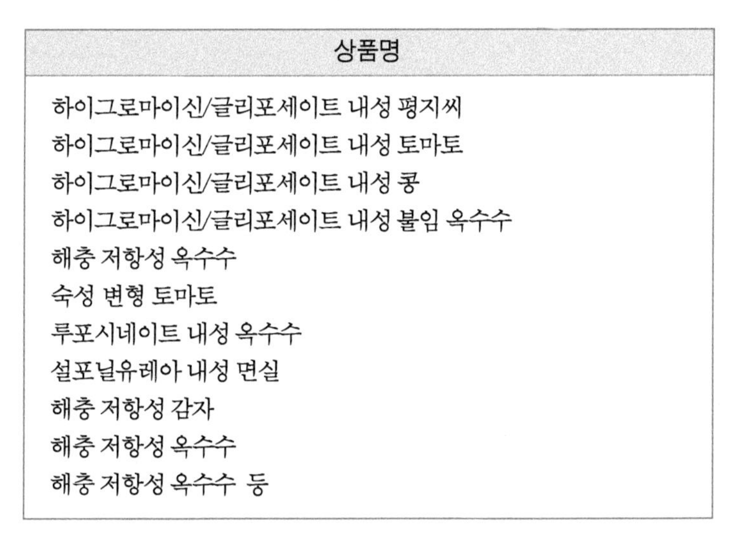

| 상품명 |
|---|
| 하이그로마이신/글리포세이트 내성 평지씨 |
| 하이그로마이신/글리포세이트 내성 토마토 |
| 하이그로마이신/글리포세이트 내성 콩 |
| 하이그로마이신/글리포세이트 내성 불임 옥수수 |
| 해충 저항성 옥수수 |
| 숙성 변형 토마토 |
| 루포시네이트 내성 옥수수 |
| 설포닐유레아 내성 면실 |
| 해충 저항성 감자 |
| 해충 저항성 옥수수 |
| 해충 저항성 옥수수 등 |

Biotechnology가 우리에게 가져오는 유용한 점은 내한성, 내서성, 내병충해성 등 저항성이 있는 농작물의 육성이 가능하고, 품종개량에 의한 농작물의 증산, 새로운 식품의 창출 및 농작물의 생산 조정이 용이하게 된다는 점 등이다.

반면 가능한 위험성으로는 기존의 유독 성분의 증가, 새로운 유독 성분의 생성, 미생물에 의한 식품 및 환경의 오염, bioreactor의 효소 혹은 세포의 분리에 의한 식품 오염, 영양 성분의 변화, 새로운 품종의 유전적 안정성의 문제 등이 있다. Biotechnology의 연구 시설에는 엄격한 규제에 의해 위험성에 대한 안전성이 확보되어 있지만 일단 대량 생산 단계에 들어가면 예상치 못한 위험성이 출현할 수 있다. 따라서 제품 및 제조 과정에 있어서의 안전성 확보에는 철저한 관리가 필요하다.

### 9) 천연물 유래 식품 소재

소비자들의 건강에 대한 관심 증대로 천연 지향적인 제품들이 늘어나고 있으며 이에 따라 천연물 유래의 항균 조미 및 감미 소재, 색소 소재 시장의 수요 역시 급증하고 있다. 이러한 환경에서 기존의 환경 및 생태계를 파괴하는 화학물질 대체재를 개발해 농식품의 안정성을 확보하려는 노력은 무엇보다 중요할 것이다. 소비자들이 가공식품 및 조미식품에 대해서도 가정에서 조리된 특성과 유사한 품질을 요구하고 있기 때문에 더욱 천연 원료에 대한 관심이 높아지고 있다. 천연 식품첨가물 소재의 경우 유형에 따라 크게 ① 향균 소재, ② 미각 소재, ③ 색소 소재로 나눌 수 있다.

#### (1) 항균 소재

미생물의 살균 및 정균작용과 동식물의 면역력 강화 기능을 기반으로 제품·식품 소재, 향장 소재 및 농업소재의 안전성 확보를 위한 천연 건강기능 개선 소재이다.

전 세계적으로 농산물과 식품, 화장품 및 개인 위생용품 등에 사용되는 천연 방부제 시장은 매년 증가 추세를 유지하고 있다. 소득 수준의 향상으로 위생 관념이 철저해지고 있는 현대 시대에도 식품에 의한 중독 및 감염 사고는 세계적으로 주요 사망 원인이 되고 있다. 또한, 니트레이트, 소르빈산, 및 염소제 등의 합성 보존료는 체내 축적성 문제와 인체 영향성에 대한 안전성 검증이 문제되고 있기 때문에 식품 산업계 내에서 안전성이 확보된 천연 보존제(항균제)를 식품의 보존에 이용하고자 하는 연구가 주류를 이루고 있다.

국내에서는 식품 등에 사용되는 방부제의 약 80%를 수입에 의존하고 있는 실정이며 화학적 기술 수준은 선진국과 비슷한 수준이나 관련 기술 경험은 전무하다.

식물 원료 추출물의 항균 억제제 안정성 시험 및 식물 원료(약용식물과 농산물 가공 부산물 이용)와 미생물과의 혼합 배양에 의한 항균 억제제 안정성 시험은 부분적으로 진행 중에 있다. 세부적인 연구 진행 동향을 살펴보면 우선, 사자발쑥 추출물, 상황버섯 · 산초 · 이끼류 추출물 등 다양한 소재에서 방부제 개발이 진행되고 있으며, 허브, 프로폴리스, 라벤더나 레몬의 에센셜 오일 등도 산업화 응용이 진행되고 있다. 또한, 동물의 발달된 자기방어 기작 성분을 추출하여 천연 항균 방부제로 사용하려는 연구가 진행 중이며 본래 생체 내에 분자들의 경우 안전성이 높기 때문에 생물체에 작용하는 복합물(bioactive compound)에 대한 연구가 활발히 진행되고 있다. 최근에는 장내 유익균에 영향을 주지 않으면서 잔류성이 없는 항균성 펩타이드(peptide) 또는 박테리오신이 천연 방부제로써 많은 연구가 진행 중이다.

### (2) 미각 소재

단맛, 쓴맛, 짠맛, 신맛, 감칠맛 등과 관련 있는 농생명 소재를 의미하며, 식품 가공 중에 부원료 또는 첨가물로 범용적으로 사용되는 소재이다. 천연 원료로부터 추출 또는 효소 · 발효 · 숙성 등의 생물공정을 통해 생산되는 천연 식품 부원료 또는 첨가 소재가 여기에 해당된다.

천연 소재에 대한 기호 증가로 천연 감미료에 대한 산업 수요가 크게 증가하고 있다. 저칼로리를 앞세운 고감미료 소재 시장은 다이어트 유행에 따라 앞으로 더욱 확대될 것으로 전망된다. 대체 감리료로는 타가토스, 트레할로스, 아라비노스 등 많이 연구가 되고 있으며, 일부는 제조 공정이 확립되어 상업화에 성공했다. 또한, 소르비톨과 만니톨 같은 폴리올은 빠른 성장을 할 것으로 예상되지만 다이어트 음료수 시장은 이미 고감미 감미료가 독점하고 있는 실정이다.

최근 일본 및 유럽의 식품 소재 업체서는 밀, 대두 등의 발효물 및 효소 분해물을 이용하여 천연 향미 소재를 개발하고 판매하고 있다. 전체적으로 천연 미각 소재의 발굴 및 소재화의 전 단계인 맛 수용체 조절 물질 탐색법, 이용 가능에 대한 연구가 주류를 이루고 있다. 최근 미국의 바이오 기술 전문회사 세노믹스사(Senomyx)에서는 미각 동적 분자기술을 이용해 맛과 향 개선에 필요한 다양한 소재 개발에 착수하여 현재 네슬레(Nestle), 코카콜라(Coca Cola), 유닐레버(Unilever), 아지노모도(Ajinomoto), 필립모리스(Philip Morris) 등과 같은 세계적인 식품 기업과의 공동 연구를 진행하고 있다. 이에 따라 이들 식품 기업의 미각 관련 분야에 대한 응용 연구에 관심이 커지고 있다.

국내의 경우, 가장 많은 특허 출원을 한 CJ사가 감미 소재 제조기술 분야에 압도적으로 높은 특허 출원 비율을 나타냈으며, 제조기술 중 효소를 이용한 감미 소재 기술 분야에 경쟁력이 있는 것으로 나타났다. CJ사는 세계 최초로 자연에 존재하는 타가토스를 효소 공법으로 상용화해 제품으로 만들었으며 식품의약품안전처도 타가토스를 혈당 조절 건강기능식품으로 인정했다. 현재 미국 식품의약국(FDA)도 타가토스의 안전성을 공식적으로 인증한 상태다.

### (3) 색소 소재

자연계의 동식물, 미생물 및 광물에서 생성되는 색소를 말하며, 각종 식품의 색소 첨가물의 용도로 활용되는 소재로 정의될 수 있으며 식물, 미생물 등 농생명 자원에서 생성되는 색을 발현할 수 있는 천연물로서 색소 형태로 식품에 적용되는 물질 또는 생물공정 전화기술을 통한 소재가 해당된다.

전 세계적으로 천연 색소의 수요가 늘어남에 따라, 기존의 인공색소 기업들이 인수합병 등을 통해 천연 색소 기업으로 탈바꿈하고 있는 추세에 있다. 최근 국내에서는 천연 색소의 단점을 보완하는 안정화 기술, 새로운 색소 탐색 등의 기술을 통해 식품 분야와 건강 기능성 제품 개발을 확대하고 있는 추세며, 2014년도를 기준으로 감귤 돌연변이체를 이용한 기능성 색소 연구, 미생물 배양물로부터 생리 활성이 있는 천연 색소 개발, 천연 색소 소재 기능성 평가, 천연 색소 소재 안정화 기술 개발 등의 연구가 진행 중이다.

천연 색소를 안정된 형태로 바꾸고 기능성을 향상시키면 대량생산이 가능하며 다양한 식품첨가물로 이용할 수 있다. 실제로 주황색 파프리카 분말을 이용한 백김치 소스, 오미자의 안토시아닌과 자소엽 추출물의 고정화 기술을 이용한 기능성 음료 등이 개발되었으며 근래에 천연 색소가 함유된 비타민 음료가 꾸준한 인기를 끌었다. 최근에는 탄산음료나 캔디 등에도 천연 색소를 가미하여 고급화를 시도하는 노력이 병행되고 있다.

## 3. 21세기의 식생활

### 1) 식(食)의 전승성이 희박해진 가정에서의 식(食)

인간은 태어나자마자 갓난아기 때에는 모유를 먹는다. 그러나 유아기를 지날 무렵에는 섭취 음식이 다양하게 되며 그의 식사 패턴은 나라, 지역에 따른 특징적인 것으로 정착하게 된다. 거기에는 가정을 통하여 전승되고 있는 소위 식생활습관이 크게 관여하고 있으나 머지않아 부모의 식사 패턴은 점차로 상실되어질 것으로 예상된다.

즉 가공식품이 증가하며 외식이 증가하고, 이유식조차 기성품을 사용하는 실정이다. 또한, 같은 가족에 있어서도 각자가 좋아하는 완전 조리식품을 개봉하여 먹는 일 등 반드시 동일한 식단의 식사를 하지 않게 될 것이다. 또 여성 직업인이 증가되어 유아기에 놀이방이나 유치원에 보내지는 아이들도 증가되고 있다. 이러한 점에서 가정의 식(食)의 전승성이 그만큼 희박해질 것이라 시사된다.

### 2) 대량생산 시대 가운데 개성 지향

현재 백화점의 식품 판매장 등에 가면 자기가 어떤 나라에 있는가를 잃어버릴 정도로 풍부하게 세계 여러 나라 식품이 쌓여 있어서 현대 식생활을 상징하는 것으로 보인다. 도시에 국한하지 않고 농촌 어디에도 슈퍼마켓이 있으며, 24시간 영업의 트럭 store도 있고 American chain점이 점점 세워지고 있다. 이렇게 어느 곳의 도시에서나 똑같은 음식물을 얻을 수 있고 식생활의 지역성이 엷어지고 있는 것은 명백하다. 따라서 지역에 한정되지 않는 음식 문화가 되어가는 것으로 보인다.

이러한 풍조 가운데서 소규모로 손수 만드는 음식이 새로워지고 있다. 즉 대량생산 가운데 묻혀 버린 듯한 '개성의 존재'를 재발견하는 것으로 말할 수 있겠다. 간편함, 저렴함, 더구나 세계의 모든 식량 제품을 용이하게 손에 넣을 수 있지만, 특색이 없고 밋밋한 음식 문화가 오고 있음에 대한 저항감이 드는 것도 사실이다. 따라서 21세기에는 식(食)의 분야에 있어서도 점점 대량생산 가운데서도 개성이 지향될 움직임이 강해지는 가능성이 있다고 생각된다.

결론적으로 21세기는 특히 고령화가 진행될 것으로 예상되는 사회이다. 거기에서 어떻게 건강하게 장수하며, 어떠한 죽음을 원하는가 하는 일들이 사람들의 커다란 관심사가 될 것이고, 식사의 방식에도 그러한 관점이 진해질 것이다. 그 때문에 식품의 기능을 어떻게 볼 것인가에 관심이 모아질 것이다. 따라서 고령자의 영양 생리적 특징이 한층 연구되고, 예를 들면 미각의 감수성 저하를 어떻게 해결할 것인가, 또는 병태를 갖는 노인을 위해 유아식과 병행하여 노인식이라고 말할 수 있는 것 등을 진지하게 생각하지 않으면 안 된다 하여 식품에 대한 요구도 함께 점점 다양화의 경향이 강해지고 있다고 생각된다.

한편 식품의 공급계는 이미 강력하게 범위가 확대되었음은 틀림이 없으나, 가정의 기능 가운데 얼마만큼 식(食)의 기능을 남기느냐 하는 것은 개인의 가치 기준에 따르는 경우가 많기 때문에 개성 있는 식생활을 창출하는 것이 필요할 것이다.

또한, 현대인에게서 식생활은 단순히 생리적 욕구 충족이 아니고 생활을 윤택하게 하는 활력소 역할을 한다. 맞벌이 부부와 독신 생활자 등 가족의 형태가 다양해지고, 취미생활과 여가생활의 중요성이 인식되면서 식생활 문제를 간편하게 해결하는 것은 중요한 문제가 되었다. 또한, 가족 수, 식성, 취향, 건강 상태 등에 따라 영양과 기호에 대한 소비자의 요구도 다양해져서 획일적인 대량 공급보다는 개인의 요구에 맞는 주문 영양의 시대가 전망되고 있다.

이러한 현대 소비자의 생활 패턴 변화와 식생활 요구에 대한 해법은 인터넷을 통하여 찾을 수 있을 것이다. 인터넷은 이제 가상의 공간으로서만이 아니라 우리의 생활과 함께 살아 움직이는 영향력 있는 매체가 되었고, 인터넷 사용 인구의 급격한 증가와 더불어 푸드 서비스(food service) 산업에서도 온라인화의 움직임이 점차 빨라지고 있다.

지난 세기 동안 발달된 과학기술과 의료 생명 분야의 학문적 업적은 인간의 평균 수명을 연장하게 하였고, 사람들은 단순하게 오래 살기보다는 신체적 · 정신적으로 보다 건강하게 살 수 있는 기간이 연장되기를 기대하고 있다. 따라서 사람들의 건강 지향성 욕구가 점점 더 커지게 되고, 또 한편으로는 기능성 식품에 대한 연구와 개발이 급속히 발전하여 소비자들의 요구에 부응하게 될 것이다.

정보화 시대에 접어들면서 생활의 모든 면이 가속화되어 식생활에도 가공식품, 냉동식품, 조리식품, 패스트푸드(fast food)가 발달하는 것이 당연한 것으로 보이지만, 그러한 결과로 나타나는 입맛의 획일화와 전통문화의 쇠퇴, 지역적 특성의 상실 등을 우려하여 지구촌 일각에서는 오히려 슬로 푸드(slow food) 운동을 제창하고 있기도 하다.

### 3) 슬로 푸드와 현대인

먹을거리에 대한 불신이 깊어지면서 소비자들의 음식을 바라보는 시각도 달라졌다. 신선한 과일과 채소 등 몸에 좋은 재료를 선택하고 유기농 먹을거리를 통해 건강과 환경을 동시에 지키며, 직접 만들어 먹는 음식의 가치를 재발견하고 있는 것이다.

그렇다면 과연 이렇게 천천히 먹고 천천히 에너지로 변화하는 슬로 푸드는 현대인의 생활에 어떤 의미가 있을까?

우선 슬로 푸드는 현대인의 건강 지킴이라고 할 수 있다.

패스트푸드가 건강에 해롭다는 것은 누구나 잘 알고 있는 사실이다. 일본의 경우 패스트푸드가 유입된 후 비만이 두 배나 증가했다고 하며, 우리나라의 경우도 해마다 늘고 있는 아동과 청소년 비만율은 패스트푸드와 무관하지 않을 것이다. 패스트푸드에는 몸에 나쁜 지방과 당, 나트륨은 많지만 칼로리에 비해 영양 성분이 턱없이 낮아 영양 불균형을 일으켜 비만과 고혈압 등의 원인이 되며, 자주 먹다 보면 인공감미료에 길들여져 자연적인 미각을 잃게 되고 점점 자극적이고 인공적인 맛을 찾게 된다. 또한, 패스트푸드를 즐겨 먹는 아이들은 아토피성 피부염에 걸릴 가능성이 40%나 증가한다는 보고도 있다. 슬로 푸드 식탁은 이와 같은 건강 위협 인자를 막아주며, 화학비료나 농약의 위험이 없는 안전한 농산물 생산을 통해 환경을 보호하는 데 중요한 역할이다.

이렇듯이 슬로 푸드 운동은 단순하게 패스트푸드에 대한 반대를 넘어서 이른바 슬로 이념이나 철학을 실천하고자 하는 운동이다. 이 운동은 현대 음식이 갖고 있는 여러 가지 문제점과 관련하여 다음과 같은 몇 가지 의의를 가지고 있는 것으로 정리할 수 있다.

첫째, 슬로 푸드 운동은 현대 음식의 문제점을 해결하는 데 중요한 시사점을 제공한다. 현대 음식은 다음과 같은 문제점을 갖고 있는 것으로 볼 수 있다. 대표적으로 대두되는 패스트푸드의 경우 지나치게 많은 양의 지방, 콜레스테롤, 소금, 설탕 등을 포함하고 있어 건강에 부정적이며 비만을 초래한다. 또한, 산업형 농업에 의해 공급되는 농산물이나 외국에서 수입되는 음식 재료의 경우도 문제점을 갖고 있다. 산업형 농업은 화학비료와 농약 등이 대량으로 투입되는 고투입(高投入) 농업인데, 이러한 농업 경영에 의해 재배된 농산물은 크롬, 납, 수은 등의 중금속에 오염될 위험에 처해 있기 때문이다. 자연의 법칙을 어겨가면서 생산되는 음식 재료의 경우도 안전성이 문제가 된다. 보다 많은 이윤을 얻기 위해 생산 과정에 비료, 농약, 항생제, 성장 호르몬 등이 활용되기 때문이다.

둘째, 슬로 푸드 운동은 패스트푸드 반대에 그치지 않고, 현대 음식의 문제점을 해결하는 방안을 제시하고 있다. 현대 음식은 그 음식 재료를 산업화된 농업에 주로 의존하고 있기 때문에 그 안전성에 문제가 있다. 슬로 푸드 운동은 산업화된 농업에 대한 대안을 추구한다. 슬로 푸드 운동은 산업형 농업보다 전통적인 농업을 더 중시하고, 특히 거대 기업농보다는 소 생산자의 보호에 역점을 두고 있다. 현대 문명의 병이라고 할 수 있는 광우병은 풍토병이 아니라 공장형 축산 경영의 산물이다. 지금과 같은 속도 위주의 공장형 축산 경영이 계속되는 한 광우병은 계속 발생할 것이고, 소비자로서 우리는 개인의 선택이나 의지와 관계없이 이에 무방비 상태에 놓여 있다. 광우병에서 벗어나려면 슬로 푸드 운동이 주장하는 대로 속도와 이윤 경쟁에서 벗어나야 한다.

셋째, 현대 음식은 세계화된 농업에서 생산된 음식 재료를 이용하기 때문에 문제가 있는데, 슬로 푸드 운동은 세계화된 농업에 반대하고 지역 농업을 중시한다. 슬로 푸드 운동이 지역 농업을 강조하는 이유는 그것이 친환경적일 뿐만 아니라 지역 농산물이어야 소비자가 그것을 알고, 또 음식을 알고 먹을 때 먹는 즐거움이 커진다고 보기 때문이다. 슬로 푸드 운동은 각 지역의 역사, 각 지역의 조건과 특성, 각 지역에 필요한 농업 생산을 중요하게 여기고 있다.

넷째, 슬로 푸드 운동은 미각을 중시한다. 이와 관련하여 미각 교육 프로그램을 운용하고 있고 이를 확산시키고 있다. 현대 음식은 지역과 관계없이 미각을 표준화하는 경향이 있다. 달리 말하면 각 지역의 특산물이나 그 지역 음식에 대해 가졌던 미각을 잃게 한다. 그리고 이러한 미각의 상실은 지역의 전통적인 음식이나 지역의 농산물에 대한 수요나 관심을 저하시키는 결과를 가져옴은 물론이다. 슬로 푸드 운동은 미각의 상실이나 미각의 표준화가 가져오는 부정적 결과를 인식하고 이를 극복하기 위해 미각 교육의 중요성을 강조하고, 실제로 미각 교육을 하고 있다.

다섯째, 슬로 푸드 운동은 음식의 다양성을 지지하고 지원한다. 음식에 대한 쇼비니즘이나 문화적 우월성에 반대하고, 각 지역에서 생산된 재료를 가지고 그 지역에서 오랫동안 내려온 지역 음식이나 민족 음식이 중요한 의미를 갖는 것으로 간주한다. 슬로 푸드 운동은 또한 특정 지방의 음식과 볼거리, 잘 곳 등을 소개함으로써 음식의 다양성 및 생활의 다양성 유지에 기여하고 있다.

### 4) 푸드 마일리지(Food Mileage)

식품은 세계에서 가장 많이 이동하는 물품으로 대형 마트나 시장에서 곡류, 육류, 어패류, 채소류, 과일류 등 다양한 식품을 사시사철 만나고 있다. 식품은 수송 거리가 확대될수록 수송 에너지에 의한 이산화탄소 등 온실가스의 발생으로 지구 온난화에 심각한 환경오염 문제를 일으키는 동시에 소비자에게는 식품의 안정성 문제를 일으킨다.

이러한 문제를 해소하고 지역 농업 진흥이나 식량 자급 향상 등을 목적으로 영국의 소비자 운동가 팀랭은 1994년 푸드 마일 개념을 사용하여 가급적 가까운 지역에서 생산된 것을 소비하여 식품의 안정성을 높이고 수송에 따른 환경오염을 경감하는 운동을 전개하고 있다.

푸드 마일리지는 식품의 수송량(t)에 생산지에서 소비지까지의 수송 거리(km)를 곱한 것으로 식품 수송으로 발생하는 환경 부담의 정도를 나타내는 지표다.

푸드 마일리지가 높을수록 많은 양의 식품을, 항공기나 선박을 이용해 먼 지역에서 수입해 왔음을 의미한다.

우리가 먹는 대표적인 음식들은 접시에 오르기까지 35,405km 정도를 이동하면서 지역에서 생산된 음식보다 온실가스를 4~17배나 더 배출한다고 한다.

우리나라의 푸드 마일리지 수치는 일본에 이어 세계 2위로 높다.

▌그림 8-7 2007년 각국의 1인당 푸드 마일리지 비교(품목별)

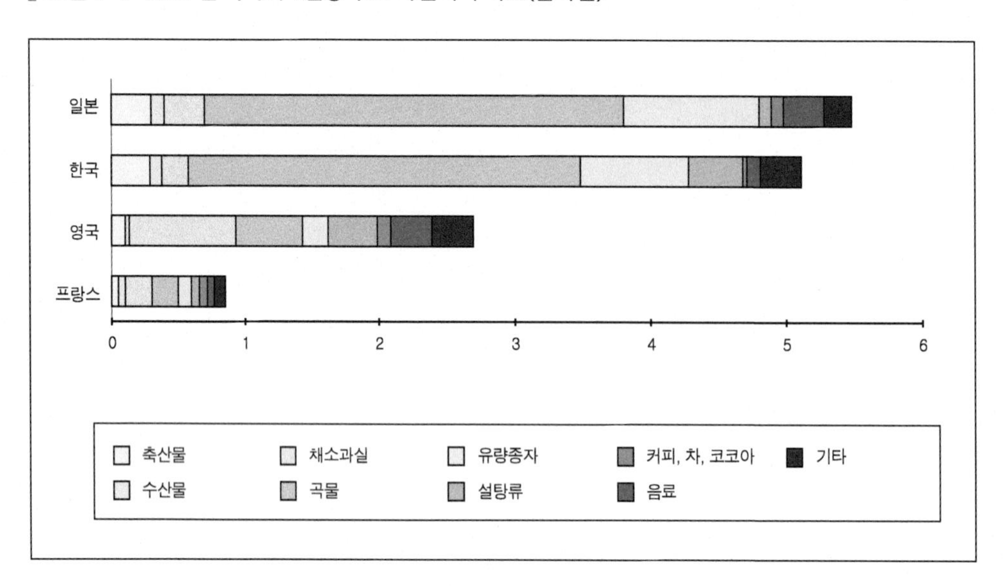


많은 식품 재료들은 생산지에서 공장을 거쳐 상점에 진열되기까지 트럭과 비행기, 선박 등을 통해 운반되고 이 과정에서 많은 화석 연료를 사용하게 된다. 또한, 비료, 항생 물질, 농약의 대량 이용과 종이, 플라스틱, 알루미늄 등의 무분별한 식품 포장 사용 역시 온실가스 배출에 기여하고 있다. 따라서 온실가스를 적게 배출하는 식품들을 구매하기 위해서는 지역에서 생산된 유기농 식품을 구매하는 것이다. 지역 유기농 식품 구매를 통해 온실가스 배출을 줄일 수 있을 뿐만 아니라 농약이나 화학 첨가물을 첨가하지 않아 건강을 보호는 물론 일반 제품보다 풍부한 비타민 및 미네랄을 섭취할 수 있다. 또한, 면역력이 약한 유아, 성장기 어린이, 노약자, 일반인들을 유해 환경에서 자란 제품의 섭취로부터 발생할 수 있는 각종 질병으로부터 보호해 주기도 하고 농약 및 화학비료 사용으로 인한 토양 오염 및 침식 등 환경 파괴를 예방할 수 있다.

또한, 지구 온난화 문제에 대해 소비자의 관심이 높아짐에 따라 이산화탄소 감축이 세계의 과제로 떠오르고 있다. 소비자는 자신이 소비하는 식품의 푸드 마일리지가 어느 정도인지 알 수 있다면 푸드 마일리지를 감축하는 선택을 할 수 있다.

푸드 마일리지와 이산화탄소 배출량과의 관계에 대해서는 수송 수단에 따라 이산화탄소 배출계수를 계산하여 이것을 푸드 마일리지와 곱하여 이산화탄소 배출량을 수치화한 포코(poco)라는 개념을 사용하고 있다. 이산화탄소 100g 배출이 1포코이며, 이를 식품 등에 표시하여 소비자의 이산화탄소 감축을 직접 확인하도록 하여 식품 선택에 도움을 줄 수 있다.

푸드 마일리지를 감축하기 위하여 생산 과정이나 소비 과정에서 환경 부하 경감을 위한 수송 거리를 단축하는 노력이 필요하다. 수입에서 국내 생산으로, 소비도 전국 소비에서 지역 소비로 변화하는 소비자의 선택이 중요하다.

이탈리아의 슬로 푸드나 일본의 지산지소(地産地消), 미국의 공동체 지원 농업(CSA) 등도 같은 뜻의 운동이며, 이러한 운동이 지속적으로 확대되면 지역 농업 진흥과 식량자급 향상, 지구 환경 부하 경감을 기대할 수 있고 우리나라의 신토불이(身土不二)도 새롭게 재현될 수 있다.

# PART 09

# 부록-식품교환표

# 식품교환표

식품교환표란 일상에서 섭취하는 식품들을 영양소 구성이 비슷한 것 끼리 6가지 식품군으로 나누어 묶은 표이다. 2010년 개정되었으며 활용방법은 5장에 자세히 수록하였다.

권장섭취량 상한선이 추가된 식품은 곡류는 현미밥, 돼지감자 등, 어육류는 베이컨, 훈제연어, 메로, 과메기 등, 채소류는 당질이 6g 이상인 늙은 호박, 단 호박, 당근, 연근 등, 지방류는 드레싱류, 땅콩버터 등, 우유군은 저지방우유, 과일류는 통조림, 건과일 등이다.

표 9-1 1교환 단위의 식품군별 영양소 기준

| 식품군 | | 열량(㎉) | 당질(g) | 단백질(g) | 지방(g) |
|---|---|---|---|---|---|
| 곡류군 | | 100 | 23 | 2 | - |
| 어육류군 | 저지방 | 50 | - | 8 | 2 |
| | 중지방 | 75 | - | 8 | 5 |
| | 고지방 | 100 | - | 8 | 8 |
| 채소군 | | 20 | 3 | 2 | - |
| 지방군 | | 45 | - | - | 5 |
| 우유군 | 일반우유 | 125 | 10 | 6 | 7 |
| | 저지방우유 | 80 | 10 | 6 | 2 |
| 과일군 | | 50 | 12 | - | - |

# 1. 곡류군

(열량 100kcal, 당질 23g, 단백질 2g)

| 종류별 | 식품명 | 무게(g) | 목측량 |
|---|---|---|---|
| 밥류 | 쌀 밥 | 70 | 1/3공기(소) |
| | 보리밥 | 70 | |
| | 현미밥 | 70 | |
| 죽류 | 쌀 죽 | 140 | 2/3공기(소) |
| 알곡류 및 가루제품 | 기장 | 30 | |
| | 녹두 | 70 | |
| | 녹말가루 | 30 | 5큰술 |
| | 미숫가루 | 30 | 1/4컵(소) |
| | 밀가루 | 30 | 5큰술 |
| | 백미 | 30 | 3큰술(=1/5쌀컵) |
| | 보리(쌀보리) | 30 | 3큰술 |
| | 완두콩 | 70 | 1/2컵(소) |
| | 율무 | 30 | 3큰술 |
| | 차수수 | 30 | 3큰술 |
| | 차조 | 30 | 3큰술 |
| | 찹쌀 | 30 | 3큰술 |
| | 팥(붉은 것) | 30 | 3큰술 |
| | 현미 | 30 | 3큰술 |
| 국수류 | 냉면(건조) | 30 | 1/2공기(소) |
| | 당면 | 30 | |
| | 마른국수 | 30 | |
| | 메밀국수(건조) | 30 | |
| | 메밀국수(생것) | 40 | |
| | 삶은 국수 | 90 | |
| | 스파게티(건조) | 30 | |
| | 스파게티(삶은 것) | 90 | |
| | 쌀국수(건조) | 30 | |
| | 쌀국수(조리된 것) | 90 | |
| | 우동(생면) | 70 | |
| | 쫄면(건조) | 30 | |
| | 칼국수류(건조) | 30 | |

| | | | |
|---|---|---|---|
| 감자류 및 전분류 | 감자 | 140 | 중1개 |
| | 고구마 | 70 | 중1/2개 |
| | 돼지감자 | 140 | |
| | 찰옥수수(생것) | 70 | 1/2개 |
| | 토란 | 140 | |
| 떡류 | 가래떡 | 50 | 썰은 것 11~12개 |
| | 백설기 | 50 | |
| | 송편(깨) | 50 | |
| | 시루떡 | 50 | |
| | 인절미 | 50 | 3개 |
| | 절편 | 50 | 1개(5.5×5×1.5cm) |
| | 증편 | 50 | |
| 빵류 | 식빵 | 35 | 1쪽(11×10×1.5cm) |
| | 모닝빵 | 35 | 중1개 |
| | 바게트빵 | 35 | 중2쪽 |
| 묵류 | 도토리묵 | 200 | 1/2모(6×7×4.5cm) |
| | 녹두묵 | 200 | |
| | 메밀묵 | 200 | |
| 기타 | 강냉이(옥수수) | 30 | 1.5공기(소) |
| | 누룽지(건조) | 30 | 지름 11.5cm |
| | 마 | 100 | |
| | 밤 | 60 | 대3개 |
| | 오트밀 | 30 | |
| | 은행 | 60 | 1/3컵(소) |
| | 콘플레이크 | 30 | 3/4컵(소) |
| | 크래커 | 20 | 5개 |

## 2. 어육류군

### (1) 저지방

(열량 50kcal, 단백질 8g, 지방 2g)

| 종류별 | 식품명 | 무게(g) | 목측량 |
|---|---|---|---|
| 고기류 | 닭고기 (껍질, 기름 제거한 살코기) | 40 | 소 1토막(탁구공크기) |
| | 닭 부산물(모래주머니) | 40 | |
| | 돼지고기 (기름기 전혀 없는 살코기) | 40 | 로스용 1장 (12×10.3cm) |
| | 소 간 ✔ | 40 | |
| | 쇠고기 (사태, 홍두깨 등) | 40 | 로스용 1장 (12×10.3cm) |
| | 오리고기 | 40 | |
| | 육포 | 15 | 1장 (9×6cm) |
| | 칠면조 | 40 | |
| 생선류 | 가자미 | 50 | 소1토막 |
| | 광어 | 50 | |
| | 대구 | 50 | |
| | 동태 | 50 | |
| | 미꾸라지(생것) | 50 | |
| | 병어 | 50 | |
| | 복어 | 50 | |
| | 아귀 | 50 | |
| | 연어 | 50 | |
| | 옥돔(반건조) | 50 | |
| | 적어 | 50 | |
| | 조기 | 50 | |
| | 참도미 | 50 | |
| | 참치 | 50 | |
| | 코다리 | 50 | |
| | 한치 | 50 | |
| | 홍어 | 50 | |

| | | | |
|---|---|---|---|
| 건어물류 및 가공품 | 건오징어채 ✔ | 15 | |
| | 게맛살 | 50 | $1\frac{2}{3}$개 |
| | 굴비 | 15 | 1/2토막 |
| | 멸치 | 15 | 잔 것 1/4컵(소) |
| | 뱅어포 | 15 | 1장 |
| | 북어 | 15 | 1/2토막 |
| | 어묵(찐 것) | 50 | 1/3개(5.5cm) |
| | 쥐치포 | 15 | 1/2개(1.2×7cm) |
| 젓갈류 | 명란젓 ✔ | 40 | |
| | 어리굴젓 | 40 | |
| | 창란젓 ✔ | 40 | |
| 기타 해산물 | 개불 | 70 | |
| | 굴 | 70 | 1/3컵(소) |
| | 꼬막조개 | 70 | |
| | 꽃게 | 70 | 1마리(소) |
| | 낙지 | 100 | 1/2컵(소) |
| | 날치알 | 50 | |
| | 대하(생것) | 50 | |
| | 멍게 | 70 | 1/3컵(소) |
| | 문어 ✔ | 70 | 1/3컵(소) |
| | 물오징어 ✔ | 50 | 몸통 1/3등분 |
| | 미더덕 | 100 | 3/4컵(소) |
| | 새우(깐새우) ✔ | 50 | 1/4컵(소) |
| | 새우(중하) ✔ | 50 | 3마리 |
| | 전복 ✔ | 70 | 2개(소) |
| | 조갯살 | 70 | 1/3컵(소) |
| | 해삼 | 200 | $1\frac{1}{3}$컵(소) |
| | 홍합 | 70 | 1/3컵(소) |

✔ : 콜레스테롤이 많은 식품

## (2) 중지방

(열량 75kcal, 단백질 8g, 지방 5g)

| 종류별 | 식품명 | 무게(g) | 목측량 |
|---|---|---|---|
| 고기류 | 돼지고기(안심) | 40 | |
| | 샐러드햄 | 40 | |
| | 소곱창 ✔ | 40 | |
| | 쇠고기(등심, 안심) | 40 | 로스용 1장 (12×10.3cm) |
| | 쇠고기(양지) | 40 | |
| | 햄(로스) | 40 | 2장 (8×6×0.8cm) |
| 생선류 | 갈치 | 50 | 소 1토막 |
| | 고등어 | 50 | 소 1토막 |
| | 과메기(꽁치) | 50 | |
| | 꽁치 | 50 | 소 1토막 |
| | 도루묵 | 50 | |
| | 메로 | 50 | |
| | 민어 | 50 | 소 1토막 |
| | 삼치 | 50 | 소 1토막 |
| | 임연수어 | 50 | 소 1토막 |
| | 장어 ✔ | 50 | 소 1토막 |
| | 전갱이 | 50 | 소 1토막 |
| | 준치 | 50 | 소 1토막 |
| | 청어 | 50 | 소 1토막 |
| | 훈제연어 | 50 | |
| 가공품 | 어묵(튀긴 것) | 50 | 1장 (15.5×10cm) |
| 알류 | 달걀 ✔ | 55 | 중 1개 |
| | 메추리알✔ | 40 | 5개 |
| 콩류 및 가공품 | 검정콩 | 20 | 2큰술 |
| | 낫또 | 40 | 작은 포장단위 1개 |
| | 대두(노란콩) | 20 | |
| | 두부 | 80 | 1/5모 (420g 포장두부) |
| | 순두부 | 200 | 1/2봉 (지금 5×10cm) |
| | 연두부 | 150 | 1/2개 |
| | 콩비지 | 150 | 1/2봉, 2/3공기(소) |

## (3) 고지방

(열량 100kcal, 단백질 8g, 지방 8g)

| 종류별 | 식품명 | 무게(g) | 목측량 |
| --- | --- | --- | --- |
| 고기류 및 가공품 | 개고기 | 40 | |
| | 닭고기(껍질포함) ✪ | 40 | 닭다리 1개 |
| | 돼지갈비 | 40 | |
| | 돼지족, 돼지머리 ✪ | 40 | |
| | 런천미트 ✪ | 40 | 5.5×4×1.8cm |
| | 베이컨 | 40 | $1\frac{1}{4}$장 |
| | 비엔나소시지 ✪ | 40 | 5개 |
| | 삼겹살 ✪ | 40 | |
| | 소갈비 ✪ | 40 | 소 1토막 |
| | 소꼬리 ✪ | 40 | |
| | 프랑크소시지 ✪ | 40 | $1\frac{1}{3}$개 |
| 생선류 및 가공품 | 고등어통조림 | 50 | 1/3컵(소) |
| | 꽁치통조림 | 50 | 1/3컵(소) |
| | 뱀장어 ✔ | 50 | 소 1토막 |
| | 유부 | 30 | 5장 (초밥용) |
| | 참치통조림 | 50 | 1/3컵(소) |
| | 치즈 | 30 | 1.5장 |

✪ : 포화지방산이 많은 식품, ✔ : 콜레스테롤이 많은 식품

## 3. 채소군

(열량 20kcal, 당질 3g, 단백질 2g)

| 종류별 | 식품명 | 무게(g) | 목측량 |
|---|---|---|---|
| 채소류 | 가지 | 70 | 지름 3cm×길이 10cm |
| | 고구마줄기 | 70 | 익혀서1/3컵 |
| | 고비 | 70 | |
| | 고사리(삶은 것) | 70 | 1/3컵 |
| | 고춧잎 ✢ | 70 | |
| | 곰취 | 70 | |
| | 근대 | 70 | 익혀서 1/3컵 |
| | 깻잎 | 40 | 20장 |
| | 냉이 | 70 | |
| | 늙은 호박(생것) | 70 | 4×4×6cm |
| | 늙은 호박, 호박고지 | 7 | |
| | 단무지 | 70 | |
| | 단호박 ✢ | 40 | 1/10개 (지름 10cm) |
| | 달래 | 70 | |
| | 당근 ✢ | 70 | 4×5cm 또는 대1/3개 |
| | 대파 | 40 | |
| | 더덕 | 40 | |
| | 도라지 ✢ | 40 | |
| | 돌나물 | 70 | |
| | 두릅 | 70 | |
| | 돌미나리 | 70 | |
| | 마늘 | 7 | |
| | 마늘쫑 | 40 | 3개 (6.5~7cm) |
| | 머위 | 70 | |
| | 무 | 70 | 지름 8cm×길이 1.5cm |

| | | | |
|---|---|---|---|
| 채소류 | 무말랭이 | 7 | 불려서 1/3컵 |
| | 무청(삶은 것) | 70 | |
| | 미나리 | 70 | 익혀서 1/3컵 |
| | 배추 | 70 | 알배기배추 15×6cm, 중 3잎 |
| | 부추 | 70 | 익혀서 1/3컵 |
| | 붉은 양배추 | 70 | 1/5개 (9×4×6cm) |
| | 브로콜리 | 70 | |
| | 상추 | 70 | 소 12장 |
| | 샐러리 | 70 | 길이 6cm×6개 |
| | 숙주 | 70 | 익혀서 1/3컵 |
| | 시금치 | 70 | 익혀서 1/3컵 |
| | 쑥 ✢ | 40 | |
| | 쑥갓 | 70 | 익혀서 1/3컵 |
| | 아욱 | 70 | 잎 넓이 20cm 5장<br>(익혀서 1/3컵) |
| | 애호박 | 70 | 지름 6.5cm×두께2.5cm,<br>중 1/3개 |
| | 양배추 | 70 | |
| | 양상추 | 70 | |
| | 양파 | 70 | |
| | 연근 ✢ | 40 | 썰은 것 5쪽 |
| | 열무 | 70 | |
| | 오이 | 70 | 중 1/3개 |
| | 우엉 ✢ | 40 | |
| | 원추리 | 70 | |
| | 자운영(싹) | 70 | |
| | 죽순(통조림) | 70 | |
| | 참나물 | 70 | |
| | 청경채 | 70 | |
| | 취나물(건조) | 7 | |

| 채소류 | 치커리 | 70 | |
|---|---|---|---|
| | 케일 | 70 | 잎 넓이 30cm 1$\frac{1}{2}$장 |
| | 콜리플라워, 꽃양배추 | 70 | |
| | 콩나물 | 70 | 익혀서 2/5컵 |
| | 파프리카(녹색) | 70 | 대 1개 |
| | 파프리카(적색) | 70 | |
| | 파프리카(주황색) | 70 | |
| | 풋고추 | 70 | 중 7~8개 |
| | 풋마늘 ✢ | 70 | |
| | 피망 | 70 | 중 2개 |
| 해조류 | 곤약 | 70 | |
| | 김 | 2 | 1장 |
| | 매생이 ✢ | 20 | |
| | 미역(생것) | 70 | |
| | 우뭇가사리, 우무 | 70 | |
| | 톳(생것) | 70 | |
| | 파래(생것) | 70 | |
| 버섯류 | 느타리버섯(생것) | 50 | 7개 (8cm) |
| | 만가닥버섯(건조) | 50 | |
| | 송이버섯(생것) | 50 | 소 2개 |
| | 양송이버섯(생것) | 50 | 3개 (지름 4.5cm) |
| | 팽이버섯(생것) | 50 | |
| | 표고버섯(건조) | 7 | |
| | 표고버섯(생것) | 50 | 대 3개 |
| 김치류 | 갓김치 | 50 | |
| | 깍두기 | 50 | 사방 1.5cm 크기 10개 |
| | 나박김치 | 70 | |
| | 동치미 | 70 | |
| | 배추김치 | 50 | 6~7개 (4.5cm) |
| | 총각김치 | 50 | 2개 |
| 채소주스 | 당근주스 | 50 | 1/4컵(소) |

✢ : 당질을 6g 이상 함유하고 있으므로 섭취 시 주의하여야 할 채소

## 4. 지방군

(열량 45kcal, 지방 5g)

| 종류별 | 식품명 | 무게(g) | 목측량 |
| --- | --- | --- | --- |
| 견과류 | 검정깨(건조) | 8 | |
| | 참깨(건조) | 8 | 1큰스푼 |
| | 땅콩 * | 8 | 8개 (1큰스푼) |
| | 아몬드 * | 8 | 7개 |
| | 잣 | 8 | 50알(1큰스푼) |
| | 캐슈넛(조미한 것) * | 8 | |
| | 피스타치오 * | 8 | 10개 |
| | 해바라기씨 | 8 | 1큰스푼 |
| | 호두 | 8 | 중 1.5개 |
| | 호박씨(건조, 조미) | 8 | |
| | 흰깨(건조, 볶은 것) | 8 | |
| 고체성 기름 | 땅콩버터 | 8 | |
| | 마가린 | 5 | 1작은스푼 |
| | 버터 | 5 | 1작은스푼 |
| | 쇼트닝 | 5 | 1작은스푼 |
| 드레싱 | 마요네즈, 라이트 마요네즈 | 5 | 1작은스푼 |
| | 사우전드, 이탈리안 드레싱 | 10 | 2작은스푼 |
| | 프렌치 드레싱 | 10 | 2작은스푼 |
| 식물성 기름 | 들기름 | 5 | 1작은스푼 |
| | 미강유 | 5 | 1작은스푼 |
| | 옥수수기름 | 5 | 1작은스푼 |
| | 올리브유* | 5 | |
| | 홍화씨기름 * | 5 | 1작은스푼 |
| | 참기름 | 5 | 1작은스푼 |
| | 카놀라유 * | 5 | 1작은스푼 |
| | 콩기름 | 5 | 1작은스푼 |
| | 포도씨유 | 5 | |
| | 해바라기유 | 5 | |

✪ : 포화지방산이 많은 식품, * : 단일불포화지방산이 많은 식품

## 5. 우유군

### (1) 일반우유

(열량 125kcal, 당질 10g, 단백질 6g, 지방 7g)

| 종류별 | 식품명 | 무게(g) | 목측량 |
|---|---|---|---|
| 우유 | 두유(무가당) | 200 | 1컵(1팩) |
| | 락토우유 | 200 | 1컵(1팩) |
| | 일반우유 | 200 | 1컵(1팩) |
| | 전지분유 | 25 | 5큰스푼 |
| | 조제분유 | 25 | 5큰스푼 |

### (2) 저지방우유

(열량 80kcal, 당질 10g, 단백질 6g, 지방 2g)

| 종류별 | 식품명 | 무게(g) | 목측량 |
|---|---|---|---|
| 우유 | 저지방우유 (2%) | 200 | 1컵(1팩) |

## 6. 과일군

(열량 50kcal, 당질 12g)

| 종류별 | 식품명 | 무게(g) | 목측량 |
|---|---|---|---|
| 감 | 단감 | 50 | 중 1/3개 |
| | 연시, 홍시 | 80 | 소 1개, 대 1/2개 |
| | 곶감 | 15 | 소 1/2개 |
| 감귤류 | 귤 | 120 | |
| | 금귤 | 60 | 7개 |
| | 오렌지 | 100 | 대 1/2개 |
| | 유자 | 100 | |
| | 자몽 | 150 | 중 1/2개 |
| | 한라봉 | 100 | |

| | | | |
|---|---|---|---|
| | 귤(통조림) | 70 | |
| 대추 | 대추(생것) | 50 | |
| | 대추(건조) | 15 | 5개 |
| 두리안 | 두리안 | 40 | |
| 딸기 | 딸기 | 150 | 중 7개 |
| | 산딸기 | 150 | |
| 리치 | 리치 | 70 | |
| 망고 | 망고 | 70 | |
| 매실 | 매실 | 150 | |
| 무화과 | 무화과(생것) | 80 | |
| | 무화과(건조) | 15 | |
| 멜론 | 멜론(머스크) | 120 | |
| 바나나 | 바나나(생것) | 50 | 중 1/2개 |
| | 바나나(건조) | 10 | |
| 배 | 배 | 110 | 대1/4개 |
| 복숭아 | 복숭아(백도) | 150 | 소 1개 |
| | 복숭아(천도) | 150 | 소 2개 |
| | 복숭아(황도) | 150 | 중 1/2개 |
| | 복숭아,황도(통조림) | 60 | 반절 1쪽 |
| 블루베리 | 블루베리 | 80 | |
| | 블루베리(통조림) | 50 | |
| 사과 | 사과(후지) | 80 | 중 1/3개 |
| 살구 | 살구 | 150 | |
| 석류 | 석류 | 80 | |
| 수박 | 수박 | 150 | 중 1쪽 |
| 앵두 | 앵두 | 150 | |
| 올리브 | 올리브(생것) | 60 | |
| | 올리브(건조) | 15 | |

| 자두 | 자두 | 150 | 특대 1개 |
|---|---|---|---|
| 참외 | 참외 | 150 | 중 1/2개 |
| 체리 | 체리 | 80 | |
| 키위 | 키위 | 80 | 중 1개 |
| 토마토 | 방울토마토 | 300 | |
| | 토마토 | 350 | 소 2개 |
| 파인애플 | 파인애플 | 200 | |
| | 파인애플(통조림) | 70 | |
| 파파야 | 파파야 | 200 | |
| 포도 | 청포도 | 80 | |
| | 포도 | 80 | 소 19알 |
| | 포도(거봉) | 80 | 11개 |
| | 포도(건조) | 15 | |
| 후르츠 칵테일 | 후르츠칵테일(통조림) | 60 | |
| 주스 | 배주스 | 80 | |
| | 사과주스 | 100 | 1/2컵(소) |
| | 오렌지주스(무가당) | 100 | |
| | 토마토주스 | 100 | |
| | 파인애플주스 | 100 | |
| | 포도주스 | 80 | |

(자료 출처: 대한영양사회, 식품교환)

## [참고문헌]


계승희, 〈우리나라 식생활 개선 정책과 관련 사업 연구〉, 한국식품연구소 보고서, 1994

곽동경 · 류은순 · 이혜성 · 홍완수 · 장혜자, 2001, 《급식경영학》, 신광출판사, 2001

구난숙 외, 《세계 속의 음식 문화》, 교문사, 2003

국립농산물 품질관리원홈페이지 www.naqs.go.kr

국민 식생활 개선 범국민 운동본부, 〈국민식생활의 의식구조〉, 국민 식생활 개선 범국민 운동본부, 1989

국민건강영양조사(2015), 만성질병면

권순자, 김미리, 손정민, 김종희, 이연경, 최경숙, 정현아, 《식생활관리》, 파워북, 2016

권순자, 이정원, 구난숙, 신말식, 서정숙, 우미경, 송미영, 《웰빙식생활》, 교문사 2010

吉田靜代외 3인, 《食生活論》, 建帛社, 昭和63年

김광호 외, 《식생활과 문화》, 광문각, 2000

김덕희 외, 《한식스타일링》, 백산출판사, 2010

김선호 외 5인, 《식생활과 건강》, 파워북, 2015

김현오 외, 《식생활관리》, 광문각, 1995

김혜영 외, 《문화와 식생활》, 도서출판 효일, 2004

농림수산식품기술기획 평가원, 〈농생명소재산업화 기술기획 보고서-중점 소재 : 건강 기능성〉, 2015

농산물유통정보. https://www.kamis.or.kr 2016.12.20.

농수물유통공사,〈식품의 가격정보〉, www.kamis.co.kr

농수축신문사, 《한국 식품연감》, 1992

농식품 종합정보 시스템. http://koreanfood.rda.go.kr. 2016.12.02.

대한당뇨병학회, http://www.diabetes.or.kr/general/index.html

대한영양사협회〈식사계획을 위한 식품교환표〉, (주)씨아이알커뮤니케이션, 2010

鈴木正宬, 《食生活論》, 同文書院, 1990

맹영선 외, 《식품과 건강》, 유한문화사, 2002

모바일 광주. http://m.gwangju.go.kr 2016.12.20.

미야기시게시 저 · 남은우 역, 《일본인의 장수 비결》, 지구문화사, 1996

박건영 저, 《영양과 질병예방》, 유한문화사, 2000

박금순 외, 《음식과 식생활 문화》, 도서출판 효일, 2009

박명희, 송인숙, 박명숙, 《토론으로 배우는 소비자 의사결정론》, 교문사 2005

박춘란, 《급식관리실무》, 서도출판사, 2001

박태선 외, 《현대인의 생활영양》, 교문사, 2001

박현서 외, 《식생활과 건강》, 도서출판 효일, 2006

백은재, 배현주, 이경아, 류시현 외 3인 공저, 《식생활과 글로벌 음식문화》, 교문사, 2016

백희영 외 9인, 《건강을 위한 식생활과 영양》, 파워북, 2016

변광의, 손천배, 김향숙, 구난숙, 송은승, 이선영, 이경애, 《식품, 음식 그리고식생활》, 교문사, 2001

보건복지가족부 · 질병관리본부, 〈2008 국민건강통계〉, 2009

보건복지부, 〈98 국민건강영양조사 결과보고서〉, 2000

보건복지부, 한국보건산업진흥원, 〈국민건강영양조사〉 보고서

보건복지부, 한국영양학회, 〈한국인영양섭취기준〉, 2015

보건복지부, 한국영양학회, 식품의약품안전청, 〈한국인영양섭취기준〉, 2010

보건신문사 편저, 《질병을 이기자》, 보건신문사, 1998

서정숙 외 4인, 《식생활관리》, 신광출판사, 2016

細谷憲政, 《食生活論》, 一出版, 1989
송병춘 외, 《현대인의 식생활과 건강》, 건국대학교 출판부, 1999
승정자, 《식품교환을 이용한 영양관리》, 국민영양, 1988
식생활교육지원법. 2009
식품수급도, 한국농촌경제연구원, 2014
식품위약품안전처, 식품안전정보포털 www.foodsafetykorea.go.kr
식품의약품안전처, www.mfds.go.kr
심재은, 정효지, 백희영, 〈식료품비 수준에 따른 식사의 질〉, 한국영양학회지39(8): 832~840, 2006
양일선 외, 《단체급식》, 교문사, 2016
양향자, 《세계의 음식 문화》, 지구문화, 2012
오경화 외, 《푸드 코디네이션 개론》, 도서출판 효일, 2004
奧田和子, 《現代食生活論》, 講談社, 1989
유영상, 노정미, 이윤희, 정희정, 이건순, 박수정, 《과학적인 식생활관리》, 광문각. 2005
윤덕인, 《건강과 웰빙 식생활관리》, 지식인, 2016
윤서석 외, 《식생활관리》, 수학사, 1986
이건순 저, 《식생활과 건강》, 라이프사이언스, 2005
이애랑, 하애화, 류혜숙 공저, 《식생활관리》, 교문사, 2016
이연숙 외 3인, 《생애주기영양학》, 교문사, 2011
이유주, 《푸드컬러와 디자인》, 경춘사, 2005
장유경, 박혜련, 변기원, 이보경, 권종숙, 《기초영양학》, 교문사, 2011
전세경 외, 《녹색식생활교육》, 양서원, 2011
조윤준 외, 《세계의 식생활과 문화》, 파워북, 2011,
최혜미 외 10인, 《21세기 영양학 원리》, 교문사, 2016
최혜미, 《영양과 건강이야기》, 라이프사이언스, 2006
축산물품질평가원 홈페이지 www.ekape.or.kr
통계청(2015), 사망원인 통계보도자료
통계청, 〈가계동향조사연보〉, 2010
특별위원회 편저, 원태진 편역, 《국 상원 영양문제》, 1999
한국영양학회, 〈식사계획을 위한 식품교환표〉, 2010
한국영양학회, 〈한국인영양권장량 제7차 개정〉, 중앙문화사, 2000
한국영양학회, 〈한국인의 식사지침〉, 중앙문화사, 1986
한국영양학회, 《한국인 영양섭취기준 개정판》, 한아름기획. 2010
허석현 외, 《건강기능식품학 개론》, 도서출판효일, 2009
현기순 · 홍성야 · 임양순 · 이애랑, 《식생활관리학》, 교문사, 2001
홍진숙 외, 《식품재료학》, 교문사, 2012
황재선, 《푸드 코디네이션》, 교문사, 2003
《잘못된 식생활 성인병을 만든다》, 형성사, 1999
Doll and Peto. The causes of cancer: quantitative estimates of avoidable risks of cancer in the United States today. J Natl Cancer Inst. 1981 Jun;66(6):1191-308
World Health Organization (WHO).http://www.who.int/dietphysicalactivity/en/

[저자 소개 ]

• 박경숙 - 장안대학교 식품영양과 교수

• 계인숙 - 경남정보대학교 식품영양과 교수

• 최향숙 - 경인여자대학교 식품영양과 교수

• 유경혜 - 대전보건대학교 식품영양과 교수

• 오윤재 - 연성대학교 식품영양과 초빙교수

• 김현영 - 원광보건대학교 식품영양과 교수

# 식생활관리

2017년 2월 24일 1판 1쇄 인 쇄
2017년 2월 28일 1판 1쇄 발 행

지 은 이 : 박경숙 · 계인숙 · 최향숙
유경혜 · 오윤재 · 김현영

펴 낸 이 : 박 정 태

펴 낸 곳 : **광 문 각**

10881
경기도 파주시 파주출판문화도시 광인사길 161
광문각 B/D 4층
등 록 : 1991. 5. 31 제12-484호
전 화(代) : 031) 955-8787
팩 스 : 031) 955-3730
E - mail : kwangmk7@hanmail.net
홈페이지 : www.kwangmoonkag.co.kr

ISBN : 978-89-7093-826-4 93590

값 : 23,000원

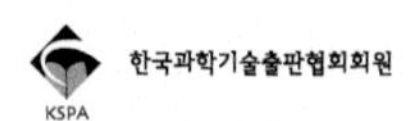